古龙：为现代武侠小说"别开生面"的重量级作家，以令人耳目一新的文笔和意境，将武侠文学推上一个新的高峰。古龙的作品永不褪流行，以独辟蹊径的文学，写石破天惊的故事。他与金庸、梁羽生被公认当代武侠作家三巨擘。

【剑毒梅香】 【剑客行】

【苍穹神剑】 【湘妃剑】 【彩环曲】

【剑玄录】 【欢乐英雄】 【孤星传】

【情人箭】 【护花铃】 【血鹦鹉】

【七种武器】 【大旗英雄传】 【浣花洗剑录】

【圆月弯刀】 【风铃中的刀声】 【萧十一郎】

【白玉老虎】 【大地飞鹰】 【大人物】

【边城浪子】 【九月鹰飞】 【三少爷的剑】

【楚留香传奇系列】 【多情剑客无情剑】

【流星·蝴蝶·剑】 【陆小凤传奇系列】

【武林外史】 【绝代双骄】 【名剑风流】

新版古龙全集

江湖人系列

白玉老虎

上

古龙 著

太白文艺出版社

古龍天為人慷慨豪邁、跌蕩
自如，變化多端，文如其人，且緩多
奇氣，惜英年早逝，余與古見書
年之好，且喜讀其書，今驟不復其
人，又去新作可讀，深且哀惜。

金庸 [印]

一九九六、十、十一 香港

走 进 古 龙

——《古龙文集》代序

陈华昌

一

打开面前的这部《古龙文集》,我们便走进古龙所构建的光怪陆离、奇异险绝、鬼神莫测的武侠世界。接受美学向我们揭示,当我们被这世界的怪异色彩和匪夷所思的景象弄得目眩神迷、血脉贲张、大悲大喜之时,我们的创造力便被激活,身不由己地足之、蹈之、手之、舞之,忘我地参与构造这虚幻世界。由于我们各自的资质、学养、才情的差异,所构筑的世界便有大小、深浅、宽狭、高低、幽显、曲直、远近等等差别,但我们在一步步走进古龙的心灵却是共同的,我们心目中的面貌各异的古龙形象正一步步地变得清晰起来。

二

古龙,本名熊耀华,祖籍江西。关于他的生年,有 1936 年、1937 年、1938 年三种说法,卒于 1985 年 9 月 21 日。

他的出生地:香港。

1949 年,国民党政府逃到台湾。古龙随父母从香港迁居台湾。

古龙的父亲曾担任台北市长的机要秘书,家庭经济状况应该说是不错的。但是,这个家庭却是不幸的。古龙的父母由于感情不合,在不断的争吵中终于离婚。

父母的离异在少年古龙的心灵上投下了沉重的阴影。他对父亲充满了愤怒和怨恨，父子间爆发了激烈的冲突。倔强的古龙离家出走，一边打工，一边念书，对于一个十多岁的少年，这是多么艰难的事。失去家庭温暖的少年，往往由于精神的巨大伤害而人格扭曲变形，变得自暴自弃，有的甚至会对人类和社会产生敌意，将仇恨和愤怒向他人和社会发泄，走上犯罪的道路。但少年古龙并没有沉沦，他以顽强的意志念完了高中，又考入淡江大学外文系念英文。大学期间，他阅读了大量欧美文学作品，潜在的文学资质被激活，对文学产生了浓厚的兴趣，开始写作。他写了大量的诗与散文，但渐渐地，写得最多的是小说。他发表的第一篇作品是《从北国到南国》。这是一部情调忧伤而抒情的中篇小说，发表在1956年的《晨光》杂志上。

大学毕业后，古龙曾在台北美军顾问团担任翻译职务。这是一条稳稳当当的路。大学毕业生到政府部门或教育界谋一个职位，只要能认真工作，就能稳步升迁，虽不能大富大贵，却也能衣食不愁，养家无忧。如果真是这样，台湾至多不过是多了一个官僚或教师，却少了一股奇异亮丽的侠气。显然，平庸的生活不适合古龙，他注定要过那种大喜大悲、大起大落的生活，干一番惊世骇俗、鬼泣神愁的事业。

他辞去了翻译职务，在偏僻的瑞芳镇租了间房子，过上了无拘无束、自由浪漫的自由撰稿人的生活。他与一群"狐朋狗友"经常狂饮高歌，指点江山，激扬文字，颇为得意。但浪漫是要以金钱作为后盾的，写纯文艺作品挣不了几个稿费，他终于接受了出版社的建议，转向武侠小说创作。

古龙的创作力是惊人的。从1960年到1963年这短短的四年间，他一口气写出了十四部小说：《苍穹神剑》、《月异星邪》、《剑气书香》、《湘妃剑》、《剑毒梅香》、《孤星传》、《失魂引》、《游侠录》、《护花铃》、《彩环曲》、《残金缺玉》、《飘香剑雨》、《剑玄录》、《剑客行》。

出手如此迅猛，真有"当其下笔风雨快，笔所未到气已吞"之势。古龙很快与诸葛青云、卧龙生、司马翎合称台湾"四大名家"。

经过十来年的冲杀，古龙终于开辟出了自己的武侠世界，成为台湾武侠小说界的泰斗。金钱、名誉、美女滚滚而来。他从台北郊区瑞芳镇搬进了市区，住上了二层楼的豪宅。家人住在楼下，他一人独占二楼。酒柜中满是名酒，墙壁上挂满了名人字画。他呼朋唤友，酣饮达旦，谈剑论文，豪气干云。

从1976年开始，古龙的武侠小说被改编成影视作品。最早被搬上银幕的是《流星·蝴蝶·剑》，导演是台湾很有名气的楚原。然后，古龙将《剑气满天花满楼》等20余部作品改编成电影。1980年，他成立了"雪龙电影公司"，自任监制与导演，专门拍摄自己的武侠作品。

小说一旦插上了影视的翅膀，便满世界飞舞。古龙的大名在华人社会可谓家喻户晓。香港作家燕青在《初见古龙》一文中说：

> 古龙的武侠小说销量之多，流传之广，看来只有金庸能和他相比，即使是不看小说的人，也常会在银幕上和荧光屏上，看到古龙的作品，若论小说被改编为电影和电视剧，数量之多，也只有金庸堪与比较。一曲《小李飞刀》（由《多情剑客无情剑》改编的电视剧的主题曲）在香港与东南亚，唱到家喻户晓，有一个时期，歌星前往东南亚登台，若不唱这一首歌，观众便会大喝倒彩。累得连台湾歌星也要连夜赶练，即使口音不正，也要唱出这一首粤语歌曲。

古龙作品风靡香港、东南亚的盛况，由此可以想见。

古龙是个高产作家。香港桂冠图书公司出版他的专辑收书八十多种，珠海出版社出版的《古龙作品集》列出已在中国大陆正式出版的小说共六十八部。其实，在中国大陆和港台，署名古龙出版的武侠小说共百多部。其中，有些是古龙未竟之作，由别人续作而成；有的则完全是别人捉刀代笔而成。

1985年，古龙因长期酗酒与无规律而紧张艰苦的创作生活所累，肝脏逐渐硬化而住进了医院。9月21日，一代武侠巨星殒落，未达知天命之年，可谓英年早逝。他短暂的生命犹如一颗慧星，在夜空中划出一道奇异的光彩。巨星虽然消失了，但他留下的光彩却永远闪亮，他构造的武侠世界永远散发着神秘而巨大的诱惑力。

三

由于天性，由于青少年时期破裂的家庭生活所造成的精神创伤，古龙的性格复杂而单纯。

朋友、美女、名酒是古龙生活中不可缺少的三大珍宝，或者说，它们已成为古龙生命的有机组成部分。

古龙一生嗜酒如命。有人说，他是一个真正的酒徒，我说他是一个真正的酒侠。

未成家时的古龙，常到酒坊喝酒，成家以后，他喜欢收藏各种各样的酒，常在家与朋友纵酒狂歌。

古龙喝酒的方式是痛快淋漓，干净利落。他与朋友一起开怀畅饮，头一仰，便是一杯，那种豪迈酒量，看得使人心惊。古龙说：

> 浅斟细品最大的通病是废话太多，枝节太多，人物太多，情节也太多。

这就是"酒徒"与"酒侠"的真正区别。"酒徒"嗜酒而只在酒，古龙嗜酒却不止在酒，而是用酒精燃烧自己的血液，使热血沸腾，激发本质中的侠气，将喝酒的境界与武侠小说创作境界贯通。散文家林清玄说："提到收藏的酒，就仿佛提到他笔下的武侠人物，古龙的眼中有一种神秘的光。"

长期的酗酒，必然损坏肝脏。他因肝硬化住进医院后，在医生和朋友的劝导下，戒了半年酒。但身体状况稍稍好转，他又捧起了酒杯，导致肝昏迷再度入院。在医院住了一个多月，病情稍解，他又坚持出院，在他临死的前几天，又开始纵情喝酒，醉了睡，醒了又喝，又醉，又睡，又喝……终于导致食道破裂，用酒浇灭了自己生命的蜡烛。

古龙的生命中不能没有酒，酒是他生命的一部分。没有了生命，才可能没有了酒。

美女也是古龙生命的一部分。

在大学期间，他在台北的舞厅中结识了一个楚楚动人的风尘少女，很快堕入爱河。他们在瑞芳镇陋居里度过了一段甜蜜的时光，生下了一个儿子，取名熊小龙，后改名郑小龙，成为台湾柔道高手。

与这位风尘女分手后，他又迷恋上一个叫叶雪的舞女。又是同居，又生下了个儿子，又是分手。

也许是对风尘女失去了兴趣，他被一个叫梅宝珠的女高中生所吸引。女学生清纯幼稚，又是古龙的崇拜者，自然容易得手。但古龙这次却是认真地，与她正式结了婚。

古龙的弟子丁情说："古大侠生性就是个浪子，所以根本不适合婚姻生活。"

妻子无法长期忍受丈夫在外拈花惹草，绯闻不断，经常不回家。在生下三个儿子后，两人终于分手。

古龙名气越来越大，财源滚滚而来。他肯为女人大把大把地花钱，身边珠环翠绕，美女如云。但他的内心却是寂寞的，他渴望真正的爱情。

又一个女高中生闯进了他的心扉。这是一个文静而美丽的江南少女，名叫于秀玲。她喜爱文学，读古龙的武侠小说，是古龙的崇拜者。少女的爱是纯洁真诚的，古龙也报之以真诚，与她正式结婚。

古龙临终时向她真诚地忏悔道："真对不起你，也对不起那些爱过我的女人。"

她回答说："只要你知道了，今后我们会生活得很愉快。"

多么凄婉动人的结局。她是多么了解自己的丈夫，她的爱是多么地宽广深厚。

有人说，古龙是个好色之徒，我不同意这种说法。这样说太简单肤浅。一般追欢买笑的好色之徒，追求的只是肉欲的满足。正如《红楼梦》中警幻仙姑所说："此皆皮肤滥淫之蠢物耳。"而古龙不断寻找的，却是一段真情。他所付出的，也是自己的真爱。并且，他对女性美的激情，成为了灵感的源泉。有人说，他每篇小说的背后都有一个女人。可以说，是女人成就了古龙。在他的生命到达终点前曾问朋友："怎么我的女朋友一个都没有来看我？"他丢不开、放不下的，仍然是他爱过的那些女人。

古龙的生活，不能没有醇酒和美女，更不能没有朋友。他爱交朋友，热爱朋友，把友情看得比什么都贵重。他说：

> 朋友就是朋友，绝对没有任何事能代替，也没有任何东西能形容——就是世界上所有的玫瑰，再加上世界上所有的花朵，也不能比拟友情的芬芳与美丽。

他又说：

> 朋友永远第一，朋友的事永远最要紧。

古龙身边经常围绕着一群朋友。大家狂饮高歌、谈天说地、意气风发，这是古龙最高兴的时候。逢年过节，他都要提前邀请朋友到家宴饮。未结婚成家的朋友，那是非去不可的；已结婚的朋友，不少人在家吃过饭再到古龙家饮酒过节，丁情说：

> 古大侠虽然不能缺少女伴，可是他常常会为了朋友，而舍弃他心爱的女人。他总认为女人可以再找，朋友知己却是难寻，怎么可以舍朋友而重女人呢？这是古大侠对于女人和朋友的态度，也是很多女人"恨"他的原因。

当然，丁情的这段话里包藏了很多关于古龙和朋友与女人的动人故事，不足与外人道了。也许，这些故事都化为了古龙武侠世界中的人物和故事，令读者回肠荡气，感叹唏嘘。

豪侠尚义，侠骨盖世，才华惊天，浪漫过人的古龙，生活在朋友、美女、醇酒之中，热热闹闹，轰轰烈烈，似乎是快乐无比，无忧无虑。其实，他的内心深处隐藏着强烈的孤独和痛苦。

"高处不胜寒"。不管是政坛上还是艺坛上的天才，他们的智慧越高，精神境界越高，成就越大，离普通人就越远。因而那"众人皆醉我独醒"、"千金易得，知己难求"般的深沉慨叹，永远回荡在历史的漫漫长空。古龙说：

> 世上本就没有一个人能完全了解另一个人的，无论是夫妻，是兄弟，是朋友都一样。

古龙具有极高的天赋，青少年时期家庭悲剧带给他的精神创伤，内心的孤独感自然是沉重的。成名后的轰轰烈烈，不但不能抹去内心的孤独，反而使其更加深沉。他说：

> 一个人如果太有名了，就难免会有很多不必要的烦恼，如果他要完全摆脱这种烦恼，最彻底的一种方法就是"死"。

这话说得何等悲凉决绝！没有深切的体验，断不能说出这样深刻的话。

因而我们可以明白：古龙需要朋友，是因为他内心孤独；他不断追求美女，也是因为他内心孤独；他嗜酒如命，还是因为他内心孤独。

慷慨豪迈和孤独痛苦集于古龙一身。这是我们打开古龙武侠世界大门的一把钥匙。

四

古龙对武侠小说创作有自己的理论，有明确的追求。他说：

我们这一代的武侠小说，如果真是由平江不肖生的《江湖奇侠传》开始，至还珠楼主的《蜀山剑侠传》到达巅峰，至王度卢的《铁骑银瓶》和朱贞木的《七杀碑》为一变，至金庸的《射雕英雄传》又一变，到现在又有十几年了，现在无疑又已到了应该变的时候！

要求变，就得求新，就得突破那些陈旧的固定形式，尝试去吸收。

《战争与和平》写的是一个大时代中的动乱，和人性中善与恶的冲突；《人鼠之间》写的却是人性的骄傲和卑贱；《国际机场》写的是一个人如何在极度危险中重新认清自我；《小妇人》写的是青春与欢乐；《老人与海》写的是勇气的价值，和生命的可贵。

这些伟大的作家们，用他们敏锐的观察力，丰富的想象力，和一种悲天悯人的同情心，有力的刻画出人性，表达出他们的主题，使读者在悲欢感动之余，还能对这世上的人与事，看得更深、更远些。

这样的故事，这样的写法，武侠小说也同样可以用，为什么偏偏没有人用过？

在古龙开始创作武侠小说的60年代，金庸、梁羽生早已名满天下。开始时，他为了挣稿费，就模仿金庸的写法。但古龙毕竟是古龙，他的才气，他的文学修养，他的性格，都决定了他不甘于做人家的影子，而要独树一帜，异军突起。他在寻求新的突破。

他看准了当时武侠小说流入俗套、成为公式的弊病，使人不看也能知道它的内容。他说：

因为武侠小说的确已落入了一些固定的形式。

——一个有志气、"天赋异禀"的少年，如何去辛苦学武，学成后如何去扬眉吐气，出人头地。

这段经历中当然包括了无数次神话般的巧合与奇遇，当然也包括了一段仇恨，一段爱情，最后是报仇雪恨，有情人成了眷属。

——一个正直的侠客，如何运用他的智慧和武功，破了江湖中一个规模庞大的恶势力。

这位侠客不但"少年英俊，文武双全"，而且运气特别好，有时甚至能以"易容术"化妆成各种各样的人，连这些人的至亲好友、父母妻子都辨不出他的真伪。

这种写法并不坏，其中的人物有英雄侠士、风尘异人、节妇烈女，也有枭雄恶霸、荡妇淫娃、奸险小人，其中的情节一定很曲折离奇，紧张刺激，而且很香艳。

只可惜这种形式已写得太多了些，已成了俗套，成了公式，而且通常都写得太荒唐无稽，太鲜血淋漓，却忘了只有"人性"才是小说中不可缺少的。

人性并不仅是愤怒、仇恨、悲哀、恐惧，其中包括了爱与友情，慷慨与侠义，幽默与同情。

我们为什么要特别着重其中丑恶的一面？

古龙选准了突破旧的公式和俗套的突破口，他要像世界文学大师那样，把表现丰富复杂的人性，塑造各种真实可信的人物形象作为艺术追求的目标。他又说：

武侠小说中已不该再写神，写魔头，已应该开始写人，活生生的人，有血有肉的人！武侠小说中的主角应该有人的优点，也应该有人的缺点，更应该有人的感情。

应该说，古龙关丁武侠小说创作具有清醒的认识，他的议论也是一些真知卓见。他致力于提高武侠小说的文化品位和艺术价值，因而自己的作品具有了独特的风貌和艺术个性，为武侠小说创作开创了新路。

五

说到武侠小说，人们就会想起金庸、梁羽生、古龙。并且，人们喜欢给这三位大家"排座次"。有人主张顺序应是金庸、梁羽生、古龙，有人认为应是金庸、古龙、梁羽生，有人却力主古龙、金庸、梁羽生。观点不同，因此争论不休。

我认为文艺创作不同于体育比赛，是很难决出冠军、亚军、季军的。田径比赛，速度之差哪怕是零点零一秒，也能分出先后顺序，世界第一就是世界第一，绝对不是第二。同一档次的作家，就很难说谁比谁强。你能说李白是诗坛的冠军还是杜甫是冠军？

文艺鉴赏的目的是要充分认识作家的创作个性，充分发掘作品的艺术美。古龙从模仿金庸、梁羽生起家，终于独树一帜，形成了独特的艺术风格和创作个性。这是他成功的奥秘。让我们在和金庸、梁羽生的比较中，来欣赏古龙武侠世界的奇异风光。

首先，金庸、梁羽生都将自己的人物和故事置于某个特定的历史背景下，并力求营造出浓厚逼真的历史氛围，使人佩服他们渊博的历史知识和精辟的历史见解。当然，他们二人又各有特色。梁羽生的人物和事件基本是虚构的，走的是《水浒传》的路子；而金庸则以真实的历史人物和事件为基础，构建成自己的艺术大厦，具有以假乱真的魅力，似乎更接近《三国演义》一些。古龙则干脆消解了历史，故事和人物纯属虚构，根本不要历史背景。这根源于他的艺术观念，他要把表现人性作为自己的目的，而人性的基本要素并不因历史背景的变迁而改变多少。改变较大的，只是人们关于人性的认识和观念。

其次，在人物塑造方面，古龙与金庸、梁羽生亦有明显的差异。金庸的人物性格复杂，亦正亦邪，多面统一，具有雕塑般的立体效果。他追求的，仍然是人物性格广泛而深阔的社会意义。梁羽生的人物多少有些济世救民的儒家传统色彩，因而正邪分明，具有理想化的倾向和丰富的社会内涵，但有几分公式化、概念化的成分。古龙的人物则显然带有更鲜明的自我表现的性质，古龙的至交倪匡，在古龙逝世的"讣告"中说："他是他笔下所有多姿多采的英雄人物的综合。"古龙将自己的生命体验溶进其艺术人物的血液里，因而他们大多带有怪诞、神秘、孤独、多情的性格特点。

再次，对于武功的描写，古龙也有独特的风格。金庸以传统文化精神和丰富的文化知识融入武功的创造和描写中，琴棋书画，九宫八卦，养生之道，方技杂术，都可以化为盖世武功，并描述得那样合情合理，有声有色，精致细腻，引人入胜。梁羽生创造的武功，多半是技击加上超技击的描写，一招一式，明明白白，细腻逼真，将武功的形式变成一种特殊的审美要素。同他的人物形象塑造一样，梁羽生的武功也具有浓厚的道德色彩和理想主义倾向，武功也有正邪之分。古龙关于武功的设计，有独特的见解，他说：

> 武侠小说中的动作的描写，应该是简单，短而有力的，虎虎有生气的，不落俗套的。小说中动作的描写，应该先制造冲突，事件的冲突，尽量将各种冲突堆构成一个高潮。若你再制造气氛，紧张的气氛，肃杀的气氛，用气氛来烘托动作的刺激。武侠小说毕竟不是国术指导，武侠小说也不是教你如何去打人杀人的！血和暴力虽然永远有它的吸引力，但是太多的血和暴力，就会令人反胃了。

因此，古龙绝不细腻地描绘武功的一招一式，而将重点放在气氛的营造上。他的武功干净利落，就像他喝酒的风格一样，一招之间，生死立判，根本不需要套路。他把"无招之招"作为武功修炼的最高境界，刀人合一，物我相忘，融合为一种无声无形的精神意志，所向无敌。

最后，在结构与语言方面，古龙亦表现出迥异于金庸、梁羽生的独特风貌。金庸的语言俊爽、绵密，从容不迫而诙谐有趣，他的小说结构精巧繁复，谨严有致。梁羽生古典文学的修养深厚，诗词歌赋应手而来，语言雅致优美，古色古香。小说技法多继承中国古典章回小说，铺张故事，有明显的说书的痕迹。古龙小说的语言短句多，句式多变，短句与长句有机交错，激荡跳跃，节奏分明。他常用写诗和散文的方式来写小说，将意象作诗式的排列，组合成画面。例如：

　　二月廿四，午时。

　　关洛道上。

　　司马超群鞭马、放缰、飞驰。

　　驰向长安。

　　他的马仍在飞奔，仍然冲劲十足，因为他已经在途中换

了四次马。

从语言形式来看，这是诗式的语言。从画面结构来看，这是电影手法的运用。古龙有意识地采用当代影视表现技巧，使他的小说，不少像电影文学脚本，几乎可以不加改编而直接拍片。

六

　　以上简略介绍了古龙的身世、性格特征、艺术观点和作品的艺术特点，希望作为"导游"，带领大家走进古龙创造的武侠世界。当然，"导游"的眼睛不能代替你的眼睛，"导游"的心灵更不能代替你的心灵。也许，你看到的、体验到的远比"导游"更丰富、更宽广、更深邃。也许，你的感觉和体验完全是另一番境界。因为，你参与了艺术创造。让我们一起来体验审美的愉悦和创造的欢乐吧。

● 白玉老虎 …………… 1

● 英雄无泪 …………… 633

白玉老虎

目　　录

第 一 回　　黄道吉日 …………………………………… （ 1 ）

第 二 回　　凶　手 ……………………………………… （ 35 ）

第 三 回　　赌 …………………………………………… （ 90 ）

第 四 回　　活　埋 ……………………………………… （127）

第 五 回　　辣 椒 巷 …………………………………… （191）

第 六 回　　步步杀机 …………………………………… （265）

第 七 回　　虎 山 行 …………………………………… （341）

第 八 回　　虎　穴 ……………………………………… （390）

第 九 回　　虎　子 ……………………………………… （509）

第 十 回　　绝　秘 ……………………………………… （519）

第十一回　　剑　气 ……………………………………… （561）

第十二回　　大 逆 转 …………………………………… （592）

第一回　黄道吉日

夺命更夫

三月二十七日,大吉。

诸事皆宜。

赵无忌倒在床上。

他快马轻骑,奔驰了三百里,一下马就冲了进来,进来就倒在这张床上。

又香又软的床。

这是香香的床,香香是个女人,又香又软的女人,每次看到赵无忌的时候,总会笑得像糖一样甜蜜。

窗外阳光灿烂,天气晴朗,风中带着花香。

赵无忌看看窗外的一角蓝天,终于缓缓吐出口气,喃喃道:"今天真是个好的日子。"

香香今天居然没笑,只淡淡的说:"今天的确是个好日子,杀人的好日子。"

赵无忌用一只手支起了头,看看她:"你想杀人?"

香香道."只想杀一个人。"

赵无忌道:"杀谁?"

香香道:"杀你!"

赵无忌并没有被吓一跳,反而笑了,笑得好像还很开心。

香香咬着嘴唇,道:"我本来真想杀了你的,可是我再想想,今天你居然还会想到来看我,已经算是很不容易了。"

赵无忌道:"你知道?"

香香道:"我当然知道,今天是赵公子大喜的日子。"

她美丽的眼眸里忽然有了泪光:"我也知道赵公子今天到这里来,只不过是为了要告诉我,从今以后,他跟我已经一刀两段了,就算我以后还会看见他,也应该把他当成陌路人。"

赵无忌不能否认,也不能不觉得有点难受:"我还带了样东西给你。"

他从身上拿出串珍珠:"这是我答应给你的,我还没有忘记。"

珍珠晶莹圆润,就好像少女们纯情的泪珠一样。

香香接过来,轻轻抚摸,喃喃道:"我知道你一定会带来给我的,你一向是个很有信用的男人。"

她居然没有流泪。

可是她的手已经在发抖,她忽然跳起来,用力将这串珍珠往赵无忌的脸上砸过去,大声道:"可是谁稀罕你这串臭珠子,谁稀罕你这个小王八蛋。"

珠串并没有打到赵无忌的脸,却由窗口飞了出去。

赵无忌又笑了:"小王八蛋多少总有点好处的。"

香香跳起来,道:"有什么好处,你说!"

赵无忌道:"小王八蛋至少总比老王八蛋好,也比死王八蛋好。"

他想让香香也笑一笑。

他们之间,虽然并没有什么条件和誓约,但是分离毕竟总是难免要令人悲伤。

他一直希望他们在离别的时候还能笑一笑。

香香还是没有笑出来,刚才被她掷出窗外的那串珍珠却飞了回来。

接着,"夺"的一声响,一根三尺六寸长的箭,将这串珍珠钉在柱子上。

箭杆上,银光闪闪,箭尾的银羽还在颤动,窗外,又有根短箭飞来,钉在这杆箭上。

长箭虽强,短箭更准。

香香看呆了。

像这样的箭法,的确不是时常能看得到的。

赵无忌的笑立刻变成了苦笑,叹息着道:"我的债主们终于来了。"

香香变色道:"他们来干什么啊?"

赵无忌道:"债主当然是来讨债的,你难道看不出今天也是讨债的好日子!"

　　这里是个小楼,现在正是春天。

　　小楼外春光明媚,百花齐放,有的鲜红,有的嫩绿,有的鹅黄。

　　两个黑衣人站在鲜艳的花丛间,一男一女,一少一老。

　　少年人是条身长八尺的壮汉,老妇人的背已驼了,一双眼睛却仍闪闪发光。

　　两个人,两把弓,金背黑胎,一长一短。

　　香香站在小楼上的小窗旁,忍不住问:"这两个人是谁?"

　　赵无忌说道:"是黑婆婆,跟她的儿子。"

　　香香道:"黑婆婆是什么人?"

　　赵无忌道:"是个可以用一枝箭射中十丈外苍绳眼睛的人。"

　　香香脸色变了,道:"这驼背的老太婆,有这么厉害……"

　　赵无忌道:"她的儿子虽没有她准,可是两膀天生的神力,只要他高兴,随时都可以把并排站着的两个人射个对穿。"他叹了口气接着道:"金弓银箭,子母双飞,这母子两个人,谁看见,谁倒霉。"

　　香香道:"可是,你偏偏欠了他们的债?"

　　赵无忌苦笑,说道:"我一向都很倒霉。"

　　香香道:"你欠了他们什么?"

　　赵无忌道:"欠了他们两个人。"

　　香香不懂,道:"怎么会欠他们两个人?"

　　赵无忌道:"有一次我半夜从明湖春喝了酒出来,看见有两个小姑娘在前面逃,他儿子在后面追,有个小姑娘已中了一箭,不停的在喊救命!"

　　他又叹了口气,道:"看见那么样一个大男人在追小姑娘,我当然要拔刀相助,替她们挡一阵,让她们逃走。"

　　香香道:"后来呢?"

　　赵无忌道:"后来我才知道那两个小姑娘根本不是小姑娘。"

　　香香更不懂,问道:"不是小姑娘是什么?"

　　赵无忌道:"是男人。"

　　香香傻了。

赵无忌道:"江湖中有帮叫'一窝蜂'的采花贼,专门喜欢扮成小姑娘。"

香香道:"那两个小姑娘,都是采花贼?"

赵无忌点头苦笑:"幸好这母子两个人总算还看得出我不是采花贼的同伙。"

香香道:"他们当然也不会就这样放了你。"

赵无忌道:"他们给了我三个月限期,叫我把那两个采花贼抓回来。"

香香道:"现在限期已经到了?"

赵无忌道:"快到了。"

香香道:"你有没有替他们把人抓回来?"

赵无忌道:"还没有。"

香香看着他,摇头叹气,道:"这世上有种人好像总喜欢把虫子捉来往自己头发里放,你为什么偏偏就是这个人?"

赵无忌道:"只有一两只虫子倒也没有什么关系。"

香香道:"你头发里还有什么?"

赵无忌叹道:"好像还有五六个蝎子,七八条毒蛇。"

香香没有再问。

她已经吓得声音都哑了。

她已经看见了好几条毒蛇!

毒蛇在一个破麻袋里,从破洞里伸出了头,吐着红信。

麻袋在一个人背上。

一个奇形怪状的人,不但鼻子缺了半个,耳朵也被咬得完全不像耳朵,一双眼睛里满布血丝,就像是毒蛇的红信。

可是他身上却偏偏穿着件大红大绿、五颜六色的袍子,更让他显得说不出的诡秘可怖。

有条毒蛇已爬上了他的肩,盘住了他的脖子,伸出红信舐他的脸。

他好像连一点感觉都没有。

香香却已经有感觉了,香香差一点就吐了出来。

"这个人也是你的债主?"

"嗯。"

"你欠他什么?"

"欠他五条蛇!"赵无忌嘴里好像也有点苦水:"五条最毒的蛇。"

香香有点不服气了:"你救了那两个采花贼,是你的错,像这样的毒蛇,你就是再多杀他几条也是应该的,为什么要还给他?"

赵无忌道:"因为他就是毒菩萨。"

香香道:"毒菩萨?"

赵无忌道:"他虽然满身都是毒,可是他的心却像菩萨一样。"

香香道:"菩萨也养蛇?"

赵无忌道:"别人养蛇,是为了害人,他养蛇却是为了救人。"

他知道香香不懂,所以又解释:"只有用毒蛇的唾液和血炼出来的药,才能解毒蛇的毒。"

香香又道:"你欠他的那五条毒蛇呢?"

赵无忌道:"那五条蛇都是异种,他在滇边的穷山恶水之中找了三年,才总算把这五种毒物抓齐了。"

香香道:"抓齐了又有什么用?"

赵无忌道:"用这五种毒蛇的唾液,就可以合成一种药,能解百毒,但是却一定要在它们活着的时候,让它们自己吐出来的毒液才有用。"

香香道:"我听说毒蛇只有在咬别人的时候,才会把自己的毒液吐出来。"

赵无忌道:"不错。"

香香道:"为了要采这五种毒蛇的唾液,难道他就让它们去咬人?"

赵无忌道:"他只有这法子。"

香香道:"他让它们去咬谁?"

赵无忌道:"咬他自己。"

香香又傻了。

赵无忌道:"我看见他的时候,那五条毒蛇正咬在他身上。"

香香道:"那时你怎么办?"

赵无忌苦笑道:"你说,我还能怎么办?我连想都没有想,就拔出剑把那五种毒蛇都斩断了,每一条蛇,都砍成了七八截。"

香香也不禁苦笑,道:"看来你的剑法倒真不错。"

赵无忌道:"可是我这件事却又做错了。"

花园里很静,黑婆婆和毒菩萨显然都是很沉得住气的人。

就在这时候,远处忽然传来"笃、笃"两声响,声音仿佛很遥远,又好像在耳朵边。

听见这声音,黑婆婆和毒菩萨的脸色都好像有点变了。

香香道:"这是不是打更的声音?"

赵无忌道:"是的。"

香香道:"我真的没有听错?"

赵无忌道:"你没错。"

香香道:"现在还是白天,这个人就打起更来,是不是有毛病?"

赵无忌道:"他没有毛病,他想什么时候打更,就在什么时候打更。"

香香道:"为什么?"

赵无忌道:"因为他打的更和别人不同,不是报时的。"

香香道:"他打的是什么更?"

赵无忌道:"是断魂更。"

香香道:"断魂更?"

赵无忌道:"只要他打过了三更,就有个人必定要断魂。"

他脸上也露出奇怪的表情:"夺命更夫柳三更,一打三更人断魂。"

又有更鼓响起,声音更近了。

虽然也只不过是很普通的更鼓声,可是现在听在人耳里,已变得说不出诡异。

香香忍不住问道:"现在他打的是几更?"

赵无忌道:"二更一点。"

香香又忍不住激灵灵打了个寒噤,道:"二更一过,三更岂非就快要到了?"

赵无忌道:"不错,二更一过,三更很快就要到了。"

香香道:"他也是你的债主?"

赵无忌道:"是个大债主。"

香香道:"你欠他什么?"

赵无忌道:"欠他一刀!"

香香道:"你还有几个债主?"

赵无忌道:"大债主,就只有这三个。"

香香道:"他们老早知道今天你会在这里?"

赵无忌道:"他们不知道。"

香香道:"可是他们全来了。"

赵无忌道:"是我约他们来的。"

香香几乎叫了出来:"是你约他们来的? 你为什么要把这些要命的债主,都约来?"

赵无忌道:"因为欠了人的债,迟早总要还的。"

他忽然又笑了笑。"难道你看不出今天也正好是个还债的好日子?"

断魂更又响了。

"笃、笃、当。"还是二更一点。要什么时候才到三更?

除了夺命更夫外,没有人知道。

柳三更慢慢的从花丛中走了出来,青衣、白袜、麻鞋、苍白的脸。

花丛中本没有这么样一个人,现在却偏偏有这么样一个人走了出来。

他手里有轻锣、小棒、竹更和一根白色的短杖。

——难道这就是夺命更夫追魂夺命的武器?

终年不见阳光的人,脸色本就是苍白的,这并不奇怪。

奇怪的是他的眼睛。

他的眼睛也是白色的,一种奇秘的惨白色,看不见眼珠,也看不见瞳仁。

——难道这个总是令人断魂的夺命更夫,竟是个瞎子!

花丛外是条小径。

弯弯曲曲的小径,铺着晶莹如玉的鹅卵石。

黑婆婆和她的儿子就站在小径旁的一丛芍药里。

瞎子当然看不见他们。

可是柳三更走过他们身旁时,却忽然停下脚步,回过了头,道:"黑婆婆,别来无恙?"

黑婆婆冷冷的看着他，过了很久，才淡淡的回答："托柳先生的福，我们孤儿寡母，总算还没有被人活活气死。"

柳三更仰面向天，仿佛在沉思，也过了很久，才长长叹了口气，道："这一别算来已有十三年了，日子过得好快。"

黑婆婆道："每天都有三更时分，左一个三更，右一个三更，日子怎么能过得不快？"

柳三更慢慢的点了点头，苍白的脸上完全没有一丝表情。

"何况有时候一天还不止一个三更，左一个三更，右一个三更，有的人老了，有的人死了，日子又怎么能过得不快？"

他嘴里在喃喃自语，手里用白色的短杖点着地，慢慢的向前走。

走到毒菩萨面前，他又停了下来。

他没有开口，毒菩萨也没有开口，麻袋里已有两条蛇像箭一般蹿了出来，完全没有发出一点声音。

瞎子看不见，既然没有声音，瞎子当然也听不见。

可是这两条蛇刚蹿过来，他手里的短杖已挥出，恰巧打在这两条蛇的七寸上。

两条蛇立刻像麻绳般凭空掉了下去，躺在地上连动都不会动了。

柳三更叹了口气，道："我是不是又打死了你两条蛇？"

毒菩萨道："哼！"

柳三更道："你是不是想要我赔？"

毒菩萨道："你赔得出？"

柳三更淡淡的笑了笑，道："那只不过是一条竹叶青、一条饭铲头而已，你要我赔，我随时都可抓个七八十条给你。"

毒菩萨吃惊的看着他，神色虽变了，声音却很冷淡："用不着你费心，我自己也会抓。"

柳三更道："既然你不想要我赔，我倒有句话要劝你。"

毒菩萨道："你说。"

柳三更道："你舍身喂蛇，以血肉换它们的毒液，虽然每次都能及时将蛇毒拔出来，可是多多少少总还有些残毒留在你的血里。"

他叹了口气，又道："天毒尊者的拔毒取毒秘技，并不见得是绝对有效的。"

毒菩萨既没有承认,也不能否认。

柳三更道:"现在你血里的残毒,已经有一百零三种。"

毒菩萨忍不住问:"你看得出?"

柳三更道:"我是个瞎子,怎能看得出?"

他淡淡的接着道:"可是我知道,你血里的毒性只要再多加五种,菩萨就要变成僵尸了。"

赵无忌已走下了楼,站在灿烂的阳光里,看着这个夺命更夫。

他心里在问自己!

这个人究竟是真的瞎子,还是假的?

他不知道。

除了柳三更自己外,没有人知道。

小径上铺着鹅卵般的圆石,短杖点在石头上,发出的声音很奇特。

那绝不是竹木点在石头上的声音,也不是金铁点在石头上的声音。

这根短杖是用什么做成的?

赵无忌也猜不出。

他抬起头,看见柳三更已走到他面前。

三更前后

走到面前,赵无忌才断定柳三更绝对是个真的瞎子。因为他的眼珠是死的。

一个能看得见的人,绝不会有这样的眼珠,就算装也装不出。

柳三更忽然说道:"你在看我的眼珠子?"

赵无忌几乎被吓了一跳。这个人虽然看不见,却仿佛有双神秘而奇异的眼睛,隐藏在他身上某处神秘的地方,任何人的一举一动,都好像瞒不过他。

柳三更接着又道:"你要不要再仔细看看?"赵无忌实在很想再仔细看看。柳三更道:"好,你拿去看。"他竟用一只手指将自己的一个眼珠挖了出来,他的眼睛立刻变成了个黑洞。死灰色的眼珠子,也不知是用玻璃,还是用水晶做成的,不停的在他掌心滚动,就好像活的一样。

就算你明知道这种眼珠是假的,还是难免要被吓一跳。

柳三更道:"现在你是不是已经看清楚了?"赵无忌终于吐出了口气,说道:"是的。"

柳三更道:"你最好看清楚些,因为这就是我做错事的代价。"他惨白的脸上忽然露出悲痛之色,慢慢的接着道:"二十年前,我看错了一个人,虽然被他挖出一双眼珠子,我也毫无怨言,因为每个人做错事都要付出代价,无论谁都一样。"

赵无忌道:"我明白。"

柳三更道:"你认为你的朋友那件事是不是做错了?"

赵无忌道:"是的。"

柳三更道:"他是不是也应该付出代价?"

赵无忌道:"应该。"

柳三更道:"就算我那一刀已经砍在他的身上,他也应该毫无怨言?"

赵无忌道:"不错。"

柳三更道:"可是你却情愿替他挨一刀?"

赵无忌道:"我情愿。"

柳三更道:"为什么?"

赵无忌道:"因为他是我的朋友,而且已经受伤,已经不能再挨那一刀了。"

柳三更道:"你知道我这一刀有多重?"

赵无忌道:"不管多重都一样。"

柳三更道:"你不后悔?"

赵无忌道:"我这一生,从未后悔过。"

柳三更慢慢的将那颗眼珠子装了回去,一双死灰色的眼珠,仿佛在凝视着他。

一双假眼珠,能看得出什么?

赵无忌道:"现在,你随时都可以动手。"

柳三更道:"好。"

他的短杖本来已被夹在腋下,他一反手,就拔出了一把刀。

这短杖里藏着刀,雪亮的刀。

赵无忌挺起了胸膛,既然已决心要挨这一刀,又何必退缩?

毒菩萨忽然道:"等一等。"

柳三更道:"等什么?"

毒菩萨道:"他还有别的债主,你至少应该等他先还清了别人的债再说。"

赵无忌道:"欠人的债,迟早总要还的,谁先谁后都一样。"

毒菩萨道:"你真的准备今天就把所有的债都还清?"

赵无忌道:"否则,我为什么找你们来。"

毒菩萨说道:"那么,你就不是赵无忌。"

赵无忌道:"我不是?"

毒菩萨沉声道:"我只知道一个赵无忌。"

赵无忌道:"哪一个?"

毒菩萨道:"大风堂的赵无忌。"

江湖中几乎没有不知道大风堂的人。

大风堂并不是一个普通的帮派,他们的组织庞大而严密,势力遍布各地。

他们所定的宗旨却只有四个字:

"扶弱锄强。"

所以他们不仅令人畏惧,也同样受人尊敬。

毒菩萨道:"大风堂的堂主虽然是云飞扬云老爷子,实际执行命令的,却是赵简、司空晓风和上官刃三个人,我知道的那个赵无忌,就是赵简的公子。"

赵无忌叹了口气,道:"想不到你居然能打听得这么清楚。"

毒菩萨道:"你若是这个赵无忌,今天就不该在这里。"

赵无忌道:"我应该在哪里?"

毒菩萨道:"在赵府大厅的喜堂里,等着别人去道贺。"

他盯着赵无忌,慢慢的接着道:"就连司空晓风和上官刃,今天都一定会赶去的,有他们在那里,天下还有谁敢去问你要债?"

赵无忌道:"我欠了别人的债,我就要还清,而且要自己还清,和大风堂并没有关系,和我父亲也没有关系。"

毒菩萨道："你若真的就是这个赵无忌，今天就是你大喜的日子。"

赵无忌道："不错。"

毒菩萨道："大喜的日子，通常都不是还债的日子。"

赵无忌道："可是从今以后，我就是另一个人了，因为我已有了自己的家室，有了妻子，自己不能再像以前那么样自由任性。"

他眼睛里忽然发出了光："我的妻子就是我终生的伴侣，我们一定要彼此互相尊敬，我不愿让她嫁给一个无信无义、只会赖债的男人。"

毒菩萨道："所以你一定要在她嫁给你之前，把所有的纠纷都了却，把所有的债还清？"

赵无忌道："是的。"

黑婆婆忽然轻轻叹了口气，道："我想她一定是个又温柔、又美丽的女人，而且真有福气。"

赵无忌道："我能娶到她，并不是她的福气，是我的福气。"

黑婆婆道："所以你一定要让她嫁给一个清清白白、堂堂正正的人？"

赵无忌道："一个人只要活得问心无愧，就算缺了条腿、断了只手，也没什么关系。"

黑婆婆道："所以你虽然没有找到那两个采花贼，还是要约我来？"

赵无忌道："不错。"

黑婆婆慢慢的走过来，淡淡道："你准备用什么来还我的债？用你的一只手，还是一条腿？"

她的眼睛里在闪着光，甚至比柳三更手里的刀光更冷！

赵无忌并没有逃避她的目光，只问道："你想要我什么？"

黑婆婆看了看毒菩萨，道："你想要他还什么？"

毒菩萨沉吟着，缓缓道："普天之下，毒蛇的种类何止千百，最毒的却只有九品。"

黑婆婆道："这种事我当然没有你清楚，我也懒得想。"

毒菩萨道："他欠我的那五条毒蛇，其中有三条都在这九品之中，除了我之外，世上最多只有两个人能将这三种毒蛇生擒活捉。"

黑婆婆道："是哪两个人？"

毒菩萨道："不管这两个人是谁，都绝不是赵无忌。"

黑婆婆道："所以你算准了他没法子还给你？"

毒菩萨道:"所以我本来就不是来讨债的。"

黑婆婆道:"你来干什么的?"

毒菩萨道:"来报恩。"

黑婆婆道:"报恩?"

毒菩萨道:"刚才柳先生说的不错,我血中的毒,的确已到了极限。"

黑婆婆目光一凝,道:"你自己本来并不知道?"

毒菩萨叹了口气,道:"等我发觉时,已经五蛇附体,欲罢不能了。"

黑婆婆问道:"难道,是赵无忌救了你?"

毒菩萨道:"若不是他在无心之中,替我杀了那五条毒蛇,现在我只怕已成了僵尸。"

黑婆婆道:"不管他是有心,还是无心,他总算救了你一命?"

毒菩萨道:"不错。"

黑婆婆道:"所以他非但没有欠你什么,你反而欠了他一条命?"

毒菩萨道:"不错。"

黑婆婆道:"毒菩萨的这条命,总不能太不值钱的,你准备怎么还给他?"

毒菩萨说道:"我可以替他偿还你的债。"

黑婆婆道:"你要替他去把那两个采花贼抓回来?"

毒菩萨道:"我甚至还可以加上点利息。"

黑婆婆道:"加上什么利息?"

毒菩萨道:"加上那一窝蜂。"

黑婆婆道:"你有把握?"

毒菩萨笑了笑,道:"我的毒并不是只能救人的,也一样能要人的命。"

黑婆婆也笑了,道:"以毒攻毒,用你的毒蛇,去对付那一窝毒蜂,倒真是再好也没有了。"

毒菩萨道:"你答应?"

黑婆婆道:"我为什么不答应?"

毒菩萨看看赵无忌,微笑道:"那么我们两个人的债,现在你都已还清。"

赵无忌再没有说话,连一个字都没有说。

此时此刻,你叫他说什么?

毒菩萨道："现在我是不是也不欠你的？"

赵无忌道："你本来就不欠我。"

毒菩萨道："那么你就得答应我一件事。"

赵无忌道："什么事？"

毒菩萨道："今天是你大喜的日子，你总该请我去喝杯喜酒。"

赵无忌笑了："喝一杯不行，要喝，至少也得喝个三五十杯。"

柳三更忽然道："你不能喝。"

赵无忌道："为什么？"

柳三更道："因为你受了伤。"

赵无忌讶然道："我受了伤？伤在哪里？"

柳三更冷冷道："我这一刀砍在哪里，你的伤就在哪里。"

刀还在他手里，雪亮的刀锋，又薄又利。

刀光照着柳三更更惨白的脸，他的脸上完全没有任何表情。

无论谁都应该看得出他绝不是个很容易就会被感动的人。

如果你欠他一刀，就得还他一刀，你绝不能不还，他也绝不会不要。

无论什么事都绝不能让他改变主意。

断魂更又响了。

"笃，笃，笃"，是三更。

是用刀锋敲出来的三更。

赵无忌手心已有了冷汗。

他并不是不害怕，只不过他就算怕得要命，也绝不会逃避。

柳三更冷冷的看着他，冷冷的问："你要我这一刀砍在哪里？"

赵无忌叹了口气，道："难道我还有什么选择的余地？"

柳三更道："你没有。"

刀光一闪，人就倒了下去。

这一刀正砍在颈上，砍得并不太重。

可是那又薄又利的刀锋，已割断了他左颈后的大血管，飞溅出的血，几乎溅到一丈外。

惨碧色的血。

鲜血怎么会是惨碧色的？是不是他血里已有太多毒？

赵无忌的血里没有毒。

这一刀也没有砍在他身上。

刀光闪起，他已经准备承受，可是这闪电般的一刀，却落到了毒菩萨左颈上。

毒菩萨没有闪避。

他并不是不想闪避，只不过等到他闪避的时候，已经太迟了。

他做梦都想不到这一刀砍的是他。

黑婆婆母子也想不到，赵无忌更想不到。

他们看着毒菩萨倒下去，看着惨碧色的血从刀锋下溅出来。

他们虽然看得很清楚，但却还是不明白。

赵无忌忍不住问："你这一刀是不是砍错了人？"

柳三更道："我生平只错过一次。"

他错的当然不是这一次。自从他眼珠子被人挖出来后，他就没有再错过第二次。

赵无忌道："欠你一刀的是我，不是他。"

柳三更道："既然你欠我一刀，随便我把这一刀砍在什么地方都一样。"

赵无忌道："可是你不该把这一刀砍在他身上。"

柳三更道："这一刀本就应该砍在他身上。"

赵无忌道："为什么？"

柳三更反问道："因为今天你不能死，也不该死！该死的人是他。"

毒菩萨的人已不动了，他背后麻袋里的毒蛇却还在动。

一条条毒蛇蠕动着滑了出来，滑入了他的血泊中，舐着他的血，毒血。

柳三更道："他背上，是不是有个麻袋？"

赵无忌道："是。"

柳三更道："麻袋里有什么？"

赵无忌道:"有蛇。"

柳三更道:"几条蛇?"

赵无忌道:"除了刚才死了的那两条外,还有七条。"

柳三更道:"现在这七条蛇是不是已全都爬了出来?"

赵无忌道:"是的。"

柳三更道:"可是现在麻袋里一定还没有空。"

麻袋的确还没有空。

毒菩萨是扑面倒下去的,麻袋在他背上,毒蛇虽然已爬了出来,麻袋却还是突起的。

柳三更道:"你为什么不抖开来看看,麻袋里还有什么?"

黑婆婆抢着道:"我来看。"

她用她的金弓挑起了麻袋,立刻就有数十粒梧桐子一样的弹丸滚在血泊里。

弹丸到哪里,毒蛇立刻就远远的避开。

赵无忌本来就在奇怪,毒菩萨一向有伏蛇的本事,为什么这些毒蛇在他的麻袋里还不能安服?

现在赵无忌才知道为了什么。

毒蛇碰到了这些弹丸,就像是人碰到了毒蛇。

黑婆婆又用金弓从血泊中挑起了一粒弹丸。

她并没有说什么,也用不着说,他们母子间已有了一种任何人都无法了解的默契。

她挑起了这粒弹丸,她儿子的弓弦已响起,"嗖"的一声,银箭飞来,弹丸粉碎。

她立刻嗅到了一种硝石和硫黄混合成的香气。

柳三更道:"你嗅得出这是什么?"

黑婆婆还在想,赵无忌已经回答道:"这是霹雳!"

霹雳就是一声惊雷,一道闪电。

霹雳既不香、也不臭,你可以想得到,看得到,却绝对嗅不到。

赵无忌为什么可以嗅得出来?

因为他说霹雳,并不是天上的惊雷闪电,而是地上的一种暗器。

黑婆婆已经是老江湖了。

她从十六岁的时候,开始闯江湖,现在她已经六十一。

她嫁过三次人。

她的丈夫都是使用暗器的名家,她自己也绝对可以列名在当代三十位暗器名家之中——弓箭也算是种暗器。

可是她对这种暗器的了解,却绝没有赵无忌多。

因为这是"霹雳堂"的独门暗器。

霹雳堂能够威镇武林,至少有一半原因是因为这种暗器。

霹雳堂的主人雷震天能够在当代三十位暗器名家中名列第二,也是因为这种暗器。

有关这种暗器的一切,大风堂的子弟们在孩童时就已知道得很清楚。

因为大风堂和霹雳堂是死敌。

他们至今还能并存,只因为彼此谁也没有战胜对方的把握。

银箭击碎弹丸,去势犹劲,"夺"的一声,钉入了小楼的窗棂上,银羽还在震动。

黑婆婆带着赞许的眼色,看了她儿了一眼,才回过头问:"这就是霹雳?"

赵无忌道:"绝对是。"

他有把握绝不会看错。

黑婆婆道:"可是它为什么没有传说中那种霹雳之威?"

柳三更道:"因为地上的毒血。"

他慢慢的俯下身,用两根手指捡起了滚在他脚边的一粒霹雳子。

他虽然看不见,可是听得见。

风吹树叶声,弹丸滚动声,弓弦震起声——在他周围三十丈之内,所发出的每一种声音,都绝对逃不过他的耳朵。

这一粒霹雳子看起来新鲜而干燥,就像是刚从树上摘下来的硬壳果。

柳三更中指弹出,"嗤"的一响,手指间的霹雳子就箭一般飞了出去。

他这根手指,就像是张三百石的强弓,弹丸远远飞出数十丈,越过宽阔的花园,打在角落里一块大湖石上,立刻就发出石破天惊的一声巨响,碎硝石末,漫天飞舞。

黑婆婆脸色变了。

她终于看见了这霹雳之威,竟远比传说中还要猛烈可怕。

风中又传来那种硝石硫黄的味道,仿佛还带着种胭脂花粉的香气。

霹雳子中本不该有这种香气。

赵无忌道:"这是什么香?"

柳三更道:"你不妨过去看看。"

赵无忌用不着走过去看,脸色也已变了。

碎硝粉末已落下,落在一片开得正盛的牡丹上,鲜红的牡丹,忽然间枯萎,一片片花瓣飘落,竟变成乌黑的。

赵无忌失声道:"香气百毒!"

这一粒霹雳子中,竟混合了一种带着胭脂香气的毒粉。

柳三更道:"若不是地上的毒血,化解了它的毒,刚才那一粒霹雳子中的剧毒,就已经足够致我们的死命了。"

现在这一次虽然是远在三十丈外爆发的,风向虽然并不是正对着他们,可是,他们还是感觉到一阵晕眩,仿佛要呕吐。

柳三更道:"莫忘记毒菩萨的毒并不是只能救人的,也一样可以要人的命!"

这一袋毒粉霹雳,本来当然是为了准备对付去喝赵无忌喜酒的那些宾客。

能够被赵简请到他"和风山庄"去的人,当然都是大风堂的精英。

一盏灯的火苗,就足以引爆三四粒霹雳子,"和风山庄"的大厅里,今天当然是灯火辉煌,也不知有多少盏灯、多少支烛。

如果让毒菩萨也混了进去,悄悄的在每一盏灯旁摆上两三粒霹雳子,等到灯火的热度溶化它外面的蜡壳时,会有什么样的结果?

想到这里,赵无忌全身衣裳都已几乎被冷汗湿透。

柳三更道:"你一定想不到毒菩萨已经投入了霹雳堂。"

赵无忌的确想不到。

柳三更道:"你一定也想不到他们居然敢对和风山庄下毒手。"

他们敢这么样做,无异已经在向大风堂宣战!

只要战端一起,就必将是他们的生死之战,战况之惨烈,赵无忌几乎已能想像得到。

柳三更道:"这件事纵然不成,他们损失的只不过是毒菩萨一个人而已,他并不是霹雳堂的中坚,也许他们根本没有把他的生死放在心上。"

可是这件事若是成功了,大风堂的精英,很可能就要毁于一旦!

赵无忌握紧双拳,道:"其实无论成不成,结果都是一样的!"

柳三更道:"为什么?"

赵无忌道:"他们既然敢这样做,想必已经有了不惜和我们一战的决心!"

他的声音兴奋而沉重:"我们大风堂数千弟子,当然也绝不会畏惧退缩!"

大风堂只有战死的烈士,绝没有畏缩的懦夫!

他几乎已能看见大风堂的子弟,在一声声霹雳的烟硝火石下,浴血苦战。

这些人之中,有他尊敬的长者,也有他亲密的朋友。

这些人随时都可以和他同生死,共患难。

他自己也准备这么做。

也许他们并没有战胜的把握,可是只要战端一起,他们就绝不再问生死胜负!

他相信大风堂的子弟们每个人都能做得到!

柳三更却忽然笑了。

这是他第一次笑,赵无忌吃惊的看着他,想不出他为什么会笑。

柳三更道:"我在笑你。"

赵无忌道:"笑我,为什么笑我?"

柳三更道:"因为你又错了。"

他不让赵无忌开口,接着义道:"现在毒菩萨已死,和风山庄也安然无恙,所以这件事根本就等于没有发生过,霹雳堂只敢派毒菩萨这种人来下手,只不过因为他们也不敢轻举妄动,就算有人去问他们,他们也绝不会承认这件事是他们的主意。"

赵无忌道:"可是……"

柳三更打断了他的话,道:"大风堂和他们对峙的局面,已维持了二三十年,很可能还会再继续二三十年,以后甚至说不定还可能化敌为友,你现在又何必想得太多。"

赵无忌道:"我应该怎么想?"

柳三更道:"你应该多想你那温柔美丽的新娘子,想想那些专程赶去喝你喜酒的好朋友。"

赵无忌眼睛又发出了光。他还年轻。

他本来就是个热情如火的年轻人,很容易被激怒,但也很容易就会变得高兴起来。

柳三更道:"所以你现在就应该赶紧骑着你那匹快马赶回去,换上你的吉服,到喜堂里去拜天地。"

赵无忌道:"可是我……"

柳三更道:"现在你已不欠我的,也已不欠黑婆婆的,可是,你如果还不走,如果还要让你的新娘子着急,我就要生气了。"

黑婆婆道:"我一定会更生气!"

赵无忌看着她,看着柳三更,忽然发现这世界上毕竟还是到处都可找到好人。

这世界毕竟还是充满了温暖,生命毕竟还是可爱的。

他又笑了。

他又高兴了起来。

灾祸毕竟还距离他很远,充满幸福和爱的锦绣前程,却已在他面前。

他跳了起来:"好,我马上就走。"

柳三更道:"可是还有件事你一定要记住。"

赵无忌道:"什么事?"

柳三更道:"你一定要记住,千万不能被别人灌醉。"

他又露出笑容:"新娘子绝不会喜欢一个在洞房花烛夜,就吐得一塌糊涂的丈夫。"

黑婆婆道:"一点都不错。"她衰老的脸忽然变得年轻起来:"我记得我做新娘子的那一天,就把我那喝得烂醉的新郎倌踢到床下去睡了一夜,而且至少有三天没有跟他说话。"

她脸上忽然又露出了红晕,轻轻的笑道:"幸好,有些事不说话也一样可以做的。"

柳三更大笑。

赵无忌相信他这一生中很可能都没有这么样大笑过。

赵无忌当然也笑了:"我一定记住,有别人来灌我酒时,我……"

黑婆婆道:"你准备怎么办?"

赵无忌眨了眨眼,道:"我准备就先躲到床底下去,那至少总比被人踢进去的好。"

黑婆婆大笑,道:"这倒真是个好主意。"

债已还清,事情都已解决。现在时候还不晚,赶回去正好还来得及。

赵无忌心情愉快极了。

最让他觉得愉快的一点是,香香非但没有再留难他,反而牵着马在门口等他。

她眼睛里虽然难免带着幽怨,可是至少泪痕已经干了。

她垂着头,轻轻的说:"你既然一定要走了,我也不想再留你,反正我要留也留不住的。"

赵无忌道:"谢谢你。"

他心里真的觉得很感激,感激她的了解,更感激她的宽恕。

不管怎么说,他总是多多少少觉得自己有点对不起她。

香香忽又抬起头,凝视着他:"可是我知道你以后一定会再来看我的。"

赵无忌在心里叹了口气,柔声道:"我不会再来了。"

香香道:"为什么?"

赵无忌道:"再来也只有多添些苦恼,我又何必再来?"

每个人年轻的时候,都难免会做出荒唐的事。

年轻人又哪个不风流呢?

可是以后他已决心要做个好丈夫,他有决心一定能做得到。

香香咬着嘴唇:"可是我不信。"

赵无忌道:"你不信?"

香香道:"我不信你以后就永远不再看别的女人。"

赵无忌道:"男人遇着好看的女人,除了真瞎子和伪君子之外,谁都难免要看看的,可是我最多也只不过看看而已。"

香香还不肯放弃,又道:"我也不信就凭她一个人,就能永远管得住你。"

赵无忌道:"她也许管不住我,可是,我知道以后一定有个人,会帮着她来管我。"

香香道:"这个人能管得住你?"

赵无忌道:"只有他能管得住我。"

香香道:"这个人是谁?"

赵无忌道:"就是我自己。"

卫凤娘与赵千千

卫凤娘坐在妆台前,看着镜子里的人影,心里也不禁对自己觉得很满意。

她实在是个很美的女人,尤其是今天,看起来更是容光焕发,美艳照人。

因为她平时很少会穿这么鲜艳的衣服,脸上也很少抹脂粉。

她一向很懂得约束自己。

她知道只有一个懂得约束自己的女人,才配做赵家的媳妇。

自从她第一次看见赵无忌的那一天,她就决心要做赵家的儿媳妇。

从那一天开始,她就为自己这一生订下了个努力的目标。

她学女红、学烹饪、学治家。

现在她做出来的菜已经可以比得上任何一家酒店的名厨。

她做出来的衣服,无论任何人穿着,都会觉得舒适合身。

就算最会挑剔的人,都不能不承认她的确是个理想的妻子。

她的努力也并没有白费。

现在她总算已经进了赵家的门,已经成了赵家的人。

这并不表示她已准备做个骄纵的少奶奶了。

她决心以后还要做得更好,让赵无忌永远不会后悔娶了这个妻子。

赵无忌英俊、健康、聪明,脾气虽然有点坏,却是个很好的年轻人。

像这样的一个男人,当然会有很多女孩子喜欢他的。

她知道他以前也曾风流过。

她甚至还知道他有个叫"香香"的女孩子。

可是她已决心以后要将这些事全部都忘记,因为她也相信他以后一定会收心的。

她看得出他是个诚实的男人,以后也一定会做个很诚实的丈夫。

能嫁给这么样一个丈夫,一个女人还有什么不满足的呢?

她只不过还有点紧张而已。

一想到今天晚上……想到洞房里那张很大的床,她的心就会跳,脸就会红。

现在她的心就跳得好快……

可是她也并不是真的担心这些,每个女孩都要经过这些事的,有什么好担心?

现在惟一让她担心的是,赵无忌今天一早就出去了,到现在还没有回来。

现在天已黑了。

她不仅在担心,已经开始在着急,幸好就在这时候,她已经听见千千欢愉的声音道:

"无忌回来了。"

赵千千是无忌的妹妹。

她也像她哥哥一样,健康、聪明、美丽。

她不但是个有名的美人,也是江湖中很有名的侠女。

她很小很小的时候就开始学剑,大风堂中有很多高手都曾经败在她的剑下,甚至连她的哥哥都曾经败给过她。

虽然她也知道她哥哥是故意让她的,还是觉得很高兴。

她今年才十七岁,正是花样的年华。

对她来说,人生正像是杯甜蜜的美酒,等着她去尝试。

可是她也有她的心事。

一个十七岁的女孩子，又怎么会没有心事？

她本来一直都很开心的，直到那一天的黄昏。

那一年的春天，她一个人坐在后园，看着满园鲜花，看着澄蓝的天空、芬芳的大地，看着夕阳慢慢的在远山后消逝。

她忽然觉得很寂寞。

一个十七岁的女孩子的寂寞，通常只有一种法子可以解释——一个可以了解她，而且是她喜欢的男人。她找不到这样的男人。

因为她一直认为世界上真正的男人只有两个，一个是她的父亲，一个是她的哥哥。

其他的男人，她根本就没有把他们看在眼里。

如果她有母亲，她还可以向母亲倾诉她的心事，不幸的是，她的母亲早已过世了。

她跟她的父亲始终有段距离，她惟一可以聊聊天的对象，就是她的哥哥。

现在她的哥哥已将成婚了，她知道自己以后一定会更寂寞。

寂寞。

多么可怕的寂寞。

无忌一早就出去了，直到现在还没有回来，最担心的人就是她。

因为只有她才知道他去干什么。

他们兄妹一向没有秘密。

"我要去还债，一定要去还，可是有些债我未必还得了，如果我天黑没有回来，很可能就永远都不会回来了。"

她没有拉住他，也没有劝他。

因为她了解他，知道一个真正的男人，如果决心要去做一件事，别人拉也拉不住，劝也没有用。

她心里一直在为自己有这么样的一个哥哥而骄傲。

从黄昏的时候，她就一直在等，站在后园的角门外面等。

等到天黑的时候,她也开始着急了。

就在这时候,她看见一个人、一匹马,疯狂般冲入了她们家后园外的窄巷。

她还没有看清楚这个人是什么样子,就已经知道这个人是谁了。

只有无忌才会这么疯狂,只有无忌才会这样骑马。

她立刻跳起来欢呼。

"无忌回来了。"

无忌在换衣服。

连洗个澡的时间都没有,他就开始换衣服,换新郎倌的吉服。

他身上还带着一身臭汗,两条腿,不但又麻又疼,而且内侧的皮,都已被马鞍磨破。

他骑回来的马虽然是千匹中选一的快马,现在却已经倒了下去。

他还没有倒下去,已经算很不错了。

现在他才知道,要做一个新郎倌,可真不是容易的事。

从换衣服这件事开始,就已经很不容易。

他以前从未想到过新郎倌穿的衣服竟是这么麻烦,比小女孩替她的泥娃娃穿衣服还麻烦!

幸好他总算还沉得住气,因为他知道他这一生中,最多也只有这么一次。

三个人在帮他换衣服。

本来应该是三个女人的,可是他坚持一定要用男人。

三个他既不认得,也不喜欢的女人要帮他换衣服,他受不了。

只不过屋子里还是有个女人。

虽然这个女人在他的眼中看来,并不能算是个女人,可是在别人眼中看来,她却是个标准漂漂亮亮的女人,完完全全的女人,除了脾气太坏之外,几乎已可以算是个女人中的女人。

千千就坐在屋角里,看着他换衣服,就坐在地上。

屋子里就算有八百张椅子,她也不会坐,因为她喜欢坐在地上。

她喜欢坐在地上。

就算地上有两尺厚的泥,只要她喜欢,还是一样会坐下去。

衣服脏,她一点都不在乎,别人说她坐没有坐相,她更不在乎。

她跟卫凤娘不同。

她一向只做她喜欢做的事。

无忌在摇头。"就凭你这副坐相,看你以后怎么嫁得出去?"

千千从鼻子里"哼"了声:"你管我嫁不嫁得出去? 反正我也不会嫁给你!"

无忌苦笑。

他只有苦笑。

千千还不服气:"何况像你这样的男人能娶到老婆,我为什么嫁不出去?"

无忌忍不住又要表示他的意见了:"可是你是个女人,女人多多少少总得有点女人的样子!"

千千瘪了瘪嘴:"女人应该像什么样子? 像你那个香香?"

提起香香,无忌就不说话了。

千千却得理不饶人:"她是不是真的很香? 她究竟有多香?"

她好像对这种问题很有兴趣,无忌只有赶快改变话题。

"今天来的人是不是很多?"

"嗯!"

"来了些什么人?"

"该来的人却没有来,不该来的人都来了。"

无忌用眼角瞟看他的妹妹:"我知道大大爷的儿子一定没有来!"

千千忍不住问:"你怎么知道?"

无忌故意笑得很阴险的样子:"因为他本来应该来的。"

千千的脸居然红了起来。

"大大爷",就是大风堂第一位有权力的人,江湖中人人公认的智多星司空晓风。

他的儿子叫司空曲。

司空曲对千千有意思,无论对什么人来说都已经不是秘密。

无忌很得意。

他这一着总算让他这多嘴的妹妹暂时闭上了嘴,可是他忘了自己也有些不是秘密的秘密。

千千眼珠子转了转,忽然叹了口气,道:"可惜,真可惜!"

无忌也忍不住问:"你可惜什么?"

千千道:"可惜一个人没有来。"

无忌道:"什么人?"

千千说道:"是一个本来更应该来的人!"

无忌道:"谁?"

千千道:"可怜的怜怜。"

无忌道:"她关我什么事?我连她的面都没有见过。"

千千道:"就因为你没有见过她的面,所以才可惜!"

她也用眼角瞟着她的哥哥:"你不一直都很想见见她长得是什么样子?"

无忌没办法否认。

他的确一直都很想见见这个"可怜的怜怜",长得是什么样子。这也已不是秘密!

这个"可怜的怜怜",就是他们三大爷上官刃的独生女!

她的名字就叫做怜怜。

上官怜怜。

每个人都知道她是个才女,也是个美女。

可是从来也没有人见到过她。

因为她从小就被她父亲送到黄山去了,有人说她是学艺去的。

黄山"妙雨观"妙雨师太的武功,最适于女孩子。

也有人说她是养病去的。

"她天生就有种奇怪的病,就像她的母亲一样,若不能安心静养,很可能连二十岁都活不到。"

究竟她是为什么去的?

从来没有人知道,从来也没有人问过上官刃。

上官刃一向不是容易接近的人,更不愿别人提到这个问题。

他妻子的死,和她的女儿,都是他从不肯提起的事。

如果上官刃不愿提起一件事,你若提起来,就只有自讨没趣。

不管你是谁都一样。

就连大风堂的主人云飞扬云老爷子,都知道他的怪脾气。

提到怜怜,无忌又只有赶紧改变话题,问道:"老头子今天吃了药没有?"

这个话题,永远是他们最关心的。

因为老头子就是他们的父亲。

"老头子"这称呼,绝对没有丝毫不尊敬的意思,只不过表示他们兄妹和父亲之间那种别人永远无法了解的关心和亲密。

在别人眼中,他们的父亲也许是个很可怕的人,江湖中大多数人提起"金龙剑赵简"这五个字心里都会生出种接近畏惧的尊敬。

可是在他们眼里,他不但是他们的严父,也是他们的慈母。

赵夫人很早就过世了,他一手将他们兄妹抚养成人。

在滴水成冰的寒夜里,会起来为他们盖被的是他。

在风和日丽的春晨,陪着他们在花园里放风筝的也是他。

为了抚养这一双子女,这位昔年以一柄剑纵横江湖,协助他的挚友云飞扬创立大风堂的武林健者,脾气渐渐变了。

近年来虽然他脾气变得更好,身体却渐渐衰弱,变得很容易疲倦。

处理过大风堂繁重的事务后,他常常会一个人坐在书房里,疲倦得连话都说不出,有时,甚至会痛苦得全身都在痉挛抽缩。

他们兄妹渐渐发现了他的痛苦,断定他必定在隐藏着自己某种病痛。

他们兄妹虽然能勉强他去看大夫,可是这倔强的老人却时常不肯吃药。

他常说:"只有女人才会一天到晚吃药,难道你们要把我当作女人?"

这种想法虽然很不正确,可是只要他认为这是对的,就绝没有任何人能令他改变。

千千轻轻叹了口气,道:"今天他又偷偷的把那碗药倒进阴沟里了。"

无忌苦笑,道:"我真想不通,他为什么总是像小孩一样怕吃药?"

千千道:"听说一个人年纪大了的时候,常常都会返老还童的。"

无忌道："听说华山的陆老伯也特地赶来了，他的病因别人虽然诊断不出，可是在陆老伯手下，天下还有什么治不好的病？"

陆老伯就是"华山医隐"陆通，不但是华山剑派的名宿，也是江湖中有名的神医。

千千道："今天中午吃过饭后，陆老伯就已经替老头子把过脉。"

她想了想，又道："他们两个人还关在书房里，谈了很久。"

无忌道："他们出来后怎么说？"

千千道："他们出来的时候，老头子显得很高兴，还特地摆了一桌酒，约了三大爷在后园开怀畅饮。"

三大爷，就是大风堂的三位巨头之一，终日难得说一句话的"铁剑金人"上官刃。

金人还有开口的时候，要他说话，简直比要金人开口还难。

千千道："他今天也陪老头子喝了很多酒，直到今天我才知道，他的酒量很可能比你还好。"

无忌展颜笑道："这么样说来，老头子的病一定已有了转机。"

千千道："可是陆老伯却显得心事重重，连酒都不肯去喝。"

无忌又皱起了眉。

这时候窗外忽然传来一阵沉重匆忙的脚步声，一个人在外面问："大少爷在不在这里？"

无忌和千千都听出这是老姜的声音。

老姜在赵府已经待了几十年，已经由赵简的书僮变成和风山庄的总管，本来踢毽子踢得比谁都好的两条腿，近年来已被风湿拖垮，走起路来很困难。

可是赵简在他心目中，却永远都是昔年的那个大少爷。

他甚至连称呼都改不过来。

千千从地上一跃而起，推开了窗子，就发现一向最沉得住气的老姜，现在居然好像显得很着急，虽然早已停下了身，还在不停的喘息。

她忍不住问："究竟出了什么大不了的事，你急什么？"

老姜喘着气道："司空大爷已经从保定府赶来了，正在花厅里等着跟大少爷见面,大少爷却不知道哪里去了。"

千千道:"你去找过?"

老姜说道:"我到处都去找过了,非但找不到大少爷,就连上官三爷,都不见踪影。"

千千也有点着急起来。

老姜跟随她父亲已有四十年,对和风山庄的一草一木,他都了如指掌。

如果连他都找不到人,还有谁能找得到?

无忌忽然道:"我找得到。"

老姜道:"你知道他在哪里?"

无忌笑了:"那地方只有我知道,我替你去找。"

他也不管自己身上已换了新郎倌的吉服,一下子就跳了起来,冲了出去。

老姜看着他,摇头叹息道:"小少爷的脾气,真是跟大少爷年轻的时候一模一样。"

他虽在叹气,眼睛里却充满了欣慰。

他的大少爷一生从未做过见不得人的事,如今毕竟有了善报。

能够眼看着这位小少爷长大成人、娶妻生子,他自己这一生也没有什么遗憾了。

他只希望这位小少爷能赶紧找到他的大少爷;赶快拜天地、入洞房,他也好喘口气,去找他的老伙伴痛痛快快喝两杯。

千千却有点不服气忍不住道:"我就不信这里还有连我们都不知道的地方。"

老姜道:"有些地方我们本来就不该知道。"

千千道:"为什么?"

老姜道:"因为那一定是大少爷处理公事的机密重地,大少爷一向公私分明,当然不会让我们知道。"

千千道:"那么无忌怎么会知道?"

老姜道:"小少爷是大少爷的传人,将来大少爷退休了之后,继承他事业的就是小少爷,这些事他当然应该让小少爷知道。"

千千更不服气了:"凭什么只有他才能知道,我难道不是我爸爸亲生的?"

老姜道:"你? 你到底是女孩子!"

千千道:"女孩子又怎么样?"

老姜道:"女孩子迟早总要出嫁的,出嫁之后,就是别人家的人了。"

他说的是实话,他一向说实话。

千千想驳他都没法子驳他,只有狠狠瞪了他一眼,道:"我就偏偏不嫁,看你怎么样?"

老姜笑了,道:"我怎么样? 我能怎么样?"

他眯着眼笑,又道:"怕只怕到了时候,别人真想要你不嫁都不行了!"

黄道吉日

大风堂的组织严密而庞大,大风堂的势力不但遍布在中原,而且远及关外。

大风堂能够有今日,除了因为"龙卷风神"云飞扬的雄心和气魄实在非人能及之外,也因为他还有三个一直跟他同生死、共患难;跟他并肩作战,始终奋战不懈的好朋友。

这三个人就是司空晓风、赵简和上官刃。

他们用血汗创立了大风堂,胜利和光荣,当然也应该由他们分享。

自从云飞扬老爷子宣布封关五年,苦练一种绝代无双的剑法之后,大风堂的重担,已完全落在他们肩上。

他们本就是生死之交,不但能共患难,也一样能共富贵。

所以他们之间,从来也没有争权夺利的事发生过,只有一心对外,扶弱锄强。

可是他们三个人的脾气和性格,却绝对是三种不同的典型。

司空晓风年纪最大,脾气最温和,是江湖中有名的"智者"。

他平生不愿与人争吵,更不喜欢杀人流血。

他认为无论什么事都可以用人的智慧解决,根本用不着动刀子。

所以江湖中有的人偷偷的给他取了个绰号,叫他"司空婆婆"!

大风堂门下的弟子,对他虽然十分尊敬,心里却并不一定真的佩服。

这些血气方刚的热情少年们,总认为他做事未免有点虚伪,有点懦弱。

他们有满心雄志,却偏偏总是施展不出。

因为司空晓风早已决定了对付他们强敌"霹雳堂"的方针——

人不犯我,我不犯人。

不到必要时,绝不出手!

大风堂门下的子弟,若是侵入霹雳堂的地界,杀无赦!

上官刃是个无论遇着什么事都"三缄其口"的金人!

就连跟随他多年的亲信,都很难听到他开口说一句话。

他始终认为每个人都有权保留些隐私,绝不容任何人过问他的私事。

他的居室一向禁卫森严,从来没有任何人敢妄入一步。

他也像赵简一样,妻子早故,惟一的女儿又被送到远方。

现在他非但没有亲人,甚至连朋友都没有几个。

他的孤僻和高傲,天下皆知,根本就没有人能接近他。

所以他们三个人,最受子弟们爱戴的就是赵简。

赵简少年时跃马江湖,快意恩仇,当街拔剑,血溅五步。

到老来他的脾气虽已渐渐和缓,却仍然是个光明磊落的性情中人!

只要你真是他的朋友,就算要他把头颅割下来给你,他也不会皱一皱眉头。

这种人正是少年们心目中典型英雄。

大家不但对他尊敬佩服,而且真心喜欢他,今天是他独生子大喜的日子,大家当然都要赶来喝他一杯喜酒。

就连那位已经在青石山绝顶闭关两年的云老爷子,都特地派人送了份重礼来道贺。

每个人都在等着看新郎倌的风采,更想看一看他那又贤慧、又美丽的新娘子。

无忌一出现，大家就围了过来。

虽然他并没有走到大厅去，可是后园里也有人，到处都挤满了人。

大家看到穿吉服的新郎倌，还没有拜天地就出来乱跑，都觉得又惊奇、又高兴，绝没有任何人认为他失礼。

赵二爷的公子，本来就应该是这么一个不拘小节，豪爽洒脱的男子汉。

无忌好不容易才摆脱了他们，穿过后园里的一片桃花林，走过一条弯曲的小径，来到一个种满了青竹的小院。

风吹竹叶，宛如听涛，外面的人声笑语，都没有传到这里。

小院里有五间平轩，三明两暗，是和风山庄主人静思读书的地方。

老姜当然知道这地方，当然来找过。

他没有找到他的大少爷，只因为这里根本就没有人，前前后后一个人都没有。

可是无忌并没有觉得失望，因为他知道这地方的秘密。只有他知道。

最后面一间雅室，才是赵简的书斋，四面都是书架，走进来就像是走入了一间书城。

可是这里也没有人。

无忌大步走进来，确定了这里没有人，非但没有着急，反而放心了。

因为只有他知道左壁的书架，还有个秘密，那才是他父亲处理大风堂事务的机密重地。

他相信他父亲一定在这里，很可能正在和上官三爷商议什么机密的大事。

他并没有直接进去，先用案上的青铜镇纸，轻轻敲了敲书架的第三格横木。

他一连敲了三次，都没有反应。

这时他才有点着急了，用力扳开了书架旁的板手，书架刚转开一线，他就已冲进去了。

他的父亲果然就在密室里，身上还穿着特地为他儿子的吉日所裁制的紫缎长袍，手里还拿着他平时爱不释手的一个翠玉鼻烟壶。可是他的头颅却已不见了。

无忌跪了下来，既没有号哭，也没有流泪。

他眼中已没有泪，只有血！

一阵风从外面吹进来，将书桌上一本黄历吹起了两页，就好像被一只看不见的手翻开了一样，正好翻到第三页，上面正好写着：

三月二十七日，大吉，宜婚嫁。

这一天真是个诸事皆宜，大吉大利的黄道吉日。

第二回 凶 手

疑 凶

大风堂的三大巨头之中,名满江湖的"金龙剑客"赵简,竟在他独生子大喜的那一天,神秘的失去了他的头颅。

这当然是件轰动天下的大事。就算不认得,没有见过赵简的人,至少也听过他的名字。

他有朋友,当然也有仇敌。不管是他的朋友还是仇敌,对这件事都会觉得很惊讶、很好奇。

有些对这件事知道得比较清楚的人,无论走到哪里,都会成为被人询问的对象,大家最想询问的一个问题就是:"凶手是谁?"

这问题的答案谁都不知道,谁都不敢妄下断语。因为如果有人说错了一句话,这个人也很可能会在半夜里失去头颅。所以江湖中难免议论纷纷——"赵简真的死了? 真的被人割下了他的头?"

"绝对是真的。"

"他是什么时候死的?"

"就在他的儿子成婚的那一天,三月二十七日。"

"听说那一天是个大吉大利,诸事皆宜的黄道吉日?"

"那天的确是个好日子。"

"娶媳妇当然要选个好日子,难道杀人也要选个好日子?"

"那一天诸事皆宜,宜婚嫁、也宜杀人。"

"所以杀他的那个人,直到现在还没有被人找出来?"

"要把这个人找出来,恐怕还不太容易。"

"可是赵家的人多多少少总应该有点线索?"

"好像有一点。"

于是有些热心的人,就开始想替赵家的人找出更多的线索来!

"赵简是死在什么地方的?"

"就死在和风山庄。"

"那一天到和风山庄去贺喜的人一定很多,为什么没有人看见?"

"因为他是死在他的密室里。"

"他那密室真的很秘密?"

"绝对秘密,甚至连他自己的女儿都不知道。"

"有谁知道?"

"听说到过他密室中去的,除了他自己外,一共只有三个人。"

"哪三个人?"

"司空晓风,上官刃和他的儿子。"

"难道,只有这三个人,有可能杀死他?"

"我实在很难再想出第四个。"

"为什么?"

"赵简并不是个普通人,他还不到二十岁的时候,就凭着他的一柄剑,开始闯荡江湖。"

"我也听说过,他十七岁的时候,就在长安市上,拔剑杀了'长安虎'。"

"从那时开始,三年之间,他就杀了'关中七雄'、'黄河四蛟',还击败了关中最负盛名的剑客笑道人和陶中雄。"

"所以,他不到二十岁,就已经名满天下。"

"他还不到三十岁的时候,就已帮着云飞扬创立了大风堂,你想想,像这么样一个人,总不会随随便便就被人割下头颅去。"

"我根本就想不通。"

"你应该能想得到的,割他头颅的人一定是跟他很熟的人,所以他才会对这个人毫无戒心。"

"这个人的武功一定也很高,出手也一定极快。"

"华山医隐陆通当时也在场,而且还验过赵二爷的尸。"

"他怎么说?"

"他断定杀死赵二爷的凶器绝对是把剑,而且一剑就割下了赵二爷的头颅。"

"司空晓风和上官刃刚好都是用剑的高手。"

"他们都是一等一的高手。"

"赵二爷的儿子是不是那个随时都可以替朋友挨刀的赵无忌?"

"就是他!"

"他当然不会是凶手。"

"绝不会。"

"那么依你看,凶手究竟是上官刃?还是司空晓风?"

"我不知道。"

"你猜猜?"

"我不敢猜。"

这些议论是在公开场所就听得到的。

在半夜三更,小院里的瓜棚架下、私室里的小桌酒樽旁,还有些别人听不到的话。

"听说最有嫌疑的一个人,就是司空晓风。"

"为什么?"

"因为他本来是最后到和风山庄的一个人,是三月二十七日那天晚上才到的。"

"最后的一个人,应该是没有嫌疑才对。"

"可是后来又有人调查出来,他在二十五日那一天,就已经离开保定。"

"那么他二十六日就已经应该到和风山庄了。"

"最迟下午就应该到了。"

"从二十六日的下午,到二十七日的晚上,这一天多的时间里,他到哪里去了?"

"没有人知道。"

"所以才有人认为他的嫌疑最大。"

"不错。"

"可是我听说二十七日的那天下午,只有上官刃一个人始终跟赵二爷在一起。"

"所以上官刃的嫌疑也不小。"

"他们两个人呢？"

"直到今天他们还在和风山庄。"

"谁走了，谁的嫌疑就更大，他们当然是谁都不会走的。"

"其实他们走不走都一样。"

"为什么？"

"因为他们都是赵二爷的生死之交，都没有一点理由要下这种毒手，如果找不到确实的证据，谁也不敢怀疑到他们。"

"现在有找出证据来吗？"

"没有。"

今天已经是四月初四。"头七"已经过了。

夜。

现在距离无忌发现他父亲尸体的那天，已经整整有七天。

已经七天了，无忌还没有流过泪，连一滴泪都没有。

他也没有喝过一滴水，当然更没有吃过一粒米。

他的嘴唇已干裂，甚至连皮肤都已经干裂。

他的眼眶已凹下去，健康红润的脸色，已变得像是张白纸。

他的全身都已僵硬麻木。

看见这种样子，每个人都害怕了，甚至连千千都害怕了。

可是没有人能劝他。

他什么都听不见，什么都看不见。

最难受的一个人当然是卫凤娘，她一直在流泪，可是现在连她的泪都已干了。

这七天里，每个人都很少说话，每个人都在找，想找到一点线索来查出真凶。

可是他们找不到。

他们将和风山庄每一寸地方都找遍了，也找不出一点可以帮助他们查明真凶的线索来。

谁都不敢怀疑上官刃，更不敢怀疑司空晓风，可是除了他们外，别人更连一点嫌疑都没有。

如果凶手是另外一个人,那么这凶手一定是可以来无影、去无踪的妖魔。

大家虽然很少说话,多多少少总还说过几句。

上官刃却是一个字都没有说。

——赵简被害的那段时间,他到什么地方去了?

他没有解释,也没有人敢要他解释。

后来别人才知道那时候他已醉了,醉倒在姜总管为他安排的客房里。

那是个有五间房的跨院,他和他的随从都安排在那里住宿。

负责接待他们的是赵标。

赵标不但是赵家的老家丁,而且还是赵二爷的远房亲戚。

赵标已经证实,三月二十七的那天,从黄昏以后上官三爷就一直在屋里睡觉。

他醒着时虽然很少出声,醉后睡着却有鼾声。他的鼾声有很多人都曾听过。

江湖中有很多人都认为,司空晓风能够有今天,并不是因为他的武功,而是因为他的涵养。

他的内家锦拳和十字慧剑,都还没有真的练到登峰造极,可是他的涵养功夫却绝对是天下第一。

这些虽然带着些讥讽,却也是事实。

只不过大家似乎都忘了,一个人练气功夫若不到家,又怎会有这么好的涵养?

他知道和风山庄的人对他都难免有些怀疑,因为他的确在三月二十六那一天就已到了。

可是他态度上绝没有露出一点不安的样子,更没有为自己辩白。

他提早一天来,为的是另外一件事。

那绝对是个秘密,绝不能让任何人知道。

这几天他还是和平常一样镇定冷静,因为他知道在这种情况下,一定要有个人保持冷静,才能使情况不致变得太乱。

无论在什么样的情况下,他都绝不会忘记份内应该做的事。

他尽力安排赵简的葬殓,劝导大风堂的子弟,他相信这件事的真相,迟早总会水落石出的。

不管别人怎么说,谁也不能不否认他的确有种能够使人稳定的力量。

所以大风堂永远不能缺少他。

"头七"已过,最后留下来守灵的一批大风堂子弟,也都回到他们本来的岗位上。

赵简虽然是大风堂的一根柱石,可是大风堂绝不能因为这根柱石断了而整个崩溃。

那就像是座精心设计的坚固建筑,虽然少了根柱石,却依然还是屹立不动,依然还是可以禁得住风吹雨打。

司空晓风已经让他的子弟们明白了这一点,他希望大家都能化悲愤为力量!

设在大厅的灵堂里,除了赵家的人之外,留下来的已不多了。

上官刃忽然站起来,道:"欧阳在等我。"

说完了这句话,他就大步走了出去。

这句话只有五个字,除了司空晓风外,谁也不明白他的意思。

可是只要有一个人明白就已足够。

如果只用五个字就能把自己的意思说出来,上官刃就绝不会说六个字。

千千看着他走出去,忍不住问:"难道他就这么样走了?"

司空晓风道:"他非走不可!"

千千道:"为什么?"

司空晓风道:"因为他和欧阳约好了见面的。"

千千道:"欧阳是谁?"

司空晓风道:"就是欧阳平安。"

欧阳平安,就是中原十八家联营镖局的总镖头,他们早已计划,要和大风堂连盟。

这次欧阳平安和上官刃商议的,想必一定就是这件事。

千千没有再问。她也隐约听到过这件事,大风堂的确需要一个有力的盟友。

自从他们知道霹雳堂已和蜀中的唐门结成儿女亲家后,就在希望这盟约能早日签成。

霹雳堂独门火器已经足够可怕,现在又加上了蜀中唐门威镇天下一百六十年的毒药暗器和他们的独门暗器手法,无疑更是如虎添翼。

这一直是司空晓风心里的隐忧。他只希望欧阳平安不要因为这件事而将原定的计划改变。

外面隐隐传来一阵马蹄声,上官刃显然已带着他的随从们离开了和风山庄。

蹄声走远,灵堂显得更沉寂。

无忌还是动也不动的跪在他父亲的灵位前,干裂的嘴唇已沁出血丝。

司空晓风缓缓地道:"这里的事,大致都已有了安排,再过一两天,我也要走了。"

他当然也是迟早要走的。

云飞扬犹在封关期中,赵简忽然暴毙,大风堂更不能缺少他。

千千垂着头,想说什么,又忍住。

她也不敢随便说话,只要一句话说错,他们很可能就要家破人亡。

可是她心里实在害怕。她父亲死了,哥哥又变成了这样子,和风山庄却一定要维持下去。

这副千金重担,无疑已落在她身上。

她怎么办?

司空晓风看着她,,仿佛已看出她的心事,柔声道:"我知道你是个很坚强的女孩子,可是我们真有点担心他。"

他担心的当然是无忌。

每个人都在为无忌担心,却希望他能站起来,挺胸站起来。

可是谁也不知道要等到什么时候他才能站起来。

静寂的灵堂,忽然传来一阵笨重的脚步声,千千用不着回头就知道是老姜。

他的呼吸急促,脸上已因兴奋而发红,手里拿着个酒樽,匆匆从外面跑进来。

他是不是又喝醉了?

不是。

酒杯里装的并不是酒,而是尘土。

老姜喘息着道:"这是我从上官三爷的客房里找到的。"

他又解释:"上官三爷一走,我就带着人去扫房子。"

"打扫"当然只不过是托词。

上官刃也有嫌疑,只不过他在的时候,没有人敢去搜查他的屋子。

司空晓风道:"你找到的,究竟是什么?"

老姜道:"我正想请大爷您,鉴定鉴定。"

酒杯里只有浅浅半杯褐黄色的粉末,仿佛是从地上刮起来的泥土。

可是这半杯泥土却带着奇特地香气。

司空晓风用两只手指拈起了一小撮,放在手心,用指头慢慢的研磨,又凑近鼻子嗅了嗅。

他脸上立刻露出极奇怪的表情。

老姜道:"酒宴的执事老陈鼻子最灵,我已经叫他嗅过,他说这里不但有石灰,而且还有麝香和龙角。"

司空晓风慢慢的点了点头。

他也不能不承认那个老陈的鼻子确实很灵,这泥土中的确有麝香、龙角和石灰。

老姜道:"这是我从上官三爷卧房里的桌子底下,用小刀刮起来的。"

他的眼角仿佛在跳,手也在抖!"不但地上有,连桌缝里也有,我……我想不通上官三爷要这些东西有什么用?"

他甚至连声音都在发抖,因为他知道这些东西有什么用。

麝香和龙角,都是很名贵的香料,不但可以入药,也可以防腐。

石灰却是种很普通的干燥剂。

上官刃屋里,有什么东西需要防止腐烂、保持干燥?

赵简的棺木里,也有这三样东西,用来保持他尸体的完整和干燥。

可是他的头颅却不在棺材里。

他的头颅在谁手里？

那个人是不是也同样要用这三样东西来保存他的头颅？

这些问题联起来想一想，就变成一个极可怕的问题——

上官刃的屋里有这些东西，难道就是为了要保存赵简的头颅？

难道他就是杀死赵简的凶手？

到现在为止，还没有人能确定这件事，甚至连说都不敢说出来！

可是千千的脸上已完全没有血色，全身也已开始不停的发抖。

甚至连司空晓风的脸色都变了。

他勉强自己保持镇定，沉声问道："那天是谁看见上官三爷在屋里睡觉？"

老姜道："是赵标。"

司空晓风道："去找他来！"

老姜道："我已经派人去找他了！"

他已经派出去十二个人，十二个人都是赵府家丁中的好手！

现在他们已经回来复命。

"赵标的人呢？"

"就在外面！"

"叫他进来！"

"他已没法子自己走进来！"

"那么就抬他进来。"

四个人用门板把赵标抬进来，老姜虽然跟他同事多年，现在也已几乎认不出他就是赵标。

他全身都已变得乌黑肿胀，一张脸更黑更肿，五官都已扭曲变形。

他进来的时候还在喘息，一看见司空晓风，就立刻断了气。

"是谁杀了他？"

"不知道，他的胸口中了暗器，刚才好像还没什么，想不到一下子就变成这样子！"

抬他进来的人，眼睛里都带着恐惧之极的神色！

这样可怕的变化，他们虽然是亲眼看见的，却还是不敢相信。

司空晓风沉声道:"去找把刀来。"

有人的靴筒里就带着匕首。

司空晓风用刀尖挑破了赵标前胸的衣裳,就看见一枚很小的,像芒刺一样的暗器,打在他左乳房,伤口虽然没有血,却已乌黑腐臭。

老姜倒抽了口凉气,失声道:"好毒的暗器。"

司空晓风看看手里的刀,刀锋只不过沾到伤口上的一点毒脓,现在也已变得发黑。

他的脸色更沉重。

普天之下,只有一种暗器上带着这么可怕的毒。

千千咬着嘴唇,嘴唇已被咬得出血:"这——这就是蜀中唐家的毒疾藜?"

司空晓风慢慢的点了点头,一字字道:"不错,这就是唐门的独门暗器,见血封喉的毒疾藜!"

每个人的脸色都变了。

蜀中唐门,已经和霹雳堂结成亲家,唐家的人,怎么混入了和风山庄?

这实在太可怕。

抬着门板进来的一个少年家丁,好像想说话,又不敢乱说!

司空晓风已注意到他的神色,立刻道:"你想说什么?"

这少年家丁迟疑着,道:"有件事小人不知道该不该说。"

司空晓风道:"你说。"

这少年家丁又犹疑了半天,才鼓起勇气,道:"上官三爷带来的随从里,好像有个人是从四川蜀中那边来的!"

司空晓风动容道:"你怎么知道?"

这少年家丁道:"因为小的母亲是蜀人,小人也会说几句川话,昨天我无意间听到,上官三爷的那位随从说的就是川话。"

他想了想,又道:"而且川中的人为了纪念诸葛武侯,平时都喜欢在头上包块白布,那个人晚上睡觉的时候,也总是在头上包块白布,我本来想跟他用四川话聊聊,谁知他死也不承认是四川人,到后来几乎跟我翻了脸。"

老姜接着道:"上官三爷这次带来的随从里,的确有个人是我从来没见过的,我本来想问问他是什么时候跟上了上官三爷的? 可是我也知道上官三爷的脾气,又不敢问。"

现在当然什么话都不必问了。

所有的证据,都已经等于指明了凶手是谁。

上官刃收买了赵标,替他作伪证,又怕赵标的嘴不稳,就叫他这个从川中来的随从,杀了赵标灭口。

可是川中唐门的弟子,一向骄傲得很,怎么肯做上官刃的随从?

这其中想必还有更大的阴谋。

"难道上官刃已经跟蜀中唐门和霹雳堂有了联络?"

"他杀了赵简,难道就是为了要讨好他们?"

这些问题大家非但不敢说出来,简直连想都不敢去想。

司空晓风的拳紧握,手心也沁出了冷汗。

就在这时候,一直跪在地上的赵无忌,忽然跳起来冲了出去。

上 官 堡

赵无忌全身都已僵硬麻木。他已完全虚脱,已接近崩溃的边缘。

奇怪的是,他的心里反而变得一片剔透空灵,反应也变得比平时更敏锐,无论多少声音,在他耳中听来都响如雷鸣!

每个人说话的声音,在他听来,都好像是在他耳边喊叫。

这也许只因为他整个人都已空了,已变得像瓷器般脆弱。

可是他并没有失去他的判断力。

——为什么一个人在体力最衰弱的时候,思想反而更灵敏?

他已判断出谁是凶手!

他跳起来,冲出去。没有别人阻拦他,只有司空晓风。

司空晓风只伸出手轻轻的一挡,他就已经倒了下去。

刚才他被仇恨所激起的最后一分潜力现在都已用尽了。

现在,竟连个小孩子都可以轻易击倒他!

司空晓风道:"我知道你要到哪里去,我本不想拦阻你,因为我自己也一样想去。"

无忌的眼睛里布满血丝，看起来就像是只负了伤的野兽。

司空晓风道："可是你现在绝不能去，我不能让你去送死。"

千千的眼睛也红了，大声道："可是我们却一定要去，非去不可！"

司空晓风道："上官刃阴鸷深沉，手下本就养了批随时都可以为他卖命的死士，再加上蜀中唐门的毒门暗器，我们就算要去，也不能就这样去。"

千千道："我们要怎么样才能去？"

司空晓风道："要等到有了一击必中的把握才能去！"

他叹了口气，又道："如果一击不中，让他全身而退，以后我们只怕就永远不会再有第二次的机会了。"

他说的是实话。

但是和风山庄的属下却拒绝接受。

片刻间在老姜统率下的一百三十六名家丁，都已聚集到灵堂前的院子里，每个人都有了准备——强弓、硬弩、长枪、快刀。

这一百三十六个人之中，至少有一半曾经苦练过十年以上的武功。

老姜跪倒在司空晓风面前，以头碰地，碰得连血都流了出来。

他血流满面，不住哀求，只求司空晓风能让他们去复仇。

司空晓风当然也看得出无论谁都已没法子改变他们的主意。

他本来一向不赞成使用暴力。

可是以暴制暴，以血还血，就连他也同样无法反对。

他只有同意："好，你们去，我也陪你们去，可是无忌——"

老姜抢着道："小少爷也非去不可，我们已经替小少爷准备了一锅参汤，一辆大车，在到达上官堡之前，他的体力就一定可以恢复了。"

无忌一向不喝参汤，但是现在他一定要强迫自己喝下去。

他一定要恢复体力。他一定要手刃杀父的仇人。

只可惜他忘记了一件事——就算他体力在巅峰时，也绝不是上官刃的敌手。

司空晓风却没有忘记这一点。

对于上官刃的剑术,武功,出手之毒辣,判断之准确,没有人能比他知道得更清楚。

他们在少年时就并肩作战,每一年平均都要有三十次。

在创立大风堂以前,他们至少就已经身经大小三百战。

他曾经有无数次亲眼看见上官刃将剑锋刺入敌人的咽喉,每次都绝对致命,几乎很少失手过。

有一次他们对付关东七剑的时候,上官刃的对手是当时武林中极负盛名的"闪电快剑"曹迅,一开始他就已负伤七处,有一剑甚至已刺穿了他肩胛。

可是最后曹迅还是死在他手里,他在倒下去之前还是一剑刺穿了曹迅的咽喉。这才是他真正最可怕之处。

他几乎可以像沙漠中的蜥蜴一样忍受痛苦,几乎有骆驼一样的耐力。

有一次他肋骨被人打断了六根,别人在为他包扎时,连床褥都被他痛出来的冷汗湿透了,可是他连一声都没有哼。

当时云飞扬也在旁边看着,曾经说了句大家都不能不同意的话:

"无论谁有了上官刃这样的对头,晚上一定睡不着觉。"

这句话司空晓风始终没有忘记过。

云飞扬对他的看法,他当然也不应该忘记。

"如果有一天司空晓风要来找我打架,他一来我就会赶快跑走。"

有人问:"为什么?"

"因为他绝不会打没有把握的架,"云飞扬说:"只要他来了,就表示他一定已有必胜的把握?"

云飞扬绝艳惊才,一世之雄,当然也很有知人之明。

他当然绝不会看错他的朋友。

司空晓风这一生,的确从来也没有做过没有把握的事。

这一次他是不是也有了必胜的把握?

老姜也在车厢里。

多年的风湿,使得他既不能走远路,也不能骑马。

车厢很宽大,有足够的地方能让他们四个人都坐得很舒服。

可是他坐得并不舒服,事实上,他几乎等于是站在那里。

他一向都很明白自己什么样的身分,纵然他的少主人久已将他看成了家人,他却从来也没有超越过他已谨守多年的规矩。

对于这点,司空晓风一向觉得很欣赏,他平生最痛恨的,就是不守规矩的人。

所以他们并没有要老姜坐得舒服些,只不过问道:"我们应该用什么法子进入上官堡?应该用什么法子对付上官刃?你是不是已有了计划?"

老姜道:"是的。"

司空晓风道:"你为什么不说?"

老姜道:"因为大爷还没有问。"

司空晓风道:"现在我已经问过了,你说吧!"

老姜道:"是。"

他沉默了很久,将他已经深思熟虑过的计划,又在心里仔细想了一想,确定了这计划中并没有太大的漏洞。

然后他才敢说出来。

上官刃孤僻严峻,在他统辖下的上官堡,当然是禁卫森严,绝不容外人妄人一步。

幸好司空晓风并不是外人。

老姜道:"所以我们如果要安全进入,就一定要由大爷你出面,现在上官刃还不知道他的秘密是否已被揭穿,非但绝不敢阻拦,而且还一定会大开堡门,亲自出来迎接。"

他已大约统计过,上官堡中一共有男丁三百余口,几乎每个人都练过武功,其中还包括了一批久已训练,随时都可以为他卖命的死士。

老姜道:"这次我们只来了一百三十六个人,敌众我寡,我们很可能不是他们的对手。"

司空晓风同意。

老姜道:"可是上官刃如果亲自出迎,身边带的人一定不会太多。"

司空晓风道:"你准备就在那时候动手?"

老姜道:"擒贼先擒王,只要我们能先下手制住上官刃,他的属下绝对不敢轻举妄动!"

司空晓风道:"谁有把握,能够制住他?"

老姜道:"如果由小少爷正面出手,大爷你和二小姐两旁夹击,再由我率领一队人将他和他的随从们隔离,就不难一击而中。"

司空晓风说道:"如果他不出来又如何?"

老姜道:"那么我们也只好冲进去,跟他们拼了。"

司空晓风道:"你怎么拼?"

老姜道:"用我们的命去拼。"

他握紧双手:"他们的人虽多,却未必都肯跟我们拼命。"

"拼命",这种法子,不管用在什么时候、什么地方,都是最可怕的战略之一,而且通常都很有效。

司空晓风叹了口气,道:"事已至此,看来我们也只有用这法子了。"

可是这种法子他们并没有用出来,因为他们根本就没有机会用出来。

就在这时候,他们已看见远方有一片火焰燃烧,烧得半边天都红了。

起火的地方,好像正是上官堡。

等他们到那里时,上官堡竟已被烧成一片焦土,连一个人影都看不见了。

火场里没有一具骸骨,更没有留下一点线索,上官刃和他的属下,男女老幼一共四百多个人,就这么样失了踪,就好像已完全从地面上消失了一样。

这件事做得狠毒、周密,放眼天下,简直没有一个人能比得上。

"这个人的卑鄙、无耻、阴险、毒辣,已经让人觉得不能不佩服他,也不能不怕他!"

这就是司空晓风最后对上官刃所下的结论。

这句话赵无忌也从未忘记。

除了已具备一个贤妻良母所有的美德之外,卫凤娘还有个好习惯。

每天临睡之前,她都会将这一天发生的大事,和她自己的想法写下来,留作日后的借镜。

　　她从很小的时候，就已有了这种习惯，就算在她最悲痛的时候，也没有荒废过一天。

　　这几天发生的事，她当然也记了下来，虽然记得有点零乱，可是她对无忌这个人和某些事的看法，都是别人看不到的。

　　四月初四，晴。

　　杀害老爷子的凶手，居然会是上官刃，真是件令人想不到的事。

　　我一直认为他和老爷子的交情比别人好，直到那天下午，他们两个人在花园里喝酒的时候，我还有这种想法。

　　只不过那天我也觉得有件事很奇怪。

　　从我住的这个小楼上的窗口，刚好可以看见他们喝酒的亭子。

　　那天我亲眼看见上官刃好像要跪下去，向老爷子磕头，却被老爷子拉住了。

　　他们兄弟间的规矩本来就很多，三弟向二哥磕头，并不是很特别的事。

　　再加上那天我一直在惦记着无忌，后来又发生了那件惨案，所以我也把这件事忘了。

　　可是我现在想想，才发觉那一拜之间，必定有很特别的理由。

　　是不是因为上官刃有什么见不得人的秘密被老爷子发现了，所以他才会向老爷子磕头谢罪？

　　老爷子虽然已饶恕了他，他还是不放心，所以才索性将老爷子杀了灭口。

　　无忌、千千，都已经跟着司空大爷到上官堡去了，到现在还没有回来。

　　他走的时候，我的心，也很乱很乱。

　　我知道我今天晚上一定睡不着的。

　　四月初五，晴。

　　无忌他们今天一早就回来了，每个人都显得很焦躁，脸色都很难看。

　　后来，我才知道，他们到那里的时候，上官堡已被烧成焦土，上官刃也已经逃走。

　　他做事一向慎重周密，当然早已算到他的秘密迟早会被人发现的，早已有了准备,否则就算他能逃走,也没法子将他的部属全部带走。

这么多人走在路上,一定很引人注意,多多少少都会留下一点痕迹来。

司空大爷想到了这一点,早已派人分成四路追下去。

可是我认为这次追踪一定不会有什么结果的,因为上官刃一定也能想到这一点,一定会将他的属下化整为零乔装改扮。

今天无忌还是没有跟我说过一句话,我还是不怪他。

反正我已进了赵家的门,已经是赵家的人了,不管他要我等多久,我都没有怨言。

我真希望能炖一锅他最喜欢吃的鸡丝煨猪脚,亲手去喂给他吃。

可是我也知道我不能这么做。

这是个大家庭,我的一举一动,都要特别小心,绝不能让别人说闲话。

我只是希望他自己能够好好的保重自己。

四月初六,阴。

直到现在还是没有上官刃的一点消息,大家的情绪更焦躁。

奇怪的是,无忌反而显得比前几天镇定多了,而且,每天都一大碗一大碗的吃饭。

我从小就在注意他,当然很了解他的脾气,他忽然变成这样子,一定是因为他已经下了决心,要去做一件事。

虽然他自己没有说出来,只是我相信他一定是要亲自去找上官刃,替老爷子复仇。

就凭他一个人的力量去复仇,不但太危险,希望也很小。

可是像他那样的脾气,若是已下了决心要去做一件事,又有谁能劝得住他?

我只希望他能进来见我一面,告诉我,他准备在什么时候走,也让我能告诉他,不管他到哪里,不管去多久,我都会等他的。

就算要我等一辈子,我也愿意。

四月初七,阴。

出去追踪的四批人,已经有两批回来了,果然连一点结果都没有。

上官刃究竟躲到哪里去了？有什么地方能够让他们藏身？

我想到了一个地方，可是我不敢说。

这件事的关系实在太大了，我绝不会乱说话。

但愿无忌不要想到这地方，因为他如果找去，恐怕就永远回不来了。

天黑了之后，外面就开始下雨，下得我心更乱。

无忌，你为什么不来看看我？你知不知道我多想跟你说说话？哪怕只说一句也好。

昨天我刚写到这里，外面忽然有人敲门，我就停了下来。

这段是我今天补上的，因为昨天晚上无忌走了之后，我就已没法子握笔了。

那么晚还来找我的，当然是无忌。

我看见了她，真是说不出的高兴，又说不出的难受。

我高兴的是，他总算来看我了，难受的是，我已猜出他是来跟我道别的。

我果然没有猜错。

他说他要走了，去找上官刃，就算找遍天涯海角，也要找到上官刃，替老爷子复仇。

他说他见过我之后，就要走了，除了我之外，他没有告诉别人，连千千都不知道。

我本来不想在他面前哭的，可是一听到他这些话，我的眼泪就忍不住流了下来。

这件事他只告诉了我一个人，临走的时候，只来跟我一个人告别，这表示他心里还有我，可是他为什么不肯带我走？

其实我也知道他不能带我走，他这一走，前途茫茫，我也不能拖累他。

可是我却不能不难受。

我舍不得让他走，又不能不让他走。

我若不让他去报父仇，岂非变成了赵家的罪人，将来怎么有脸去见老爷子于九泉之下？

他看见我流泪，就安慰我，说他这几年一直在苦练，对自己的武功已经很有把握，而且这次出门，也已有了准备！

他真的有了准备,不但带了不少盘缠路费,还把各地和老爷子有交情的朋友都记了下来。

大风堂在各地的分舵,他也早就记得很清楚,所以他要我放心,在外面绝不会没有照顾。

我真想告诉他,我多么希望能陪在他身旁,能让我自己照顾他。

可是我什么都没有说,我不想让他到了外面,还要因为惦记我而难受。

我宁愿一个人自己在这里流泪。

今天是四月初八,雨已经停了,天气忽然变得很热,就像是夏天。

今天早上我才知道,司空晓风昨天晚上就走了,他走了之后,无忌才走了的。

天刚亮的时候,就已经有好几批人出去找无忌,我希望他们能把他找回来,又希望他们找不到他,让他去做他应该做的事。

不管怎样,我都决心不要再关在房里流泪了,我一定要打起精神来,好好的帮着千千来管家,因为,这也是我自己的家。

我要让老爷子在天之灵知道,我是赵家的好媳妇。

活在架子上的人

夜。夜雨如丝。冰冷的雨丝,鞭子般打在无忌脸上,却打不灭他心里的一团火。

因为仇恨燃烧起来的怒火,连凤娘的眼泪都打不灭,何况这一丝丝夜雨?

他一直在不停的打马狂奔,并不是因为他已有确切的目的地,急着要赶到那里去,只不过因为他要远离凤娘那一双充满柔情和泪珠的眼睛。他不能让任何人的眼睛,打动他的决心。

夜已很深,黑暗的道路上,却忽然出现了一盏灯。在这冷雨如丝的深夜里,路上怎么会还有行人? 无忌没有去想,也没有去问,他根本不想管别人的闲事,谁知道这人却偏偏挡住了他的去路。

他坐下的健马惊嘶,人立而起,几乎将他掀下马来。

他已经生气了，却又偏偏不能生气，因为拦住他去路的这个人，只不过是个小孩子。

一个穿着件大红衣裳、梳着根冲天辫子的小孩，左手撑着把油纸伞，右手提着盏孔明灯，正在看着他嘻嘻的笑。笑起来脸上一边一个小酒窝。

你怎能跟这么样一个小孩子生气？可是这么样一个小孩子，为什么三更半夜还在路上走？

无忌先制住了他的马，然后才问道："你为什么还不让开？难道你不怕这匹马一脚踢死你？"

小孩子摇头，系着丝绳的冲天辫子也跟着摇来摇去，就像是个泥娃娃。无忌本来就喜欢孩子，这孩子也本来就很讨人喜欢。可是他的胆子未免太大了，已经大得不像个小孩子了。

无忌道："你真的不怕？"

小孩子道："我只怕这马匹被我不小心踩死，我赔不起。"

无忌笑了，又忍住笑，板起脸，冷冷道："你也不怕你爸爸妈妈在家里等得着急？"

小孩子道："我没有爸爸，也没有妈妈。"

无忌道："不管怎么样，现在你都应该回家去。"

小孩子道："我刚从家里出来的。"

无忌道："这么晚了，你还出来干什么？"

小孩子道："出来找你。"

这小孩子说出来的话，虽然每一句都让人觉得很意外，最意外的，却还是这一句。

无忌道："你是出来找我的？"

小孩道："嗯。"

无忌道："你知道我是谁？"

小孩道："我当然知道，你姓赵，叫赵无忌，是大风堂赵二爷的大少爷！"

无忌怔住。小孩眼珠转了转，又笑道："可是你一定不知道我是谁。"

无忌的确不知道，他从来也没有看见过一个这么样的小孩子。

他只有问："你是谁？"

小孩道："我是小孩子。"

无忌道:"我知道你是小孩。"

小孩说道:"你既然知道了,还问什么?"

无忌道:"问你的姓名。"

小孩叹了口气,道:"我连爸爸妈妈都没有,怎么会有姓名?"

无忌也不禁在心里叹了口气,又问道:"你家里有什么人?"

小孩道:"除了我师父外,还有个客人。"

无忌道:"你师父是谁?"

小孩道:"我说出来,你也不会认得的!"

无忌道:"他不认得我,叫你来找我干什么?"

小孩道:"谁说是他叫我来的?"

无忌道:"不是他,难道是那位客人?"

小孩又叹了口气,道:"我还以为你永远猜不出来呢,想不到你也有聪明的时候。"

无忌道:"你们那位客人,难道是司空晓风?"

小孩拍手笑道:"你越来越聪明了,再这么下去,说不定有一天会变得比我还聪明。"

无忌只有苦笑。

小孩又问道:"你去不去?"

无忌怎么能不去,司空晓风既然已找到他,他躲也躲不了。

"你的家在哪里?"

小孩顺手往道旁的密林一指。

"就在那里。"

细雨如丝,雨丝如帘,那一片密林就仿佛是在珠帘后。

所以你一定要走进去之后,才能看见那两扇窗子里的灯光。

有灯光,就有人家。

那两扇窗子并不大,屋子当然也不大,这本来就是一户小小的人家。

司空晓风怎么会到这里来的?

无忌忍不住问道:"你师父为什么要把房子盖在这里?"

小孩道:"这里有房子,我怎么看不见这里的房子?"

无忌道:"那不是房子是什么?"

小孩子摇摇头,叹着气,说道:"你怎么又变笨了,怎么会连一辆马车都认不得?"

无忌又怔住。

可是他总算已发现那栋"房子"下面,还有四个车轮。

如果那是一栋房子,当然不能算是栋大房子,如果那是马车,就算是辆大马车了。

那真的是辆马车。

无忌从来也没有见过这么大的马车,简直就像栋小房子。

小孩问道:"你有没有在马车上住过?"

无忌道:"没有。"

小孩道:"所以你才不知道,住在马车里,可比住在房子里有趣多了。"

无忌道:"有什么趣?"

小孩道:"房子能不能到处跑?"

无忌道:"不能。"

小孩道:"可是马车能到处跑,今天在河东,明天就到了河西,就好像到处都有我们的家!"

无忌道:"你们一直把这辆马车当作家?"

小孩点点头,还没有开口,马车里已经有人在问。

"是不是无忌来了?"

这当然就是司空晓风的声音!

宽大的车厢,用紫红色的布幔隔成了两重,布幔后想必就是主人的寝室。

外面有一张长榻,一张桌子,一张短几,几把紫檀木椅。几幅名家字画,几件精美的古玩,另外还有一张凳、一炉香、一局棋。

每样东西显然都经过精心的设计,正好摆在最恰当的地方。

每一寸地方都被利用得很好,就算最会挑剔的人,也找不出一点毛病。

斜卧在长榻上的,是个两鬓已斑白的中年人,修饰整洁,衣着合体,英俊的脸上总是带着温和的笑容。

无论谁都应该看得出,他以前一定是个很受女孩子欢迎的男人。

如果不是因为他的背,他现在一定是同样很受女孩子的欢迎。

可是他的背上却套着个用纯钢打成的支架,他的人就好像是被这个架子支起来的,如果没有这个架子,他整个人都会变得支离破碎。

无论谁第一眼看见他,心里都会有种奇怪的感觉。

那种感觉就好像你第一次看见一个人正在夹棍下受着苦刑一样。

只不过别人受的苦刑,很快就会过去,他却要忍受一辈子。

无忌只看了这个人一眼。

因为他已不想再去看第二眼,也不忍再去看第二眼。

司空晓风就坐在车门对面的一张紫檀木椅上,微笑道:"你总算来了!"

无忌并没有问他:"你怎么知道我会来?"

这个人好像总会知道一些他本来不应该知道的事。

司空晓风道:"我本来想自己去接你的,可是我——"

无忌忽然打断了他的话,道:"可是你怕淋雨。"

司空晓风显得很惊讶道:"你怎么知道!"

无忌道:"我知道,你最怕的三件事,就是挑粪、下棋、淋雨。"

司空晓风大笑。

无忌道:"我一直不懂,你为什么怕下棋?"

司空晓风道:"因为下棋不但要用心,而且太伤神。"

个像他这样的人,当然不愿将心神浪费在下棋这种事上。

这世上还有很多事都需要他用心伤神。很多比下棋更重要的事!

榻上的主人忽然笑了笑,道:"一个像我这样流浪四方的废人,就不怕用心伤神了!"

他的笑容虽然温和,却又带着种说不出的寂寞:"我只怕没有人陪我下棋。"

窗外斜风细雨,几上半局残棋!

难道他一直都生活在这种日子里,一直都背着背上的这个架子?

无忌虽然一直都在假装没有看见他的痛苦,却装得不够好。

主人又笑了笑,道:"我当然也很怕我这个要命的架子,只可惜我又不能没有它。"

无忌再也不能假装没有听见,忍不住问道:"为什么?"

主人道:"因为我背上有根要命的背椎骨,已经完全碎了,如果没有这个要命的架子,我就会变得像是滩烂泥!"

他微笑着,又道:"所以就连我自己都很奇怪,我居然还能活到现在。"

无忌忽然觉得自己的背脊也在发冷,从背脊冷到了脚底。

虽然他无法了解这个人究竟在忍受着多么痛苦的煎熬,可是一个明知道自己这一辈子都要活在架子上的人,居然还能时常面带笑容,就凭这一点,已经让他不能不佩服。

主人仿佛已看出了他心里在想什么,道:"可是你用不着佩服我,其实每个人身上都有这么样一个架子,只不过你看不见而已。"

他凝视着无忌,就像是一个鉴赏家在端详一件精美的瓷器:"甚至就连你自己也一样。"

无忌不懂:"我也一样?"

主人道:"你也是个病人,你身上也有个架子,所以你没有倒下去。"

无忌显然还是不明白他的意思,只有保持沉默,等着他说下去。

主人道:"你身上穿着重孝,表示你最近一定有个很亲近的人去世了。"

无忌黯然。

想到他父亲的死,他心里就会刺痛,痛得几乎无法忍受。

主人道:"你的脸色苍白憔悴,眼睛里都是血丝,表示你心里不但悲伤,而且充满仇恨。"

他叹了口气,又道:"悲伤和仇恨都是种疾病,你已经病得很重。"

无忌承认。

主人道:"直到现在你还没有倒下去,只因为要复仇,所以不能倒下去。"

无忌握紧着双拳,说道:"你没有看错!"

主人道:"复仇这念头,就是你的架子,没有这个架子,你早已崩溃!"

现在无忌总算已明白他的意思。

这个人的想法虽然奇特,却包含着一种发人深省的哲理,令人无法辩驳。

他的肉体虽然已残废,思想却远比大多数人都健全灵敏。

无忌忍不住想问。

这个人究竟是个什么样的人?

他还没有问出来,司空晓风已微笑道:"这个人是个怪人。"

为什么他是个怪人?

司空晓风道:"我从未看到他赚过一文钱,可是,他过的却是王侯一样的日子。"

无忌看出这一点。

这马车里每一件摆设和古玩,价值都在千金以上,他身上穿的衣服,无论式样和质料都很高贵。

当然还有些事是无忌看不到的。

司空晓风道:"他自己虽然住在马车上,却至少有三十个人在这辆马车五百步之内等候他的吩咐,其中包括了四个连皇宫御厨都请不到的好厨子;和四个曾经替远征西域的大将军养马的马夫!"

主人微微一笑,道:"不是四个,是六个。"

他的笑容中没有骄傲之色,也没有自夸的意思。

他说这句话,只不过要改正别人的一点错误。

司空晓风道:"这辆马车的车厢和车轮都是特别精制的,远比平常人家的房子还坚固,所以分量难免重些,拉车的八匹马虽然都是好马,急驰三五百里之后,还是要更换一次。"

无忌忍不住问:"怎么换?"

司空晓风说道:"只要是他常去的地方,每隔三五百里,就有他的一个换马站。"

他叹了口气,又道:"据我估计,他养的马最少也在八百匹以上,而且还是千中选一的好马。"

一个人竟养八百匹马,这几乎已经是神话。

但司空晓风却说得很认真,无忌也知道他绝不是个会吹嘘夸大的人。

司空晓风道:"就只维持这三十名随从和八百匹马,他每个月的花费,最少也得有五千两!"

无忌道："可是你却从来没有看见他赚过一文钱？"

司空晓风道："他甚至连一亩地的家当都没有。"

无忌道："说不定他开了很多家当铺,当铺一向是赚钱的生意。"

主人忽然叹了口气,道："难道你把我看成了个生意人？难道我看起来那么俗气!"

无忌不能不承认,这个人看来的确不是个生意人,一点也不俗气!

司空晓风道："他虽然行动不便,连只苍蝇都打不死,可是对他无礼的人,却往往会在第二天无缘无故的突然暴毙。"

主人叹息着道："一个忍心欺负残废者的人,上天总是会降给他噩运的!"

司空晓风道："我却一直弄不清楚,降给那些人噩运的究竟是上天,还是他自己？"

他微笑着,又道："我只知道在他那三十个随从里,至少有十个人绝对可以算是武林中的一流高手。"

无忌听着他说,就好像在听一个神话中人物的故事。

司空晓风道："现在你是不是已经知道他是什么样的人了？"

无忌道："不知道!"

司空晓风苦笑道："其实我也不知道,我跟他交了很多年的朋友,连他真正叫什么名字都不知道,但是我只要知道他在附近,我就会放下一切,赶来看他!"

主人微笑道："我们已很久不见了,所以你想来看看我。"

他转向无忌："可是这位年轻人却未必想看一个像我这样的残废,现在他心里说不定就已觉得很无聊!"

无忌道："能够见到一位这样的人,无论谁都不会觉得无聊的!"他说得很诚恳:"只可惜我还有别的事,现在就要走了!"

主人道："如果你答应留下来,我保证你今天晚上还可以见到许多更有趣的人、更有趣的事!"

无忌迟疑着,他的好奇心已被引起,已无法拒绝这种邀请。

主人笑得更愉快!

一个终年生活在孤独中的人,总是会特别好客的。

他再次向无忌保证："我想你绝不会失望。"

今天晚上，究竟会有些什么人到这里来？

在这么样一辆奇怪的马车里，面对着这样一个奇怪的主人，已经是种令人很难忘记的经历。

无忌实在想不出今天晚上还会遇见什么更有趣的事！

长榻旁边的扶手上，挂着个小小的金钟，主人拿起个小小的金锤，轻轻敲了一下。

他微笑着解释："这是我叫人用的钟，我只敲一下，就表示我要叫的人是我的管家胡巨。"

钟声刚响起，他的话还没有说完，胡巨已出现了，就像是个随时随刻都在等着魔法召唤的精灵。

他是个九尺高的巨人，双目深陷，头发卷曲，黝黑发亮的脸上，带着种野兽般的剽悍之态，一双青筋暴露的大手，腰带上斜插着柄闪亮的波斯弯刀，使得他看来更危险可怕。

但是在他的主人面前，他却显出了绝对的服从与恭顺。

他一出现，就五体投地，拜倒在他主人的脚下，用最恭敬的态度，轻轻吻着他主人一双穿着软绸睡鞋的脚。

对他来说，能够吻到他主人的脚，已经是种莫大的荣宠。

主人对他的态度却是冷峻而严肃的："现在是不是已将近子时？"

"是。"

"你已经完全准备好了？"

"是。"

主人虽然很满意，却没有露出一点嘉慰之色，只淡淡的吩咐："那么现在我们就可以开始。"

"是。"胡巨再次五体投地，才退下去。

他虽然只说了一个"是"字，无忌却已听出他的口音非常奇异生硬。

主人又看出了客人的好奇，道："他的父亲是个波斯商人，他本来是大将军帐下的力士，有一次误犯军法，本当就地处决。"

大将军的军令如山，天下皆知，他怎么能从刀下逃生的？

主人道："是我用一对大宛名种的汗血马，从大将军那里，把他这条命换回来的。"

大将军爱马成癖，在他眼中看来，一对名种的好马，远比任何人的性命都珍贵得多。

司空晓风叹息着道："幸亏你有那样一对宝马，才能换得这么样一个忠心的仆人。"

主人道："他不是我的仆人，他是我的奴隶，我随时都可以要他去死！"

他淡淡的说来，并没有丝毫夸耀的意思，只不过说出了一件事实而已。

可是在别人耳中听起来，却无疑又像是个神话中的故事。

幸好无忌对于这种事已经渐渐习惯了，已不再惊奇，更不会怀疑。

就在这里，黑暗的树林里，就像是奇迹般大放光明。

无忌本来连一盏灯都没有看见，现在四面却已被灯光照得亮如白昼。

本来立在马车前的树木忽然全部倒了下去。倒下去的树木，很快就被一根粗索拖开。

这片树林竟在一瞬间就变成了平地。无忌虽然亲眼看见，几乎还是不相信自己的眼睛。

主人苍白的脸上终于露出满意之色。

对于他的属下们这种办事的效率，没有人还会觉得不满意。

司空晓风又在叹息。他一直希望他的属下做事也能有同样的效率。

他忍不住道："像胡巨这样的人，就是要用十对宝马去换，也是值得的。"

主人微笑。

这个人虽然不是生意人，却一向很少做亏本的生意，雨已经停了。

树林外忽然响起了一阵敲竹板的声音，一个人大声吆喝。"五香熟牛肉，菜肉大云吞。"吆喝声中，一个头戴竹笠的胖子，挑着个云吞担子走入了这片空地。

担子前面的一头，炉火烧得正旺，炉上锅里热气腾腾，后面的一头除了有个放碗筷佐料的柜子外，还有个摆牛肉的纱罩。在江南，在你晚上睡不着的时候，便随时都可以找到这样的小食，叫一碗热呼呼的云吞来吃。

可是无忌做梦也想不到，在这里也会看见这种小食。

这地方有谁会吃他的云吞?

云吞担子刚放下,外面又响起了叫卖声,一个人用苏白唱着:"白糖方糕黄松糕,赤豆绿豆小甜糕。"

一个又高又瘦的老人,背上背着个绿纱柜子,一面唱,一面走进来。

他卖的这几种软糕,都是苏杭一带最受欢迎的甜食。

可是他怎么会卖到这里来了?

来的还不止他们两个。

跟在他们后面,还有卖卤菜的、卖酒的、卖湖北豆皮的、卖油炸窝面的、卖山东大馒头的、卖福州香饼的、卖岭南鱼蛋粉的、卖烧鸭叉烧的、卖羊头肉夹火烧的、卖鱿鱼羹的、卖豆腐脑的、卖北京豆汁的,五花八门,各式各样的小贩挑着各样的担子,用南腔北调各式各样的叫卖声,从四面八方走入了这片灯火通明的空地。

这片平地忽然就变得热闹了起来,就像是个庙会市集。

无忌看呆了。

他从未看见过这许多卖零食点心的小贩,更想不到他们会到这里来,他们到这里来是干什么的?

这里有谁去吃他们卖的东西?

没有人吃,他们就好像准备自己吃。

可是他们在还没有开始吃之前,每个人都将自己卖的东西,选了一份最好的送来,送给这辆神秘马车的神秘主人。

卖云吞的先捧着一碗热腾腾的云吞走过来,在车门外跪下,恭恭敬敬的说道:"这是弟子孝敬主人的一点意思,恭祝主人身体康健,事事如意。"

主人只微笑着点了点头,连一个"谢"字都没有说。

可是这卖云吞的已经感激得要命,高兴得要命;因他已看见了他主人的微笑。

然后卖糕的、卖卤菜的、卖酒的、卖豆腐皮的、卖香饼的……

一个接着一个,都过来了,而且,都跪下来,用他们自己的家乡话,说出了他们对主人的感激和祝贺。

听他们的口音,南腔北调都有,显然不是来自同一个地方。

他们不约而同,不远千里赶到这里,难道只为了要送这一卷香饼、一碗云吞?

无忌更奇怪!

等到他看见一个卖油炸五香花生的老太婆,捧着把花生走过来时,他几乎忍不住要叫出声来。

这个卖五香花生的老太婆,赫然竟是以"金弓银弹"名满江湖的黑婆婆。

黑婆婆却好像根本没看见他,更不认得他,恭恭敬敬的跪在地上,献出了自己的礼物,换得了主人的微笑,就满怀感激的走了。无忌也只好将自己的好奇心勉强压制着。他一向是很有家教的年轻人,他不愿在这个好客的主人面前失礼。

这时小贩们已经在开怀畅饮,你饮我的酒,我吃你的牛肉,彼此交换,吃得痛快极了。这种吃法的确别致有趣,远比吃整桌的翅席还要痛快得多。

他们彼此之间,不但全认得,而且还像是很好的朋友。

只不过大家都在为了生活奔波,很难见到一次面,一年中只有在这一天,才能欢聚在一起。开怀畅饮,尽欢而散。

奇怪的是,卖云吞的并不像是卖云吞的,卖香饼的也不像是卖香饼的。

别人的身分虽然不能确定,至少无忌总知道黑婆婆绝不是个卖五香花生的。

难道别人也全跟她一样,只不过用小贩来掩饰自己的身份?

他们平时是干什么的?

无忌喝了几杯酒,吃了块有名的湖北猪油豆皮,又杂七杂八的吃了很多样东西,都是他平日绝对没法子在同时能吃得到的。

主人看着他,目光充满了笑意。"我喜欢胃口好的年轻人,强壮、不做亏心事的人,才会有好胃口。"

他说的话好像都有点奇怪,却又全都很有道理。

他又问无忌:"你看他们是不是都很有趣?"

无忌承认。"可是我还没有看见什么有趣的事,吃东西并不能算很有趣。"

主人微笑道："你就会看到的。"

无忌还没有看见一件有趣的事，这些人就已经走了。

临走之前，每个人又向这神秘的主人磕头祝福，然后彼此招呼！

"明年再见！"

招呼的声音还在耳边，他们的人就已经全都走得干干净净，都将他们带来的担子、橱子、生财的家当，全都留了下来，难道他们已经醉得连自己吃饭的家当都忘记了？

司空晓风忍不住道："你为什么不叫他们把东西带走？"

主人道："这本就是他们特地带来送给我的，怎么会带走？"

司空晓风道："他们为什么要送你这些东西？"

主人道："因为他们知道我要养三十个随从，八百匹马！"

司空晓风忍不住笑道："可是，你要这些东西干什么？难道你也想改行卖云吞面？"

主人也笑了。

就在这时候，树林外又响起了另外一个人的声音，就像是雷声一样，震得人耳朵"轰隆隆"的响。

一个人大笑着道："我就知道你一定在这里，你躲不了我的！"

赌鬼与僵尸

笑声开始的时候，还在很远的地方，笑声刚结束，这个人已到了他们的面前。

一个几乎比胡巨还高的大汉，一手提着一个足足可以装得下一石米的麻袋，背上还背着一个，却像是燕子般从树林飞掠而来。

无忌只看见人影一闪，这个人已站在马车门外。

如果他不是亲眼看见，他实在无法相信，这么样的一条大汉，会有这么灵巧的身法。

四月的天气，已经开始热了，这大汉却还穿着件羊皮袄，满头乱草般的头发就用根绳子绑住，赤足上穿着双草鞋。

他的脚还没有站稳，却已指着主人的鼻子大笑道："好小子，你真有两手,连我都想不到你今年会选在这样一个地方,居然就在大路边,居然叫你那些徒子徒孙扮成卖云吞的小贩。"

对这个人人都很尊敬的主人,他却连一点尊敬的样子都没有。

可是主人并没有见怪,反而好像笑得很愉快,道:"我也想不到你今年还能找来。"

这大汉笑道:"我轩辕一光虽然逢赌必输,找人的本事却是天下第一!"

主人道:"你输钱的本事也是天下第一。"

轩辕一光道:"那倒一点也不假。"

主人道:"你既然知道你逢赌必输,为什么今年又来了?"

轩辕一光道:"每个人都有转运的时候,今年我的霉运已经走光了,已经转了运。"

主人道:"今年你真的还想赌?"

轩辕一光道:"不赌的是龟孙子。"

他忽然将带来的三个麻袋里的东西全都抖了出来,道:"我就用这些,赌你那些徒子徒孙们留下来的担子。"

无忌又呆了。

从麻袋里抖出来的,虽然也是五花八门,什么样的东西都有,却没有一样不是很值钱的。

地上金光闪闪,金烛台、金香炉、金菩萨、金首饰、金冠、金带、金条、金块、金锭、金壶、金杯、金瓶,甚至还有个金夜壶。

只要是能够想得出来,能用金子打成的东西,他麻袋里一样都不少,有些东西上,还镶着比黄金更珍贵的明珠宝玉。

这个人是不是疯子?

只有疯子才会用这许多黄金来赢几十担卖零食小吃的生财用具。

想不到主人居然比他更疯,居然说:"我不赌。"

轩辕一光的脸立刻就变得好像挨了两耳光一样,大叫道:"你为什么不赌?"

主人道:"因为你的赌本还不够。"

谁也不会认为他的赌本还不够的,想不到他自己反而承认了,苦着脸道:"就算我这次带来的赌本还差一点,你也不能不赌!"

主人道:"为什么?"

轩辕一光道:"这十年来,我连一次也没有赢过你,你总得给我一次机会。"

主人居然还在考虑,考虑了很久,才勉强同意:"好,我就给你一次机会!"

他的话还没有说完,轩辕一光已经跳起来,道:"快,快拿骰子来。"

骰子早已准备好了,就好像主人早就准备了他要来似的!

用白玉雕刻成的骰子、用黄金打成的碗。

轩辕一光立刻精神抖擞,道:"看见这三颗骰子我就痛快,输了也痛快!"

主人道:"谁先掷?"

轩辕一光道:"我。"

主人道:"只有我们两人赌,分不分庄家?"

轩辕一光道:"不分。"

主人道:"那么你就算掷出个四五六来,我还是可以赶。"

轩辕一光道:"好,我就掷个四五六出来,看你怎么赶。"

他一把从碗里抓起了骰子,用他食指、中指和无名指中间那个关节夹住,"叮,叮,叮",在碗边敲了三下,然后高高的抓起来,"花郎郎"一把洒下去。

他的手法又纯熟,又漂亮,只看见三颗白花花的骰子在黄澄澄的碗里转来转去,转个不停。

第一颗骰子停下来,是个"四",第二颗骰子停卜来,是个"六"。

轩辕一光大喝一声。

"五"!

第三颗骰子居然真的掷出了个"五",他居然真的掷出了个"四五六"。

除了三骰子同点的"豹子"之外,"四五六"就是最大的了。

掷骰子要掷出个"豹子",简直比要铁树开花还困难。

轩辕一光大笑,道:"看来我真的转运了,这一次我就算想输都不容易。"

他忽然转脸看着无忌,忽然问:"你赌过骰子没有?"

无忌当然赌过。

他并不能算是个好孩子,什么样的赌他都赌过,他常常都会把"压岁钱"输得精光。

主人道:"你替我掷一把怎么样?"

无忌道:"好。"

只要是他认为并不一定要拒绝的事,他就会很痛快的说"好"!

他一向很少拒绝别人的要求。

主人道:"我可不可以要他替我掷这一把?"

轩辕一光道:"当然可以。"

主人道:"他若掷出个豹子来,你也不后悔?"

轩辕一光道:"他若能掷出个豹子,我就……"

主人道:"你就怎么样?"

轩辕一光断然道:"我就随便他怎么样。"

主人道:"这意思就是说,他要你干什么,你就干什么?"

轩辕一光道:"不错。"

主人道:"你知不知道这句话是不能随便说出来的。"

轩辕一光道:"为什么?"

主人道:"以前我认得一个很喜欢跟我朋友赌气的女孩子,也常常喜欢说这句话!"

轩辕一光道:"结果呢?"

主人道:"结果他就做了我那个朋友的老婆。"

无忌忽然笑了笑,道:"但是你可以放心,不管怎么样,我都不会要你做我老婆。"

他也像轩辕一光一样,抓起了骰子,用三根手指夹住,"叮,叮,叮",在碗边敲了三下。

"花郎郎"一声,三颗骰子落在碗里,不停的打转。

轩辕一光盯着这三颗骰子,眼睛已经发直。

主人忽然叹了口气,说道:"你又输了。"

这句话说完,三颗骰子都已停下来,赫然竟是三个"六"。

"六豹",这是骰子中的至尊宝。

轩辕一光怔住了,怔了半天,忽然大吼一声:"气死我也!"凌空翻了三个筋斗,就已人影不见。

他说走就走,走得比来时还快,若不是他带来的那些金杯、金碗、金条、金块还留在地上,就好像根本没有他这么样的一个人来过。

司空晓风一直带着微笑,静坐在一旁欣赏,这时才开口,说道:"我记得昔年"十大恶人"中有个'恶赌鬼'轩辕三光。"

那当然已经是很久很久以前的事了。

在那个多姿多彩的时代里,江湖中英雄辈出。

"恶赌鬼"轩辕三光、"血手"杜杀、"不吃人头"李大嘴、"不男不女"屠娇娇、"迷死人不赔命"蔡咪咪、"笑里藏刀"哈哈儿……

还有那天下第一位聪明人儿小鱼和他的那孪生兄弟花无缺,都是当时名动天下的风云人物。

直到现在,他们的名字还没有被人淡忘,他们的光彩也没有消失。

司空晓风道:"但是我却不知道江湖中有个叫轩辕一光的人。"

主人微微一笑,说道:"你当然不会知道的。"

司空晓风道:"为什么?"

主人道:"因为你不赌。"

司空晓风道:"他也是个赌鬼了?"

主人道:"他比轩辕三光赌得还凶,也比轩辕三光输得还多。"

司空晓风承认:"他的确能输。"

主人道:"轩辕三光要等到大亮人光时,钱才会输光。"

司空晓风道:"他呢?"

主人道:"天还没有亮,人也没有光时,他的钱已经输光了,而且一次就输光。"

司空晓风道:"所以他叫做轩辕一光?"

主人微笑道:"难道你还能替他取个更好的名字?"

司空晓风也笑了:"我不能。"

主人又问无忌,"他这个人是不是很有钱?"

无忌只有承认道:"是的。"

主人道:"他一定也不会忘记你的,能够一把就掷出三个六点来的人,毕竟不太多。"

无忌应道:"这种人的确不太多。"

主人道:"能够找到你替我捉刀,是我的运气,我当然也应该给你吃点红。"

无忌也不反对。

主人道:"那些担子上的扁担,你可以随便选几根带走。"

无忌道:"好!"

他并没有问:"我又不卖云吞,要那么多扁担干什么?"

他认为这种事既没有必要拒绝,也不值得问。

主人看着他,眼睛里带着欣赏之色,又道:"你可以去选五根。"

无忌道:"好。"

他立刻走过去,随便拿起根扁担,刚拿起来,脸上就露出惊异之色。

这根扁担好重好重,他几乎连拿都拿不住。

他又选了一根,脸上的表情更惊奇,忍不住问道:"这些扁担,难道都是金子打成的?"

主人道:"每一根都是。"

无忌道:"是纯金?"

主人道:"十成十的纯金。"

不但扁担是纯金打成的,别的东西好像也是的,就算不是纯金,也是纯银。

无忌这才知道,轩辕一光并没有疯,主人也没有疯,疯的是那些小贩。

主人笑了笑,说道:"其实他们也没有疯。"

无忌道:"没有?"

主人道:"他们知道我要养三十个随从、八百匹马,也知道我开支浩大、收入全无,所以每年的今天,他们都会送点东西来给我。"

他们当然不是卖云吞的,卖三百年云吞,也赚不到这么样一根扁担。

主人道:"以前他们本是我的旧部,现在却已经全都是生意人了。"

无忌道:"看来他们现在做的生意一定很不错。"

他并不想问得太多,也不想知道太多。

主人却又问他:"你认得黑婆婆?"

无忌道:"认得。"

主人说道:"你知道她是做什么生意的?"

无忌道:"不知道。"

主人道:"你也不想知道?"

无忌道:"不想!"

主人道:"为什么不想?"

无忌道:"每个人都有权为自己保留一点隐私,我为什么要知道?"

主人又笑了:"他们也不想让人知道,所以,他们每年来的时候,行踪都很秘密。"

无忌道:"我看得出。"

主人道:"我们每年聚会的地方,也很隐秘,而且每年都有变动。"

无忌沉思着,忽然问道:"可是轩辕一光每年都能找到你!"

主人道:"这是他一年一度的豪赌,他从来都没有错过!"

无忌微笑道:"他输钱的本事,确实不错。"

主人道:"岂只不错,简直是天下第一。"

无忌道:"他找人的本事也是天下第一?"

主人道:"绝对是。"

无忌眼睛亮了,却低下了头,随便选了五根扁担,用两只手抱着走过来。

这五根扁担真重。

主人看看他,淡淡的笑道:"如果他想找一个人,随便这个人藏在哪里,他都有本事找到,只可惜别人要找他却很不容易。"

无忌好像根本没有听见他在说什么,慢慢的将扁担放下来,忽然道:"我的马虽然不是大宛名种,可是我也不想把它压死。"

主人立刻明白了他的意思:"这五根扁担会把它压死?"

无忌道:"这五根扁担甚至可以把我都压死!"

主人却笑道:"你当然是不想死。"

无忌道:"所以我现在只有把它留在这里,如果我要用的时候,我一定会来拿的。"

主人道:"你能找得到我?"

无忌道:"就算我找不到,你也一定有法子能让我找到的。"

主人道:"你是不是一向都很少拒绝别人?"

无忌道:"很少。"

主人叹了口气,道:"那么我好像也没法子拒绝你了。"

无忌抬起头,凝视着他,说道:"所以,你一定要想法子,让我能够随时都可以找到你。"

主人又笑了,转向司空晓风,道:"这个年轻人,看来好像比你还聪明。"

司空晓风微笑道:"他的确不笨!"

主人道:"我喜欢聪明人,我总希望聪明人能活得长些。"

他这句话又说得很奇怪,其中又仿佛含有深意。

无忌也不知是否已听懂。

主人忽然摘下了扶手上的金钟,抛给了他,道:"你要找我的时候,只要把这金钟敲七次,次次敲七下,就会有人带你来见我的。"

无忌没有再问,立刻就将金钟贴身收起,收藏得很慎重仔细。

司空晓风脸上已露出满意的微笑。

这时,远处有更鼓声传来,已经是二更了。

深夜中本该有更鼓声,这并不是件值得惊奇的事。

无忌却好像觉得很惊奇。

这两声更鼓虽然很远,可是入耳却很清晰,听起来,就好像有人在耳边敲更一样。

他忍不住问道:"现在真的还不到三更?"

没有人回答他的话。

所有的灯光已全都熄灭。

树林里立刻又变得一片黑暗,从车厢里露出的灯光中,隐约可以看见又有一群人走了过来。还抬着一个很大的箱子。

远远的看过去,这个箱子竟像是口棺材。

主人忽然叹了口气,喃喃道:"他终于还是来了。"

无忌道:"来的是谁?"

主人脸上露出种很奇怪的表情,过了很久,才一个字一个字的回答:

"是个死人。"

死人通常都是在棺材里!

那口箱子,果然不是箱子,是一口棺材。

八个又瘦又长的黑衣人,抬着这口漆黑的棺材走过来。

棺材上居然还坐着一个人,穿着一身雪白的衣服,竟是个十多岁的小孩。

等到灯光照在这小孩脸上,无忌就吃了一惊。

这小孩居然就是刚才带他来的那个小孩,只不过是换了雪白的衣服而已!

他为什么忽然坐到棺材上去?

无忌正想不通,旁边已有人在拉他的衣角,轻轻的问:"你看棺材上那个小孩,像不像我?"

无忌又吃了一惊。拉他衣裳的小孩就是刚才带他来的那个小孩,身上还是穿着那套鲜红的衣服。

两个小孩子竟然长得一模一样。

"笃!笃!笃!"

更声又响起,无忌终于看见了这个敲更的人,青衣、白裤、麻鞋、苍白的脸,手里拿着轻锣、小棒、竹更鼓和一根白色的短杖。

"夺命更夫"柳三更也来了!

他没有看见无忌,他什么都看不见。

他还在专心敲他的更。

现在虽然还不到三更,可是两更已经过了,三更还会远吗?

要等到什么时候才是三更?

这次他准备夺谁的魂?

穿白衣裳的小孩端端正正、笔笔直直的坐在棺材上,连动都没有动。

穿红衣裳的小孩正在朝着他笑。

他板着脸,不理不睬。

穿红衣裳的小孩子冲着他做鬼脸。

他索性转过头,连看都不看了。

这两个小孩长得虽然一模一样,可是脾气却好像完全不同。

无忌终于忍不住,悄悄的问道:"你认得他?"

"当然认得,"穿红衣裳的小孩说。

无忌又问:"他是你的兄弟?"

"他是我的对头。"

无忌更惊奇:"你们还都是小孩子,怎么就变成了对头?"

穿红衣裳的小孩道:"我们是天生的对头,一生下来就是对头。"

无忌再问:"棺材里是什么人?"

小孩叹了口气:"你怎么越来越笨了,棺材里当然是个死人,你难道连这种事都不知道?"

棺材已放了下来,就放在车门外,漆黑的棺材,在灯下闪闪发光。

不是油漆的光!

这口棺材难道也像那些扁担一样? 也是用黄金铸成的?

抬棺材的八个黑衣人,虽然铁青着脸,全无表情,但额上却都已有了汗珠。

这口棺材显然重得很,好像真是用金子铸成的。

他们用一口黄金棺材把一个死人抬到这里来干什么?

穿白衣裳的小孩还坐在棺材上,忽然向柳三更招了招手。

柳三更就好像能看得见一样,立刻走过来,弯下了腰。

穿白衣裳的小孩慢慢的站起来,居然一脚踩过去,站到他肩上去了。

这位名动江湖的夺命更夫,看来竟对这小孩十分畏惧尊敬,就让他站在自己肩上,连一点不高兴的样子都没有。

穿红衣裳的小孩又在跟无忌悄悄道:"你信不信,他自从生下来,脚上就没有沾过一点泥。"

无忌道:"我信。"

穿红衣裳的小孩叹了口气,道:"可是我的脚上却全是泥。"

无忌道:"我喜欢脚上有泥的孩子,我小时候连脸上都有泥。"

穿红衣裳的小孩又笑，忽然握住他的手，道："我也喜欢你，虽然你有时候会变得傻傻的，我还是一样喜欢你。"

无忌也想笑，却没有笑出来。

棺材的盖子，已经被掀起，一个人笔笔直直的躺在棺材里，双手交叉，摆在胸口，雪白的衣裳一尘不染，惨白枯槁的脸上更连一点血色都没有，看来就像是已死了很久，已经变成了僵尸。

棺木漆黑，死人惨白，在暗淡的灯光下看来，显得更诡异可怖。

他们为什么要把这口棺材打开，难道是想让这个僵尸，看看那个主人，还是想让那个主人，看看这个僵尸？僵尸闭着眼。

僵尸也没有什么好看的。

可是主人却的确在看着他，忽然长长叹息，道："一年总算又过去，你过得还好？"

他居然像是在跟这个僵尸说话。

难道僵尸也能听得见？

僵尸不但能听得见，而且还能说话，忽然道："我不好。"

听到这三个字从一个僵尸嘴里说出来，连司空晓风都吃了一惊。

他不能不想到在那些神秘古老的传说中，种种有关僵尸复活的故事。

僵尸又问道："你呢？"

主人道："我也不好。"

僵尸忽然长叹了口气，道："萧东楼，你害了我，我也害了你。"

直到现在无忌才知道，这个神秘的主人名字叫萧东楼。

这个僵尸又是什么人呢？

他的声音虽然沙沙冷冷，却又带着种说不出的悲伤和悔恨。

一个人若是真的死了，真的变成了僵尸，就不会有这种感情。

但是他看起来却又偏偏是个死人，完全没有一点生气，更没有一点生机。

他就算还活着，也未必是他自己想活着。

因为他已没有生趣。

萧东楼一直带着微笑的脸，在这瞬间仿佛也变得充满悔恨哀伤，可是他立刻又笑了,微笑道:"我就知道你一来就会说出我的名字。"

僵尸道:"你若是不愿让别人知道你的名字,我可以把听见这三个字的人,全都杀了!"

萧东楼说道:"你知道他们是什么人吗?"

僵尸说道:"不管他们是什么人都一样。"

他连眼睛都没有睁开,天下根本就没有一个人能被他看在眼里。

而他自己却只不过是个只能躺在棺材里,终年见不到阳光的僵尸。

无忌忽然笑了。笑的声音很刺耳。

他从来不愿拒绝别人的好意,也从来不肯受别人的气。

这僵尸眼睛虽然闭着,耳朵却没有塞上,当然应该听得出他的意思。

僵尸果然在问:"你在笑谁?"

无忌回答得很干脆:"笑你!"

僵尸道:"我有什么可笑的?"

无忌道:"你说的话不但可笑,简直滑稽。"

僵尸眼睛里忽然射出比闪电还亮的光,无论谁都绝不会想到,这么样一个垂死的人,竟有这么样一双发亮的眼睛。

这双眼睛正在瞪着无忌。

无忌居然也在瞪着这双眼睛,脸色居然连一点都没有变。

僵尸道:"你知道我是什么人?"

无忌冷冷道:"不管你是什么人都一样。"

这句话刚一说完,僵尸已直挺挺站了起来。

他全身上下连动都没有动,谁也看不出他是怎么站起来的。

他既没有伸脚,也没有抬腿,可是他的人忽然间就已到了棺材外,伸出一双瘦骨嶙峋的大手,凭空一抓,就有几件金器飞入他手里。

金壶、金杯、金碗,都是纯金的,到了他手里,却变得像是烂泥,被他随随便便一捏、一搓,变成了根金棍,迎面一抖,伸得笔直。

无忌手心已沁出冷汗。

看见了这样的气功和掌力,如果说他一点都不害怕,那是假的。

只不过,他就算怕得要命,也绝不会退缩逃避。

僵尸又问:"现在你信不信我随时都可以杀了你?"

无忌道:"我信。"

僵尸道:"刚才你笑的是谁?"

无忌道:"是你。"

僵尸忽然仰天长啸,一棍刺了出去,这一棍的速度和力量,天下绝没有任何人能招架闪避。

可是这一棍并没有刺在无忌身上。

他刺的是萧东楼。

萧东楼当然更无法闪避。

只见金光闪动,沿着他手足少阳穴直点下去,一瞬间就已点了他正面六十四处大小穴道。

金棍忽然又一挑,竟将他的人轻飘飘的挑了起来,又反手点了他背后六十四处穴道,用的手法之奇,速度之快,不但骇人听闻,简直不可思议。

人身上三十六大穴、七十三小穴,本来就至少有一半是致命的要害,在这种手法下,处处都是要害。

可是萧东楼并没有死。

他已经轻飘飘的落下,落在他的软榻上,脸上反而显出种很轻松的表情,就好像久病初愈,又像是刚放下了副极重的担子。

然后他才长长吐出口气,喃喃道:"看来我又可以再捱一年了。"

僵尸道:"我呢?"

萧东楼道:"只要我不死,你就会不死。"

僵尸道:"因为你知道只有我能保住你的命。"

萧东楼道:"这一点,我绝不会忘记。"

僵尸道:"解药在哪里?"

萧东楼慢慢的伸手,手里已有了个小小的青花瓷瓶。

吃下了瓷瓶里的药,僵尸脸上也有了萧东楼同样的表情。

然后他就进了棺材,笔笔直直的躺下去,闭上眼睛,仿佛已睡着了。

穿红衣裳的小孩一直紧紧拉着无忌的手,好像生怕他沉不住气,更怕他会多管闲事。

直到僵尸躺下,他才放了心,悄悄道:"刚才我真有点怕。"

无忌道:"怕什么?"

穿红衣裳的小孩说道:"怕你冲过去救我师傅,只要你一出手,就害了他。"

无忌道:"为什么?"

穿红衣裳的小孩道:"我也弄不太清楚,我只知道他的真气郁结,非要这僵尸用独门手法替他打通不可,因为他的身子软瘫,根本没法子疏导自己的真气,除了这僵尸外,也绝对没有任何人能一口气打遍他全身一百二十八处穴道。"

他想了想,又道:"最重要的就是这一口气绝不能断,一断就无救了。"

无忌道:"这是你师傅的秘密,你本来不该告诉我的。"

红衣裳的小孩道:"我们已经是朋友了,我为什么不能告诉?。"

无忌没有再说什么。

他是很容易就会感动的人,他被感动的时候,总是会说不出话的。

穿红衣裳的小孩眼珠子转了转,忽然问道:"如果那僵尸再来问你,刚才你在笑谁? 你怎么说?"

无忌毫不考虑道:"我在笑他。"

穿红衣裳的小孩又问道:"你看不看得出他点穴时用的是什么手法?"

无忌道:"是不是剑法?"

穿红衣裳的小孩道:"不错,是剑法,能够用剑法点穴,并不是件容易事。"

无忌承认。

剑法讲究的轻灵流动,本就很不容易认准别人的穴道。

穿红衣裳的小孩道:"你有没有看见过那么快的剑法?"

无忌道:"没有。"

他又补充:"我也没有看见过那么准的剑法,不但能够一口气刺出一百二十八剑,而且,每一剑都能够认准穴道,毫厘不差。"

穿红衣裳的小孩说道:"你莫非也佩服他?"

无忌道:"我只佩服他的剑法。"

穿红衣裳的小孩笑了:"你知不知道我为什么喜欢你?"

他相信无忌就算知道,也不会说出来的。

所以他自己说了出来:"你这个人的骨头真硬,硬得要命!"

无忌并没有反对的意思,这一点本就是他常常引以为傲之处。

穿红衣裳的小孩忽然又问："你看那个小孩是不是一直在瞪着我？"

无忌也早就注意到这一点。

那个脚上从来不沾泥的小孩，一直都在用一双又圆又亮的眼睛瞪着他们。

穿红衣裳的小孩说道："他一定气死了！"

无忌道："他为什么生气？"

穿红衣裳的小孩道："因为他在等我，我却在这里跟你聊天。"

无忌道："他等你干嘛？"

穿红衣裳的小孩道："他在等着跟我打架。"

无忌道："打架？"

穿红衣裳的小孩道："他的师傅到这里来除了要解药外，就是为了要他跟我打架。"

他又笑了笑："我们从八岁的时候开始，每年打一次，已经打了五年。"

无忌道："你们为什么要打？"

穿红衣裳的小孩道："因为他的师父跟我的师父已经没法子再打了，所以他们就同时收了个徒弟，师父既然没法子再打，就叫徒弟打，谁的徒弟打赢，就是谁的本事大。"

无忌看着他，再看看那个脚上从来不沾泥的小孩，忍不住问道："你们是不是兄弟？"

穿红衣裳的小孩板着脸，道："我们不是兄弟，我们是天生的对头。"

无忌道："他既然在等你，为什么不叫你过去？"

穿红衣裳的小孩道："因为他要装得像是个很有风度的人，而且很有修养、很沉得住气。"

无忌道："所以，你现在故意要激他生气？"

穿红衣裳的小孩道："他学的是剑法，我学的是内力，如果我不气气他，恐怕已经被他打败了五次。"

无忌明白他的意思。

学剑着重敏悟，内力着重根基，两者虽然殊途同归，学剑的进度，总是比较快些。可是不管学什么的，在交手时都不能生气。

生气就会造成疏忽，不管多么小的疏忽，都可能致命。

穿白衣裳的小孩已经有点沉不住气了，忽然大声道："喂！"

穿红衣裳的小孩不理他。

穿白衣裳的小孩声音更大："喂，你几时变成聋子？"

穿红衣裳的小孩终于回头看了他一眼，道："你在跟谁说话？"

穿白衣裳的小孩道："跟你！"

穿红衣裳的小孩道："我又不是叫喂。"

穿白衣裳的小孩忽然一纵身，从柳三更的肩头掠上了车顶，道："不管你叫什么都一样，你过来！"

穿红衣裳的小孩终于慢吞吞的走过去，道："我已经过来了！"

穿白衣裳的小孩道："你上来！"

穿红衣裳的小孩摇头道："我不能上去。"

白小孩道："为什么？"

红小孩道："我总不能在我师傅的头顶上跟你打架。"

他笑了笑，又道："你可以没有规矩，但是我不能没有规矩。"

白小孩的脸已气红了，忽然跳了下来，大雨刚停，他的身法虽然轻，还是溅起了一脚泥。

红小孩道："哎呀！"

白小孩道："哎呀什么？"

红小孩道："我在替你的脚哎呀，像你这么有身份的人，脚上怎么能够沾到泥？"

白小孩冷笑道："你用不着替我担心，我随时都有鞋子换。"

红小孩道："你有多少双鞋子？"

白小孩冷冷一笑，道："至少也有七八十双。"

红小孩大笑，道："好，好极了，你的鞋子简直比杨贵妃还多！"

他故意作出很诚恳的样子："只不过我还是有点替你担心。"

白小孩的脸已经气得发白，却忍不住问道："你担心什么？"

红小孩道："我怕你长不高。"

这两个小孩看起来本来是一模一样的，等他们站到一起时，别人才能看得出这个红小孩比白小孩至少高出了两寸。

红小孩又说道："脚上不肯沾到泥的小孩子，总是长不高的，何况，你又太会生气。"一个小孩故意在逗另外一个小孩生气，另外这个小孩虽然拼命想做出大人的样子，不跟那个小孩一般见识，却偏偏还是忍不住气得要命,说出来的还是些孩子话。看着这么两个长得一模一样的漂亮小孩淘气斗嘴,本来是件很好玩的事。

可是等到他们一出手,就没有人觉得好玩了。

两个小孩

两个小孩玩把戏,
长得有点像兄弟。
一个小孩笑嘻嘻,
一个小孩爱生气。
一个小孩骑马来,
一个小孩满脚泥。
哎呀!
既然你们是兄弟,
相煎何太急?

他们用的是剑,两柄形式、长短、分量、钢质都完全一样的剑。

红小孩先选了一柄。"你是专练剑法的,应该让我三招。"

白小孩连一招都没有让。

他拔剑的动作远比红小孩快,出手也快,一瞬间就刺出十一剑。

红小孩笑了。

这个白小孩又中了他的计,他本来就是要让对方先出手的。

因为他的剑法并不以快取胜,"以静制动,以慢打快,后发制人",才是他剑法中的精义。

可是白小孩的剑法并没有被制住。

他的出手快、准、狠,每一剑都是致命的杀手,绝不给对方留余地。

他们俩人虽然可爱,剑法却远比任何人想像中都可怕得多。

萧东楼看出了司空晓风脸上惊异的表情,微笑着问道:"你看他们俩的剑法如何?"

司空晓风道:"如果昔年那位百晓生还在,这两个小孩的剑,都一定可以在他的兵器谱上排名!"

那就是说，这两个小孩的剑术，都可以列入天下前五十名高手之林。

现在他们只不过才十一二岁。

萧东楼忽然叹了口气，道："只可惜他们永远也不会成为天下第一高手。"

司空晓风道："为什么？"

萧东楼道："因为他们太聪明。"

司空晓风道："聪明有什么不好？"

萧东楼道："要做天下第一高手，除了剑法胜人外，还得要有博大的胸襟和一种百折不回的勇气与决心，那一定要从无数惨痛经验中才能得来。"

他苦笑着道："太聪明的人总是禁不住这种折磨的，一定会想法子去避免，而且总是能够避得过去。"

司空晓风道："没有真正经过折磨的，永远不能成大器。"

萧东楼道："绝对不能。"

司空晓风："可是受过折磨的人，也未必能成大器。"

萧东楼道："所以近数十年的武林中，根本已没有'天下第一高手'这六个字。"

司空晓风道："昔年曾经和陆小凤大侠惟一传人花满天决战于饱宝之巅的西门公子如何？"

萧东楼道："你知不知道那一战的结果？"

司空晓风道："据说他们两位都落入了万丈绝壑下，同归于尽了。"

萧东楼道："西门公子若真是天下第一高手，又有谁能逼得他同归于尽！"

司空晓风目光闪动，道："此刻躺在棺材里的这位朋友呢？"

萧东楼淡淡的笑了笑，说道："他若是天下第一高手，又怎么会变成了现在这样子？"

司空晓风没有再问下去。

就在这片刻之间，那两个小孩的搏斗已愈来愈激烈凶险。

他们的出手愈来愈险恶，照这样打下去，很可能也会像花满天和西门公子一样，落得个两败俱伤，同归于尽。

可是现在他们已欲罢不能，谁都不能先收手。

就在这时候,忽然间"叮"的一声响,一道白光飞来,打断了他们手里的两柄剑。

两截断剑随着一根白色的短杖落下来,两个小孩子人也被震开了。

站在他们中间的,竟是那个什么都看不见的瞎子柳三更。

白小孩脸色铁青,厉声道:"你这是干什么?"

柳三更慢慢拾起地上的短杖,一言不发,垂着头退下去。

萧东楼微笑道:"柳先生为什么不说话?"

柳三更道:"我只不过是个奴才而已,怎么敢说话。"

萧东楼笑道:"名满天下的'夺命更夫',怎么会是别人的奴才!"

僵尸忽然道:"他是的。"

直到目前为止,无忌还是不相信柳三更会承认自己是别人的奴才。

可是他的确承认了,脸上甚至连一点愤怒不服的表情都没有。

僵尸道:"他的骨血灵魂都已属于我,我可以随时要他去死,我的儿子也可以随时要他去死!"

柳三更脸上全无表情,道:"我随时都在准备着去为侯爷而死。"

白小孩冷笑道:"那么你现在就去吧。"

柳三更毫不考虑,立刻拔出了短杖中的藏剑,往自己咽喉割了过去。

无忌想冲过去救他,已经来不及了。剑锋已割破他的咽喉,鲜血已涌出,白小孩的脸色变了。

僵尸忽然道:"住手!"柳三更的动作立刻停顿。

僵尸冷冷道:"现在,你是不是还要他死?"

他问的是白小孩。白小孩咬着嘴唇,终于摇了摇头。

僵尸道:"很好。"

柳三更的剑垂落,咽喉虽已被割破一道血口,脸上还是连一点表情都没有。

僵尸又问白小孩:"现在你明不明白,你冲口说出来的一句话,就可以定别人的生死。"

白小孩道:"我明白了。"

僵尸道:"明白就好。"

白小孩道:"可是下次他如果还敢打断我的剑,我还是会要他死的。"

僵尸道:"好极了。"

白小孩的气还没有平,又道:"刚才是谁叫他出手的?"

僵尸道:"是我。"

白小孩怔住了。

僵尸道:"下次就算你明知是我叫他出手的,只要他打断了你的剑,你还是可以杀了他。"

他冷冷的一哂,接着道:"无论是谁若打断了你的剑,无论他是为了什么,你都不能放过他,你就算要死,也得先杀了他。"

白小孩挺起胸,大声道:"我明白了,我一定能做到!"

——剑,就是剑客的荣誉。

——剑客的荣誉,远比性命更重要,不管是谁的性命都一样。

这就是僵尸要给这小孩的教训。

他要这小孩做一个绝代的剑客,他要这小孩为自己而骄傲。

萧东楼忽然说道:"你过来。"他叫的是那红小孩,"你的剑是不是也被人打断了?"

红小孩道:"是的。"

萧东楼道:"现在你准备怎么办?"

红小孩道:"这把剑反正是他们带来的,他们要打断自己的剑,跟我有什么关系。"

萧东楼道:"你自己的剑若被人打断了呢?"

红小孩道:"那么我就再去买把剑来练,直练到别人打不断我的剑为止。"

萧东楼大笑,道:"好,好极了。"

他要他的孩子做一个心胸博大的人,不要把一时的成败利害看得太重。

如果不能做一个堂堂正正的人,又怎么能做绝代无双的剑客?

无忌忍不住在心里问自己。

这两个小孩今日虽然不分胜负,以后呢?

东方已微白,远处已有鸡啼。

萧东楼道:"天又快亮了,你又该走了。"

只有死人才是见不得阳光的,这僵尸难道是个活死人?

白小孩瞪着红小孩,道:"明年我一定能击败你,你等着。"

红小孩笑道:"我只希望你明年能长高些。"

这次无忌没有笑。

他知道这僵尸一定不会放过他的,他一直在等着。

可是他想错了。

僵尸又笔笔直直的躺了下去,阖上了眼睛,似乎已忘了他这么样一个人。

无忌忽然冲了过去,大声道:"刚才我笑的是你。"

僵尸道:"我知道,你已经说过了两次。"

无忌道:"难道你就这么样走了?"

僵尸道:"你是不是一定想要我杀了你?"

无忌道:"是。"

僵尸终于张开眼睛,一个存心要找死的人,无论谁都忍不住想要看看的。

无忌道:"你不肯出手,只因为你根本没有把我看在眼里,人生在世,被人如此轻贱,活着又有什么意思?"

僵尸道:"你不怕死?"

无忌道:"大丈夫生而有何欢? 死有何惧?"

僵尸盯着他,眼睛里寒光如电。

无忌也瞅着他,绝没有一点退缩的意思。

僵尸冷冷道:"你若真的想死,月圆过后,到九华山去,我总会计你称心如意。"

无忌想也不想,立刻说道:"我一定去。"

僵尸的眼睛又合起,棺材也已盖起。

——复活的僵尸,在天亮之前,就要回到幽冥去。

穿白衣裳的小孩却还在瞪着红小孩,忽然道:"你能不能为我做一件事?"

红小孩道:"什么事?"

白小孩道:"明年今天,你能不能先洗个澡?"

说完了这句话,他就跳上棺材,盘膝坐上,黑衣人抬起棺材,断魂更轻轻一敲,他们走出了这座树林子,忽然就已消失在凄迷的晨雾间。

红小孩却还在痴痴的往前面看,仿佛还想再找那白小孩来斗一斗。

无忌一直在注意着他,故意叹了口气,道:"看来你们真是天生的一对。"

红小孩脸上露出种很奇怪的表情,忽然摇了摇头,道:"我们不是对头,我们是兄弟,若不是我比他早生半个时辰,他就是我的哥哥!"

他们果然是孪生兄弟。

萧东楼和那僵尸既然要借下一代弟子的手,来较量他们的武功,当然要找两个资质、年纪、智慧都完全一样的孩子。

孪生兄弟无疑是最好的选择。

只不过两颗同样的种子,在不同的环境里生长,就未必能开出同样的花朵了。

无忌心里在叹息,只觉得命运对这对兄弟未免太残酷。

红小孩却又笑了。

无忌道:"你在笑什么? 又是在笑我了?"

红小孩摇摇头,道:"这次我是在笑我自己,我一直看错了你。"

无忌道:"哦?"

红小孩道:"我一直认为你有点笨笨的,现在才知道,原来你比谁都聪明。"

他瞪着眼睛道:"刚才你去找那僵尸,是不是你早就知道他绝不会出手,别人也绝不会让他杀了你?"

无忌不开口。

红小孩道:"可是你也未必真的有把握。"

无忌忽然问:"你赌过钱没有?"

红小孩偷偷看了他师父一眼,悄悄道:"我偷偷的赌过。"

无忌道:"那么你就应该知道,你若想赢别人的钱,自己也要冒点险。"

他笑了笑,又道:"人生中有很多事都是这样子的,有很多很多事……"

天亮了。

拔倒的树林，又被植起，零乱的物件，都已被清理干净。

如果昨天早上来过这里的人，今天又来到这里，绝不会看出这地方在昨夜一夕间曾经发生过那么多事。

这是不是奇迹？

萧东楼叫人替无忌泡了壶武夷铁观音，微笑道："这不是奇迹，世上根本就没有奇迹，如果有，也是人造成的。"

他的言词中总是带着令人不得不去深思的哲理。

"只有人才能创造奇迹，"他说："用他们的恒心、毅力、智慧；用巧妙的方法、严格的训练、用……"

无忌道："用金钱造成的。"

萧东楼大笑，道："不错，金钱当然是永远不能缺少的一样东西。"

司空晓风道："幸好金钱也不是最主要的一样东西，并不是每个有钱人都能做出你做出的这些事。"他的话中也有深意："钱也像是剑一样，也得看它是在谁的手里。"

无忌却不想再听下去。

他到这里来，并不是为了来听别人讲道理的。

萧东楼仿佛永远都看出他客人们的心意："我知道你一定想走了。"

无忌立刻站起来，用行动回答了他的话。

萧东楼道："我想你一定会到九华山去。"

无忌道："我一定会去。"

萧东楼道："九华山南望陵阳、西朝秋浦、北接五溪大通、东际双龙峰口，峰之得名者四十有八，还有二源、十四岩、五洞、十一岭、十八泉，是个很大很大的地方。"

无忌道："我知道。"

萧东楼道："那么你为什么不问他要到哪里去？"

无忌道："我不必问。"

萧东楼道："你能找得到他？"

无忌道:"我找不到。"

他忽然问:"如果你要到一座山上去,你叫山过来,山会不会过来?"

萧东楼道:"不会。"

无忌道:"那你怎么办?"

萧东楼道:"我自己走过去。"

无忌道:"我做事也常常用这法子,如果我找不到他,我就会想法子让他来找我。"

无忌走了。

他要走的时候,很少有人能拦得住他——几乎从来没有人能拦得住他。

看着他去远,萧东楼才问:"你说这年轻人叫赵无忌?"

司空晓风道:"是。"

萧东楼道:"看来他也是一个很聪明的人。"

司空晓风道:"他绝对是。"

萧东楼道:"可是他看起来又好像有很多解不开的心事,聪明人本不该有这么多心事的。"

司空晓风道:"我要他到这里来,就因为想要他变得聪明些。"

他又解释:"他惟一解不开的心事,就是他还没有找到他的仇人。"

萧东楼道:"他的仇人是谁?"

司空晓风道:"上官刃。"

萧东楼道:"是不是那个用金子打成的金人?"

司空晓风道:"是的。"

萧东楼叹道:"看起来他的确还不够聪明,以他的武功,能招架上官刃十招已经很不容易!"

司空晓风道:"所以我叫他到这里来,好让他知道,江湖中多的是藏龙卧虎,以他的武功,根本就不能够闯荡江湖,何况去复仇?"

他忽然叹了口气,又道:"现在我才知道我错了。"

萧东楼道:"错在哪里?"

司空晓风道:"我不该叫他来的。"

萧东楼道:"为什么?"

司空晓风道:"上官刃心机深沉,既然已远走高飞,要找他简直难如登天。"

萧东楼道:"现在无忌要找他岂非遇见同样困难?"

司空晓风道:"可是现在无忌又认得轩辕一光。"

如果轩辕一光要找一个人,就算这个人躲到天边去,他还是一样找得到的。

这不仅是传说,也是事实。

司空晓风又道:"上官刃身经百战,内外功都已登峰造极,无忌本来并没有把握能对付他,就算知道他在哪里,也未必敢轻举妄动。"

萧东楼道:"现在呢?"

司空晓风道:"现在他已有了你的金铃,又有了棺材里那位朋友的一句话。"

萧东楼道:"他如果真的到了九华山,如果不死在那位自称九幽侯的朋友剑下,多多少少总会有点好处的。"

司空晓风苦笑道:"所以他的胆子一定又大得多了。"

萧东楼道:"那也是他的运气。"

司空晓风长叹道:"我们不希望他有这样的运气。"

萧东楼道:"我记得以前有位很聪明的人,说过一句很有道理的话。"

司空晓风道:"他说什么?"

萧东楼道:"他说无论一个人是天生机敏,还是天生勇敢,都不如天生幸运得好。"

他微笑,又道:"无忌既然有这样的运气,你又何必为他担心?"

司空晓风没有再说什么,可是神色却显得更忧虑,仿佛心里有什么不能说出来的秘密。

第三回　赌

赢　家

食色性也。

这句话的意思,就是每个人都要吃饭,每个人都要做传宗接代的那件"工作"——不管他是不是觉得愉快都一样。

所以每个地方都有饭馆,每个地方都有女人,有的女人只属于一个男人,有的女人每个男人都可以买得到。

还有一部分女人只有一部分男人能买得到———部分比较有钱、也比较肯花钱的男人。

除了"食色"这两种性外,据说人类还有种"赌性"。

至少有赌性的人总比没有赌性的人多得多。

有很多人通常都在家里赌——在自己家里、在朋友家里。

可惜家里总有不方便的时候,有时候老婆会不高兴,有时候孩子会吵闹,有时候找不到赌友。

幸好还有地方是永远不会有这种"不方便"的时候——

赌场。

所以每个地方都有赌场。

有的赌场在地上,有的赌场在地下;有的赌场公开,有的赌场不能公开;有的赌场赌得很大,有的赌场赌得很小。

可是你只要去赌,就随时都有可能把自己的老婆都输掉。

在几个比较大的城市里,几个赌得比较大的赌场中,最近出现了一个幸运儿。

在赌场里,"幸运儿"的意思,通常都是赢钱的人,也就是"赢家"。

不管别人怎么说，赌场里多多少少总有人会赢点钱的。

在赌场里，输家虽然永远比较多，可是你仍然经常可以看到赢家。

只不过，这个赢家有几样很特别的地方——

他只赌骰子。

只要他抓起骰子，一掷下来，准是三个六。

"六豹。"

这是骰子里的至尊宝，根据一些有经验的赌徒统计，大概要掷九十几万次骰子，才会出现这么一个点子。

有些人赌了一辈子，每天都赌，每天都掷骰子，也从没有掷出这么样一副点子来。

"他一定是个郎中。"有些人怀疑。

在赌场里"郎中"这两个字的意思，并不是看病的大夫，而是"赌钱时会用假手法骗人"的人。

只不过真的郎中绝不会这么招摇，绝不会这么引人注意。

那是郎中的大忌。

真正的郎中绝不会犯这种忌，如果你掷出一个三点来，他最多只掷一个五点。

五点已经赢三点。

对一个真正的郎中来说，他只要能赢你，就已经足够。

有时候他甚至会故意输你一两次，因为他怕你不赌。

可是这个幸运儿从来没有输过。

只要他一拿起骰子，掷出来的准是三个六，从来没有一次掷错过。

"真的有这么样的一个人？"

"真的。"

"他真的每次都能掷出三个六？"

"真的！"

"你看见过？"

"不止是我看见过，好多人都曾看见过。"

"他是怎么样掷骰子的？"

"就是这么样一把抓起三颗骰子来，随随便便的掷了下去。"

"你看不出他用了手法?"

"不但是我看不出,就连大牛都看不出!"

大牛姓张,是个很有名的赌徒,曾经把他一个从小在一起长大的朋友的最后一文钱都赢走了,却只请他那个朋友喝了碗豆汁。

本来对这个幸运儿还有点怀疑的人,现在都不再怀疑了。

"如果连大牛都看不出,还有谁能看得出?"

"没有人了。"

"难道这个人天生走运? 天生就是个赢家?"

"唉!"

"如果他真有这样的运气,我情愿折寿十年去换。"

"我情愿折寿二十年。"

"唉!"

"唉!"就是在叹气。

不仅是在叹息自己为什么没有那种运气,而且多少还有点羡慕嫉妒。

"你见过他?"

"当然见过。"

"他是个什么样的人?"

"是个年轻英俊的小伙子,听说本来就很有钱,现在他的钱一定多得连他自己都不知道应该怎么花了。"

"你知道他叫什么名姓?"

"他叫赵无忌。"

这是栋古老的建筑,从外表上看来,就像是个望族的祠堂。

可是有经验的人都知道,这地方不是祠堂,是个赌场。

附近五百里之内最大的赌场。

就像是别的那些赌场一样,这赌场的老板,也是个秘密帮会的头目。

他姓贾,大多数人都称他为贾大爷,比较亲近的朋友就叫他老贾,所以他本来叫什么名字,渐渐已没有人知道了。

对一个赌场老板来说,姓名本来就不是件很重要的事。

他虽然姓贾,却没有人敢在他赌场里作假,否则他养着的那些打手,就会很客气的请那个人,到外面去。

等到那个人从剧痛中清醒时,往往会发现自己躺在一条臭水沟里。

然后他就会发现自己的肋骨已断了三根。

至少三根。

这样建筑的内部,当然远比外表看来堂皇得多,也有趣得多。

灯火辉煌的大厅里通常都挤满了各式各样的人,成叠的钱票、成堆的筹码、成捧的金银,就在这些人颤抖而发汗的手掌里流动。

其中当然有一大部分到最后都流动到庄家手里去了,所以庄家的手永远都很干燥、很稳定。

赵无忌穿着一身新裁好的春衫,从外面温柔凉爽的晚风里,走入了这灯火辉煌的大厅。

开始时,他觉得有点闷热,可是大厅里热烈的气氛,立刻就使他将这一点不快忘记。

要进入这大厅并不十分容易。

他当然也是被一位有经验的"朋友"带来的,他花了五十两银子和一顿很丰富的晚餐,才交到这个朋友。

合适的衣服,使得他看来容光焕发、修长英俊,正像是个少年多金的风流倜傥公子。

像这么样的一个人,无论走到哪里,本来就会特别引人注意。

何况最近他在赌场里又有了种很不平常的名声——

"行运豹子"。

这就是赌徒们在暗中替他起的名号,因为他是专掷三个六的"豹子"。

赌徒们通常都是流动的,这赌场里也有在别的赌场里见过他的人。

他走进来还不到片刻,人丛中已经起了阵不小的骚动。

"行运豹子来了。"

"你猜他今天会不会再掷出个六点豹子?"

"你是不是想跟我赌?"

"怎么赌?"

"我用一百两,赌你五十两,赌他今天还是会掷出六点豹子来。"

"你怎么这样有把握?"

"因为我已经看见他掷过九次。"

"九次都是三个六?"

"九次都是。"

围在最大一张赌桌外面的人丛中忽然散开了,让无忌走过去。

每个人都在看他的手。

这双手上究竟有什么魔法,能够每次都掷出三个六的豹子?

这双手的手指纤长有力,指甲修剪得很干净,看起来却也跟别人的没什么不同。

这双手的主人看起来也只不过是个斯斯文文、漂漂亮亮的年轻人。

不管你怎么看,他都不像是个郎中。

大家实在都很不希望他被那些皮笑肉不笑的打手们,请到外面去。

每个赌徒的心理,都希望能看到一个能把庄家赢垮的英雄。

无忌就在大家注视下,微笑着走了过去,就像是位大牌名角走上了戏台。

他显得特别从容而镇定,对自己充满了信心,对于演这出戏,他绝对有把握。

庄家却开始有点紧张了。

无忌微笑道:"这张桌子赌的是不是骰子?"

当然是的。

一个巨大而精致的瓷碗里,三粒骰子正在灯下闪闪发光。

无忌接着又问道:"这里限不限赌注大小?"

庄家还没有答腔,旁边已有人插口:"这地方从来不限注。"

"可是这里只赌现金,和山西镖号发出来的银票,连珠宝首饰,都得先拿去折价。"

无忌道:"好。"

他微笑着拿出一叠银票来,都是招牌最硬的票号、钱庄发出来的。

他说:"这一注我先押一万两。"

常言道:"钱到赌场,人到法场。"

这意思就是说,人到了法场,就不能算是个人了,钱到了赌场,也不能再当钱花。

但是一万两毕竟是一万两,不是一万两铜钱,是一万两银子。

若是用一万两银子去压人,至少也可以压死好几个。

人群又开始骚动,本来在别的桌上赌钱的人,也都挤过来看热闹。

庄家干咳了几声,说道:"一把赌输赢?"

无忌微笑点头。

庄家道:"还有没有别人下注?"

没有了。

庄家道:"两家对赌,一掷两瞪眼,先掷出豹子来的,没得赶。"

无忌道:"谁先掷?"

庄家鼻头上已有了豆珠子,又清了清喉咙,才说出一个他很不愿意说的字:"你。"

平家先掷,同点庄吃,这是赌场里的规矩,不管哪家赌场都一样。

无忌带着笑,抓起了三粒骰子,随随便便的掷了下来。

旁边看的人,已经在替他吆喝!

"三个六。"

"大豹子!"

吆喝声还没有停,骰子已停了下来,果然三个六的大豹子!

吆喝声立刻变成了叫好声,响得几乎连屋顶都要被掀了起来。

庄家在擦汗,越擦汗越多。

无忌却连眼睛都没有眨一眨,这结果好像本就在他预料之中。

他好像早就知道自己会掷出这么样一副点子来。

庄家已经在数钱准备赔了,一双眼睛却偏偏又在的溜溜乱转。

就在这时候,一只手搭上了无忌的肩,一只又粗又大的手,手背上青筋凸起,四根指头几乎同样长短,光秃秃的没有指甲。

就算没练过武的人,也看得出这只手一定练过铁砂掌一类的功夫。

就算没捱过打的人,也想像得出被这只手打一巴掌的滋味一定很不好受。

笑声和喝彩声立刻全都听不见了。

只有这个人还在笑，皮笑肉不笑的看着无忌，道："大爷你贵姓?"

无忌道："我姓赵。"

这人道："噢，原来是赵公子，久仰久仰。"

他脸上的表情却连一点"久仰"的意思都没有，用另外一只手的大拇指，指着自己的鼻子，道："我姓孙，别人都叫我铁巴掌。"

无忌道："幸会幸会。"

铁巴掌道："我想请赵公子到外面去谈谈。"

无忌道："谈什么?"

铁巴掌道："随便谈谈。"

无忌道："好，再赌几手我就走。"

铁巴掌沉下了脸，道："我请你现在就去。"

他的脸色一沉，本来搭在无忌肩上的那只手，也抓紧了。

每个人都在为无忌捏了把冷汗。

被这么样一双手这么样一抓，肩头就算不碎，滋味也绝不好受。

谁知道无忌连眉头都没有皱一皱，还是带着微笑道："若是你一定要现在跟我谈，就在这里谈也一样!"

铁巴掌脸色变了，厉声道："给你脸，你不要脸，莫非要我在这里把你底细抖露出来，你若不是郎中，凭什么一下子就赌一万两?"

无忌道："第一，因为我有钱。第二，因为我高兴。第三，因为你管不着。"

铁巴掌怒道："我就偏要管。"

他的铁巴掌举起，一巴掌往无忌脸上掴了过去。

他没有打中。

因为他的人已经飞了出去。

无忌轻轻一摔他的腕子，一提一甩，他的人就飞了出去，飞过十来个人的头顶，"砰"的一声，撞在一根大柱子上，撞得头破血流。

这下子可真不得了，赌场里立刻闹翻了天，十七八个横鼻子竖眼睛的魁梧大汉，像老虎一样从四面八方扑了过来。

可是这群老虎在无忌眼中只不过是群病狗。

他正准备给这群病狗一点教训时,后面一道挂着帘子的门里,忽然有人轻叱一声:"住手!"

门上挂着的帘子,是用湘缎做成的,上面还绣着富贵牡丹。

一个衣着华丽的秃头大汉,手里拿着根翠玉烟管,大马金刀的往门口一站。

所有的声音立刻全都停了下来,大家暗中更替无忌担心。

现在连贾老板都出面了,无忌要想好好的整个人出去,只怕很难。

"退下去。"

这位贾老板果然有大老板的威风,轻轻一挥手,那群病狗一样的大汉立刻乖乖的退走。

贾老板高声道:"没事没事,什么事都没有,大家只管继续玩,要喝酒的,我请客。"

他嘴里说着话,人已走到无忌面前,上上下下打量了无忌两眼,一张长满横肉的阔脸,忽然露出笑容,道:"这位就是赵公子?"

无忌道:"不错,我姓赵。"

贾老板道:"我姓贾,朋友们都叫我老贾,就是这小小场子的东家。"

无忌道:"贾老板是不是想请我到外面去谈谈?"

贾老板道:"不是外面,是里面。"他用手里的翠玉烟管,指了指那扇挂着帘子的门:"里面有位朋友,想跟赵公子赌两把。"

无忌道:"赌多大的?"

贾老板笑笑道:"不限赌注,越大越好。"

无忌笑了,道:"要找我谈天,我也许没空,要找我赌钱,我随时奉陪。"

贾老板点点头,道:"那就好极了!"

无忌和贾老板已走进了那扇门,门上挂着的帘子又落下。

大家又在窃窃私议:"是什么人敢跟这行运豹子赌钱?那岂非正像是肥猪拱门,自己送上门来?"

旁边有人在冷笑,压低了声音在说道:"你怎么知道里面真的是有人要跟他赌钱?在里面等着他的,说不定是一把快刀,行运豹子这一进去,只怕就要变成只死豹子了。"

屋子里没有刀,只有人。

连贾老板在内,一共是九个人,八个人站着,一个人坐着。

站着的八个人,不是衣着华丽、神态威猛的彪形大汉,就是目光炯炯、精明练达的中年人,看样子,没有一个不是大老板。

坐在一张铺着红毡的紫檀木椅上的,却是个干枯瘦小的小老头,一张干瘪蜡黄的脸上,长着双小小的三角眼,留着几根稀疏的山羊胡子,花花的头发,几乎已快掉光了。

如果说这老头像只山羊,倒不如说他像是只猴子。

可是他气派却偏偏比谁都大,站在他跟前的八个人,对他也毕恭毕敬,不敢有一点大意。

无忌打心里抽了口凉气。

"难道这个其貌不扬的小老头,就是名震南七北六十三省的赌王?"

赌　王

每一行中,都有王,赌这一行中,也一样。

赌王姓焦,不管认不认得他的人,都尊称他为焦七太爷。

焦七太爷在这行中,不但大大的有名,而且地位尊贵。

焦七太爷平生大赌小赌不下千万次,据说连一次都没有输过——至少在三十岁以后就没有输过。

焦七太爷今年已七十二。

焦七太爷不但赌得精,眼睛更毒,不管大郎中、小郎中、玩票的郎中、还是郎中的专家,从来没有人敢在他面前玩一点手法,因为不管你用什么手法,焦七太爷一眼就可以看出来。

焦七太爷在过六六大寿的那一天,就已经金盆洗手,退休林下。

——听说焦七太爷又复出了,是被他门下的八大金刚请出来的。

——他老人家那么大的年纪,那么高的身分,还出来干什么?

——出来对付那个行运豹子,他老人家也想看看这个豹子行的究竟是什么运? 居然能每次都掷出三个六来?

无忌早已听到了这消息，这当然也是从一位"朋友"那里听来的。

但是他却想不到，这位名震十三省的赌王，竟是这么样一个猥琐的小老头。

焦七太爷用一双留着三寸长指甲的手，捧起个纯银水烟壶，"呼噜呼噜"，先抽了两口，才朝无忌笑了笑，道："坐，请坐。"

无忌当然就坐下，他从来没有在别人面前站着的习惯。

焦七太爷眯着眼打量着无忌，眯着眼笑道："这位就是赵公子?"

无忌道："您贵姓?"

焦七太爷道："我姓焦，在家里的大排行是老七，所以别人就叫我焦七。"

无忌连一点反应都没有，就好像从未听过这名字。

焦七太爷轻轻的笑道："听说赵公子近来的手气不错?"

无忌道："还过得去。"

焦七太爷道："不知道赵公子肯不肯赏脸陪我这小老头赌两把?"

无忌道："赌什么?"

焦七太爷道："当然是赌骰子。"

无忌也笑了，道："赌别的我也许还不敢奉陪，赌骰子我是从来不拒绝的。"

焦七太爷道："为什么?"

无忌笑道："因为我赌骰子的时候，手气像是特别好。"

焦七太爷忽然睁开他那双总是眯起来的三角眼，看着无忌。

他眼睛一张开，就好像有两道精光暴射而出，第一次看见的人，一定会吓一大跳。

无忌没有被他吓一跳。

那僵尸张开眼睛来望着他的时候，他也都没有吓一跳。

他天生就是个不容易被吓住的人。

焦七太爷瞪着他看了两眼，眼睛又眯了起来，道："可是手气时常都会变的，好手气有变坏的时候，坏手气有时候也会变好。"

他轻轻的笑了笑，又道："只有一种人的手气永远不会变。"

无忌道："哪种人?"

焦七太爷道:"不靠手气的人。"

无忌道:"不靠手气靠什么?"

焦七太爷道:"靠技巧!"

他用他一只保养得非常好的手,做了个很优美的手势,才慢慢的接着道:"只要有一点点技巧就可以了。"

无忌好像完全听不懂的样子,傻傻的问道:"什么技巧?"

焦七太爷就好像当作他真听不懂的样子,居然为他解释道:"操纵骰子的技巧。"

他微笑着,又道:"骰子是样很简单的东西,既没有生命,也没有头脑,只要你有一点这种技巧,你要它怎么样,它就会怎么样。"

无忌笑了,好像还不太相信,又问道:"世上真的有这种事?"

焦七太爷道:"绝对有。"

无忌道:"你会不会?"

焦七太爷眯着眼笑道:"你想不想看看?"

无忌道:"很想。"

焦七太爷道:"好。"

他拍了拍手,贾老板立刻就捧了个大碗来,碗里有三粒玲珑剔透、雕塑完美的骰子。

贾老板道:"这个碗是江西景德镇名窑烧出来的,骰子是京城王寡妇斜街口宝石斋老店做出来的精品。"

焦七太爷显得很满意,道:"很好,赌钱不但是种很大的学问,也是种享受,这工具是千万马虎不得的。"

无忌道:"我完全同意。"

焦七太爷道:"最重要的一点是,宝石斋一向信誉卓著,制出的骰子分量绝对完全合乎标准,而且绝没有灌铅和灌水银的假骰子。"

无忌道:"我相信。"

焦七太爷又伸出他那只留着三寸的指甲,保护得很好的手,抓起了这三颗骰子。

骰子到了他手里,就好像剑到了昔年天下无敌的一代剑术大师西门吹雪的手里。

在赌这方面,焦七太爷的确不愧为一代宗匠大师。

他把这三颗骰子轻轻掷了下去,他的手法自然、纯熟而优美。

无忌连看都不必看,就知道这三粒骰子掷出来的一定是三个六。

骰子停下,果然是三个六。

无忌长长叹了口气,道:"看来你最近的手气也不错。"

焦七太爷道:"这不是手气,这是技巧,每个人都可以把这三颗骰子掷出三个六来。"

无忌道:"哦?"

焦七太爷道:"你不信?"

无忌在笑。

焦七太爷道:"好,你们就试给这位赵公子看看。"

贾老板第一个试。

他抓起骰子,掷出来的果然也是三个六。

其他七个人每个人都掷了一次,掷出来的全部是三个六。

无忌好像看呆了。

焦七太爷道:"你看不出来这是怎么回事?"

无忌摇头。

焦七太爷就当作他是真的看不出,道:"这骰子里灌了水银,只要稍微懂得一点技巧的人,就很容易掷出三个六来。"

他眯着眼,笑道:"宝石斋的骰子虽然绝没有假,可是我们只要送点小小的礼物给做骰子的老师傅,情况就不同了。"

无忌好像已听得发呆。

焦七太爷回头去问一个面色淡黄、颧骨高耸的中年人道:"上次你送给那老师傅的是什么?"

这中年人道:"是一栋座落在西城外的大宅子,前后七进,附带全部家具摆设,再加上每年一千两银子的养老金。"

焦七太爷道:"他在宝石斋里,一年能拿到多少?"

中年人道:"三百六十两工钱,外带花红,加上还不到七百两。"

焦七太爷看着无忌,笑道:"这道理你现在总该明白了吧?"

无忌叹道:"若不是您老指点,以前我真的没想到一颗骰子里还有这么大的学问。"

焦七太爷道:"天下的赌徒,只要一看见宝石斋的骰子,就立刻放心大胆的赌了,所以他们把老婆都输给了别人,还一口咬定输得不冤。"

他也叹了口气,道:"其实十赌九骗,从来不赌的人,才是真正的赢家。"

无忌道:"可是你——"

焦七太爷叹道:"我已经掉下去了,再爬起来也是一身泥!"

他接着又道:"可是我的儿女子孙们,却从来没有一个赌钱的。"

无忌道:"他们都不爱赌钱?"

焦七太爷道:"赌钱是人人都爱的,只不过他们更爱自己的手。"

他淡淡的接着道:"我十三个儿子里,有六个都只剩下一只手。"

无忌道:"为什么?"

焦七太爷道:"因为他们偷偷的去赌钱。"

无忌道:"那么你就砍断了他们一只手?"

焦七太爷道:"焦家的子孙,只要敢去赌钱的,赌一次,我就砍断他一只手,赌两次,我就砍断他一条腿。"

无忌道:"赌三次的呢?"

焦七太爷淡淡道:"没有人敢去赌三次的,连一个都没有。"

无忌苦笑道:"如果我是焦家的子孙,我一定也不敢。"

焦七太爷微微一笑,道:"可是我绝不反对别人赌,就因为这世上赌钱的人越来越多,我们这些人的日子,才会越过越好。"

他忽然向贾老板说道:"你有几个子女?"

贾老板赔笑道:"不多。"

焦七太爷道:"不多是几个?"

贾老板道:"十七个。"

焦七太爷道:"他们每个人一年要多少钱开销?"

贾老板道:"除了老大外,每个人平均分配,一年五百两。"

他又补充:"老大是一千两。"

焦七太爷道:"你家里一年要多少开销?"

贾老板道:"那就难说了,大概算起来,约莫是七八千两。"

焦七太爷道:"你自己日常的花费还在外?"

贾老板赔笑道:"我差不多每天都有应酬,六扇门里的朋友也得应付;

王公大臣府上的哥儿们也得巴结,每年至少也得要上万两的银子才够。"

焦七太爷叹了口气,道:"可是普通人家一年只要有个百把两银子,就可以过得很好了。"

他又问无忌道:"你当然应该想得到,他这些花费是从哪里来的!"

无忌点了点头,忽然笑道:"可是我的开销,却是从他这里来的。"

焦七太爷道:"所以我认为你是天才,只要做得不太过分,将来你的日子一定过得比他们都好。"

无忌道:"我不是天才,也没有技巧,只不过手气比较好而已。"

焦七太爷又眯着眼笑了,忽然又从碗里抓起三粒骰子,掷了下去。

这一次他掷出来的居然不是三个六,而是最小的点子——

幺,二,三。

无忌笑道:"你的手气变坏了。"

焦七太爷道:"没有变。"

他明明空着的一只手里,忽然又有三颗骰子掷了出来。

这三颗骰子落在碗里,和前面的三颗骰一撞,把"幺二三"撞得滚了滚,六颗骰子就全都变成了六点。

焦七太爷的手一扬,空手里又变出了六颗骰子来,一把掷下去,十二个骰子同时在碗里打滚,停下来时,全都是六点。

无忌好像又看呆了。

焦七太爷微微笑道:"这也是技巧,一个真正的行家,一只手里可以同时捏住好几副骰子,而且别人绝对看不到。"

无忌苦笑道:"我就看不到。"

焦七太爷道:"所以就算碗里摆的明明是副真骰子,被他用手一换,就变成了假的,他要掷几点,就可以掷几点。"

无忌道:"这十二颗骰子全部灌了水银?"

焦七太爷道:"你试试。"

无忌看了看贾老板,贾老板用两根手指拈起颗骰子,轻轻一捏,比石头还硬的骰子就碎了,一滴水银落了下来,满桌乱滚。

焦七太爷道:"你看怎么样?"

无忌长叹道:"好,好得不得了。"

焦七太爷道:"还有种练过气功的人,手法更妙,就算你明明掷出的是六点,他用气功一震桌子,点子就变了,变成了幺。"他微笑又道:"可是在赌钱这方面来说,这种作风就有点无赖了,一个真正的行家是绝不会用这种手法的。"

无忌道:"为什么?"

焦七太爷道:"因为赌钱是件很有学问的事,也是种享受,就算要用手法,也要用得优雅,绝不能强吃硬碰,让人输得不服。"

他微笑着接道:"你一定要让人输得心服口服,别人下次才会再来。"

无忌叹道:"果然有学问。"

焦七太爷眯着的眼睛里忽又射出精光,瞪着无忌道:"可是我这次赌钱,当然是不会用这种手法的。"

无忌道:"你就算要我用,我也不会。"

焦七太爷沉着脸,道:"我们要赌,就得赌得公平,绝不能有一点假。"

无忌道:"对。"

焦七太爷又眯起眼笑了,道:"好,那么我就陪赵公子玩几把。"

无忌道:"何必玩几把,一把见输赢岂非更痛快!"

焦七太爷又睁开眼瞪着他,过了很久,才问道:"你只赌一把?"

无忌道:"只要能分出输赢来,一把就够了。"

焦七太爷道:"你赌多少?"

无忌道:"我得看看,我身上带的好像不多。"

他从身上掏出一大把银票来,还有一叠打得很薄的金叶子。

他一面数,一面叹气,喃喃道:"我带的实在不多,连这点金叶子加起来,也只不过才有三十八万五千两。"

除了焦七太爷外,每个人的脸色都变了。

这里八个人,虽然每个人都是(赌)这一行中顶尖的大亨,可是一把三十多万两银子的豪赌,他们连听都没有听过。

无忌忽然笑道:"我想起来,外面桌上我还有两万,刚好可凑满四十万两。"

贾老板变色道:"外面还有两万?"

无忌道:"一万两是我的本钱,庄家还应该赔给我一万。"

焦七太爷居然神情不变,道:"你就到外面去拿两万来给这位赵公子。"

贾老板道:"是。"

焦七太爷道:"你顺便再到账房里去看看,有多少全部拿来。"

贾老板道:"是。"

一个身形最魁伟的紫面大汉,忽然道:"我也陪六哥去看看。"

焦七太爷道:"廖老八陪他去也好,正好你也有生意在这里,账房里若不够,你也去凑一点。"

廖老八道:"是。"

等他们走后,焦七太爷又转向无忌,微笑道:"赵公子想不想先来口水?"

一走出这扇挂着帘子的门,廖老八就皱起了眉,道:"我真不懂老头子这是干什么?"

贾老板道:"什么事你不懂?"

廖老八道:"老头子为什么要把那些花俏告诉那个瘟生?为什么不用这些法子对付他?"

贾老板道:"因为老头子知道那个瘟生绝不是瘟生。"

廖老八道:"可是老头子的手法他本来连一点都没有看出来。"

贾老板道:"他是在扮猪吃老虎。"

他笑了笑,又道:"可是老头子也不简单,既然明知瞒不了他,就不如索性露两手给他看看,只要他知道厉害,说两句好话,老头子说不定就会放他一马。"

廖老八道:"可是这小子偏偏不知道好歹。"

贾老板道:"所以依我看,老爷子这次已经准备放手对付他了。"

廖老八道:"可是老头子已有七八年没出过手了,那小子……"

贾老板笑道:"你放心,姜是老的辣,孙猴子的七十二变,也变不出如来佛的手掌心。"

他又问:"你跟着老头子也快二十年了,有没有看见他失过手?"

廖老八道:"没有。"

他终于露出了安心的笑容:"从来都没有。"

除了从水烟袋里发出的"噗落,噗落"声之外,屋子里什么声音都没有。

大家心里都在想。

要用什么样的手法,才能赢这个"行运豹子"?

大家都想不出。

他们所能想出的每一种法子,都没有必胜的把握。

这年轻人实在太稳定,令人完全莫测高深,令人几乎觉得有点害怕。

难道他是真的手气特别好?

还是因为他相信焦七太爷绝不会看出他用的是什么手法?

焦七太爷一口一口的抽着水烟,连眯着的眼睛都闭上了。

他是不是已经有胜算在胸? 还是仍然在想着对付这年轻人的方法?

无忌微笑着,看着他,就像是一个收藏家正在研究一件珍贵的古玩,正在鉴定这件古玩的真假,又像是条小狐狸,正在研究一条老狐狸的动态,希望自己能从中学到一点秘诀。

焦七太爷是不是也在偷偷的看他?

贾老板和廖老八终于捧着一大叠银票回来了,先拣了两张给无忌。

"这里是两万。"

"你们已凑够了四十万两?"

"这里是四十万,"贾老板放下银票,脸上也不禁露出得意之色。

能够在顷刻之间凑出四十万银子来,绝不是件容易事。

无忌笑道:"看来贾老板的买卖的确做得很发财。"

贾老板也笑了笑,道:"这本来就是发财的买卖!"

无忌道:"好,现在我们怎么赌?"

那脸色淡黄的中年人先咳嗽了两声,道:"行有行规,赌也有赌规。"

无忌道:"做事本来就要做得有规矩,赌钱的规矩更大。"

脸色淡黄的中年人道:"可是不管什么样的规矩,总得双方同意。"

无忌道:"对。"

脸色淡黄的中年人道:"若是只有两家对赌,就不能分庄家边家。"

无忌道:"对。"

中年人道:"所以先掷的无论掷出什么点子来,另一家都可以赶。"

无忌道:"若是两家掷出的点子一样呢?"

中年人道:"那么这一把就不分输赢,还得再掷一把。"

无忌忽然摇头,道:"这样不好。"

中年人道:"有什么不好?"

无忌道:"如果两家总是掷出同样的点子,岂非就要一直赌下去?这样就算赌个三天三夜,也未必能分得出输赢来的。"

中年人道:"你想怎么赌?"

无忌道:"先掷的若是掷出最大的点子来,对方就只有认输。"

最大的点子就是三个六,他只要一伸手,掷出的就是三个六。

八个人都在瞪着他,几乎异口同声,同时问道:"谁先掷?"

无忌道:"这位老爷子年高望重,我当然应该让他先掷。"

这句话说出来,每个人都吃了一惊,连焦七太爷都显得很意外。

这小子是疯了,还是自己觉得太有把握?

无忌神情不变,微微一笑,又道:"你先请!"

焦七太爷又盯着他看了半天,忽然道:"老大,拿副骰子来。"

脸色淡黄的中年人立刻从身上拿出个用白玉雕成的小匣子来。

匣子里黄缎垫底,三颗白玉骰子。

中年人道:"这是进贡用的玉骰子,是宝石斋老掌柜亲手做的上上极品,绝不会有假。"

焦七太爷吩咐道:"你拿给赵公子去看看!"

中年人道:"是。"

他用双手捧过去,无忌却用一只手推开了,微笑道:"我用不着看,我信得过这位老爷子。"

焦七太爷又盯着他看了半天,才慢慢的点了点头,道:"好,有气派!"

他用两根留着三寸长指甲的手指,将骰子一颗颗拈了出来,把在掌心:"一把见输赢?"

无忌道:"是。"

焦七太爷慢慢的站起来,一只手平伸,对着碗口,轻轻的将骰子放了下去。

这是最规矩的掷法,绝没有任何人还能表示一点怀疑。

"叮"的一声响,三颗骰子落在碗里,响声清脆如银铃。

骰子在不停的转,每个人却似连心跳都停止。

骰子终于停下来。

三个六,果然是三个六!所有点子里最大的至尊宝,统吃!

无忌笑了!

他拍了拍衣裳,慢慢的站起来,道:"我输了。"

说出了这三个字,他就头也不回的走了出去。

巧　计

屋子里已静了很久。这间屋子里有九个人,有九个人的屋子里,通常都不会这么静。

这九个人非但都不是哑吧,而且都是很会说话,很懂得说话技巧的人。

他们都没有开口,只因为他们心里都在想着一件事——那个行运豹子,为什么要做这种事?

谁都想不到他就这么样说了句:"我输了。"然后就走了。这结束实在来得太突然,太意外。

他走了很久以后,焦七太爷才开始抽他的水烟袋,一口一口的抽着,"噗落,噗落"的响。

过了很久,才有人终于忍不住要发表自己的意见,第一个开口的人,当然是廖老八。

"我告诉你们这是怎么回事,输就是输,赢就是赢,他输了,所以他就走了。"

"虽然他输得很漂亮,可是他既然输了,不走还赖在这里干什么?"

没有人答腔。除了他之外,根本没有人开口。

焦七太爷一口一口的抽着水烟,微微的冷笑,忽然道:"老大,你认为这是怎么回事?"

老大就是那脸色发黄的中年人,他姓方,在焦七太爷门下的八大金刚中,他是老大。

方老大迟疑道:"我想不通。"

焦七太爷道:"怎么会想不通?"

方老大道:"老八说的也很有道理,既然输了,不走干什么?"

他又想了想:"可是我总觉得这件事好像并不是这么简单。"

焦七太爷道:"为什么?"

方老大说道:"因为,他输得太痛快了。"

这是实话。无忌本来确实可以不必输得这么快,这么惨,因为他本来不必让焦七太爷先掷的。

廖老八可忍不住道:"你认为他别有用意?"

方老大承认。廖老八又道:"那么我们刚才为什么不把他留下来?"

方老大笑道:"人家既然认输了,而且输得那么漂亮,那么痛快,我们凭什么还把人家留下来?"

廖老八不说话了。焦七太爷道:"你也猜出了他为什么要这样做?"

方老大道:"我猜不出。"

人家钱也输光了,人也走了,你还能对他怎么样? 焦七太爷又开始抽他的水烟,抽了一口又一口,烟早就灭了,他也不知道。他并不是在抽水烟,他是在思索。又过了很久很久,他枯瘦蜡黄的脸上,忽然露出种很奇怪的表情。

站在他面前的八个人,都已跟随他二十年以上了,都知道他只有在想到一件很可怕的事时,才能有这种表情。但是,谁也不知道他心里想到了什么事。

对一个已经七十二岁,已经经历过无数次大风大浪的老人来说,应该已没有什么可怕的事。

所以每个人的心都拉了起来,吊在半空中,忐忑不定。

焦七太爷终于开口。

他在看着廖老八:"我知道你跟老六的交情最好,他在你的地盘里有场子,你在他的地盘里也有。"

廖老八不敢否认,低头道:"是。"

焦七太爷道:"听说你在这里的场子也不小。"

廖老八道:"是。"

焦七太爷道:"你那场子,有多少本钱?"

廖老八道:"六万。"

在焦七太爷面前,什么事他都不敢隐瞒,所以他又接着道:"我们已经做了四年多,已经赚了二十多万,除了开销外,都存在那里没有动。"

他在笑,笑得却有点不太自然:"因为我那女人想用这笔钱去开几家妓院。"

焦七太爷道:"听说你身边最得宠的一个女人叫媚娥?"

廖老八道:"是。"

焦七太爷道:"听说她也很好赌?"

廖老八赔笑道:"她赌得比我还凶,只不过她总是赢的时候多。"

焦七太爷忽然叹了口气,道:"赢的时候多就糟了!"

——一个人开始赌的时候,赢得越多越糟,因为他总是会觉得自己手气很好,很有赌运,就会愈来愈想赌,赌得愈大愈好,就算输了一点,他也不在乎,因为他觉得自己一定会赢回来。

——输钱的就是这种人,因为这种人常常会一下子就输光,连本钱都输光。

这是焦七太爷的教训,也是他的经验之谈,他们八个人都已经听了很多遍,谁都不会忘记。

可是谁都不知道焦七太爷为什么会在这种时候问这些话。

焦七太爷又问道:"连本钱加上利息,你那场子里,可以随时付出的银子有多少?"

廖老八道:"一共加起来,大概有二十多万两。"

焦七太爷道:"你不在的时候,是谁在管那个场子?"

廖老八道:"就是我那个女人。"

他又赔笑道:"可是你老人家放心,她虽然会吃醋,却从来不会吃我。"

焦七太爷冷冷道:"不管怎么样,她手上多少总有点钱了?"

廖老八不敢答腔。

焦七太爷接着又道:"你想她大概有多少?"

廖老八迟疑着,道:"大概最少总有七八万了。"

焦七太爷道:"最多呢?"

廖老八道:"说不定,也许已经有十七八万。"

焦七太爷沉默着,看着桌上的银票,过了很久,才缓缓道:"老大,老二,老三,老四,老五,老七,你们每个人分两万。"

六个人同时谢过焦七太爷的赐赏,他们从不敢推辞。

焦七太爷道:"老六出的赌本,也担了风险,老六应该分五万。"

贾老板也谢过,心里却在奇怪,既然每个人都有份,为什么不分给老八?

可是焦七太爷既然没有说,谁也不敢问。

焦七太爷道:"三万两分给我这次带来的人,剩下的二十万,就给老八吧。"

焦七太爷做事,一向公平合理,对这八个弟子,更没有偏爱,这次,廖老八本没有出力,却分了个大份,大家心里,都在诧异。

廖老八自己也吃了一惊,抢着道:"为什么分给我这么多?"

焦七太爷叹了口气道:"因为你很快就会需要的。"

廖老八还想再说,那面色淡黄的中年人,方老大忽然失声道:"好厉害,好厉害。"

贾老板道:"你说谁好厉害?"

方老大叹息摇头,道:"这个姓赵的年轻人好厉害。"

贾老板道:"刚才我也已想到,他这么样做,只因为生怕老爷子看破他的手法,又不愿坏了他'行运豹子'的名声,所以索性输这一次,让别人永远猜不透他是不是用了手法。"

方老大慢慢的点头,道:"只凭这一着,已经用得够厉害了。"

贾老板道:"但是他毕竟还是输了四十万,这数目并不少。"

方老大道:"只要别人没法子揭穿他的手法,他就有机会捞回来。"

贾老板道:"怎么捞?"

方老大道:"他在赌这上面输出去的,当然还是从赌上捞回来。"

一向沉默寡言的老三忽然也叹了口气,道:"他在这里输了四十万,难道不会到别的地方去赢回来?"

廖老八道:"到哪里去赢?"

方老大看着他苦笑摇头,贾老板已跳起来,道:"莫非是老八的场子?"

老三道:"现在你总该明白,老爷子为什么将最大的一份分给老八了。"

贾老板道:"我就不信他的手脚这么快,一下子就能把老八的场子赢倒。"

焦七太爷眨眼,微微冷笑,道:"你为什么不去看看?"

廖老八已经冲了出去,贾老板也跟了出去。

方老大还在摇头叹息,道:"他若不把场子交给女人管,也许还不会这么快就输光,可惜现在⋯⋯"

每个人都明白他的意思。

女人输了钱就会心疼,心疼了就想翻本,遇见了高手,就一定会愈输愈多,输光为止。

"翻本"本来就是赌徒的大忌,真的行家,一输就走,绝不会留恋的。

"一输就走,见好就收。"

这两句话一向是焦七太爷的座右铭,真正的行家,从不会忘记。

老三叹了口气,道:"我只希望老八的房契不在那女人手里。"

方老大道:"依我看,那场子老六一定也有份,一定也有笔钱摆在那里。"

他叹息着又道:"说不定还有个女人摆在那里。"

两个女人输得当然比一个女人更快。

贾老板回来的时候,果然满头大汗,脸色发青。

方老大道:"怎么样?"

贾老板勉强想笑,却笑不出:"老爷子和大哥果然料事如神!"

方老大道:"他赢走了多少?"

贾老板道:"五十四万两的银票,还有城里的两栋房子。"

方老大道:"其中有多少是你的?"

贾老板道:"十万。"

方老大看看老三,两个人都在苦笑。

贾老板恨恨道:"那小子年纪轻轻,想不到竟如此厉害。"

焦七太爷眯着眼在想,忽然问道:"老八是不是带着人去找他麻烦去了?"

贾老板道:"他把老八场子里的兄弟放倒了好几个,我们不能不去找回来。"

焦七太爷道:"他赢了钱还要揍人,也未免太凶狠了些。"

贾老板道:"是。"

焦七太爷冷笑道:"怕只怕凶狠的不是人家,而是我们。"

贾老板道:"我们……"

焦七太爷忽然沉下脸,厉声道:"我问你,究竟是谁先动手的?"

看见焦七太爷沉下脸,贾老板已经慌了,吃吃的道:"好像是老八场子里的兄弟。"

焦七太爷冷声道:"他们为什么要动手? 是不是因为人家赢了钱,就不让人家走?"

贾老板道:"那些兄弟,认为他在作假。"

焦七太爷脸上已有怒容,冷笑道:"就算他做了手脚,只要你们看不出来,就是人家的本事,你们凭什么不让人家走?"

他目中又射出精光,瞪着贾六:"我问你,你们那里是赌场? 还是强盗窝?"

贾老板低下头,不敢再开口,刚擦干的汗又流满一脸。

焦七太爷的脾气很快就平息了。

赌徒们最需要的不仅仅是"幸运",还要"冷静"。

一个从十来岁时就做了赌徒,而且做了"赌王"的人,当然很能控制自己。

但是有些话他却不能不说:"就好像开妓院一样,我们也是在做生意,虽然这种生意不太受人尊敬,却还是生意,而且是种很古老的生意!"

这些话他已说了很多次。

自从他把这些人收为门下的时候,就已经让他们有了这种观念。

——这种生意虽然并不高尚,却很温和。

——我们都是生意人,不是强盗。

——做这种生意的人,应该用的是技巧,不是暴力。

焦七太爷平生最痛恨的一件事,就是暴力。

他又问:"现在你是不是已明白我的意思?"

贾老板道:"是。"

焦七太爷道:"那么你就该赶快去把老八叫回来。"

贾老板低着头,赔笑道:"现在去恐怕已经来不及了。"

焦七太爷道:"为什么?"

贾老板道:"因为他把郭家三兄弟也带去了。"

焦七太爷道:"郭家三兄弟,是什么人?"

贾老板道:"是我们兄弟里最'跳'的三个人。"

他又解释:"他们跟别的兄弟不一样,既不喜欢赌,也不喜欢酒色,他们只喜欢揍人,只要有人给他们揍,他们绝不会错过的。"

"跳"的意思,不仅是暴躁、冲动、好勇斗狠,而且还有一点"疯"。

"疯"的意思就很难解释了。

那并不是真的疯,而是常常莫名其妙、不顾一切的去拼命。

郭家三兄弟都很"疯",尤其是在喝了几杯酒之后。

现在他们都已经喝了酒,不仅是几杯,他们都喝了很多杯。

郭家三兄弟的老二叫郭豹,老五郭狼,老幺叫郭狗。

郭狗这名字实在不好听,他自己也不太喜欢,可是他老子既然替他起了这么样一个名字,他也只好认了。

他们的老子是个很凶狠的人,总希望能替他的儿子起个很凶的名字,一种很凶猛的野兽的名字。

只可惜他所知道的词汇并不多,生的儿子却不少。除了虎、豹、熊、狮、狼……之外,他再也想不出还有什么凶猛的野兽。

所以他只有把他的幺儿子叫"狗",因为狗至少还会咬人。

郭狗的确会咬人,而且喜欢咬人,咬得很凶——不是用嘴咬,是用他的刀。

他身上总带着把用上好缅铁千锤百炼打成的"缅刀"。可以像皮带一样围在腰上。

他的刀法并没有得到真正名家的传授,却很凶狠,很有劲。

就算真正的名家,跟他交手时,也常常会死在他的刀下。

因为,他常常会莫名其妙的去跟人拼命。

因为他很"跳"。

现在他们都已到了平安客栈,赵无忌就住在平安客栈里。

平安就是福,旅途上的人,更希望能一路平安,所以每个地方都几乎有家平安客栈。

住在平安客栈里的人,纵然未必个个都能平安,大家还是喜欢讨个吉利。

这家平安客栈不但是城里最大的一家,而且是个声誉卓著的老店。

廖八爷一马当先,带着他的打手们到这里来的时候,正有个陌生人背负双手站在门外的避风檐下,打量着门口招牌上四个斗大的金字,微微的冷笑。

这人三十出头,宽肩细腰,满脸精悍之色,身上穿着件青布长衫、脚上着布袜草鞋,上面却用一块白布巾缠着头。

廖八一心只想去对付那个姓赵的,本没有注意到这么样一个人。

这人却忽然冷笑着喃喃自语:"依我看,这家平安客栈只怕一点都不平安,进去的人若想再平平安安的出来,只怕很不容易。"

廖八霍然回头,盯着他,厉声道:"你嘴里在嘀咕什么?"

白布包头的壮汉神色不变,冷冷的打量了他两眼,道:"我说我的,跟你有什么关系?"

在这段地面上混的兄弟们,廖八认不得的很少,这人看来却很陌生,显然是从外地来的,说话的口音中,带着很浓的四川音。

廖八还在瞪眼打量他,郭狗子已经冲过来准备揍人了。

这人又在冷笑,道:"放着正点子不去找,却在外面乱咬人,莫要咬破了自己的嘴。"

郭狗子的拳头已经打了出去,却被廖八一把拉住,沉声道:"咱们先对付了那个姓赵的,再回来找这小子也不迟!"

廖八爷虽然性如烈火,毕竟是见过世面的老江湖了,仿佛已看出了这个外路人并不简单,说的话中也好像别有深意,已不想再多惹麻烦。

郭狗子却还是不服气,临走时,还瞪了这人几眼,道:"你有种,就在这里等着。"

这人背着手,仰着脸,微微的冷笑,根本不望他。

等他们走进去,这人居然真的在门口一张长板凳上坐了下来,用一只手在脚上打着拍子,哼起川中的小调来。

他一支小调还没有哼完,已经听见里面传出了惨呼声,甚至连骨头折断的声音都可以隐约听得见。

这人皱着眉,摇了摇头,嘴里正数着:"一个,两个,三个,四个,五个,六个……"

跟着廖八进去的一共有十二个人,现在果然已只剩下六个还能用自己两条腿走出来。

廖八虽然还能走,手脚似已折断了,用左手捧着右腕,痛得直冒冷汗。

这个人眼角瞟着他,又在喃喃自语:"看来这平安客栈果然一点都不平安。"

廖八只好装作听不见。

那行运豹子不但会掷骰子,武功也远比他想像中高得多。

郭家三兄弟一出手立即被人家像打狗一样打得爬不起来,三个人至少断了十根指骨。

他本来对自己的"大鹰爪手"很有把握,想不到人家居然也用"大鹰爪手"来对付他,而且一下就把他手腕拧断。

现在他就算还想找麻烦,也没法子找了,这人说的话,他只有装作听不见。

谁知这人却不肯放过他,忽然站起来,一闪身就到了他面前。

廖八变色道:"你想干什么?"

这人冷冷的一笑,忽然出手。

廖八用没有断的一只手反掴去,忽然觉得肘上一麻,连这条手都垂了下去,不能动了。

后面有两人扑上来,这人头也不回,曲着肘往后一撞,这两人也被打得倒下。

这人出手不停,又抓起了廖八那只本来已被拧断的手腕,轻叱一声。"着!"

只听"格叱"一声响,廖八满头冷汗如雨,断了的腕子却已被接上。

这人已后退了几步,背负起双手,悠然微笑,道:"怎么样?"

廖八怔在那里,怔了半天,看看自己的腕子,用力甩了甩,才看看这来历不明、行踪诡秘的外路人，忽然道："我能不能请你喝杯酒？"

这人回答得很干脆："走。"

酒已摆上来，廖八一连跟这人干了三杯，才长长吐出口气，把那只本来已被拧断的手伸出来，大拇指一挑，道："好，好高明的手法。"

这人淡淡道："我的手法本来就不错，可是你的运气更好。"

廖八苦笑道："这算什么鸟运气，我廖八从出生就没栽过这么大的斤斗。"

这人道："就因为你栽了这个斤斗，才算是你的运气。"

他知道廖八不懂，所以又接着道："你若把那姓赵的做翻，你就倒霉了。"

廖八更不懂。

这人又喝了两杯，才问道："你知道那龟儿子是什么来历？"

廖八摇头："不知道。"

这人道："大风堂的赵简赵二爷，你总该知道吧！"

赵简成名极早，二十年前就已名震江湖。黄河两岸、关中皖北，也都在大风堂的势力范围之内，赵二爷的名衔，可说是无人不知，无人不晓。

廖八道："我若连赵二爷的名头都不知道，那才真的白混了。"

这人道："那个姓赵的龟儿子，就是赵简的大公子。"

廖八脸色立刻变了。

这人冷笑道："你想想，你若真的做翻了他，大风堂怎么会放过你？"

廖八一面喝酒，一面擦汗，忽然又不停的摇头，道："不对。"

这人道："什么不对？"

廖八道："他若真是赵二爷的公子，只要亮出字号来，随便走到哪里去，要找个几十万两银子花，都容易得很。"

这人道："不错。"

廖八道："那他为什么要捞到赌场里来？"

这人笑了笑，笑得仿佛很神秘。

廖八道："难道他存心想来找我们的麻烦，挑我们的场子？"

这人在喝酒，酒量还真不错，连干了十来杯，居然面不改色。

廖八道："可是我知道大风堂的规矩，一样赌，一样女人，这两行他们是从来不插手的。"

这人微微一笑，道："规矩是规矩，他是他。"

廖八变色道："难道想来挑我们的场子这是他自己的主意？难道他也想在这两行里插一脚？又碍着大风堂规矩，所以才不敢亮字号。"

这人淡淡道："一个像他这么样的小伙子，花钱的地方当然不少，大风堂的规矩偏偏又太大，他若不偷偷的出来捞几文，日子怎么过得下去？"

他悠悠接着道："想要出来捞钱，当然只有这两行最容易。"

廖八怒道："大风堂在这里也有人，我可以去告他。"

这人道："你怎么告？赵二爷在大风堂里一向最有人望。难道还想要大风堂的人帮着你来对付他的儿子？"

廖八不说话了，汗流得更多，忽然大声道："不行，不管怎么样都不行，这是我们用血汗打出来的天下，我们绝不可能就这么样让给别人。"

这人叹了口气，道："只可惜看样子你不让也不行，除非——"

廖八道："除非怎么样？"

这人道："除非这位赵公子忽然得了重病，去找他老子去了。"

他又替自己倒了杯酒，一饮而尽。

"只有死人是永远不会找钱花的。"

廖八盯着他看了很久，压低声音问道："你想他会不会忽然得重病？"

这人道："很可能。"

廖八道："你有法子能让他忽然生这么一场病？"

这人道："那就得看你了。"

廖八道："看什么？"

这人道："看你有没有五万两银子？"

廖八眼睛里发出了光，道："如果我有呢？"

这人道："那么你就只要发张帖子，请他明天中午到城里那家新开的四川馆子'寿尔康'去吃饭。"

他微笑，接着道："这顿饭吃下去，我保证他一定会生病，而且病得很重。"

廖八道："病得多重？"

这人道："重得要命。"

廖八道:"只要我发帖子请他,他就会去?"

这人道:"他一定会去。"

廖八又问道:"我是不是还要请别人去?"

这人道:"除了贾老板外,你千万不能请别人,否则……"

廖八道:"否则怎么样?"

这人沉下脸,冷冷道:"否则病的只怕就不是他,是你。"

廖八又开始喝酒,擦汗,又喝了三杯下去,忽然一拍桌子道:"就这么办!"

血 战

"寿尔康"是蜀中一家很有名的茶馆,主人姓彭,不但是个很和气很会照顾客人的生意人,也是个手艺非常好的厨师。

他的拿手菜是豆瓣活鱼、酱爆肉、麻辣蹄筋、鱼香茄子和鱼香肉丝。

这些虽然都是很普通的家常菜,可是从他手里烧出来,却有化腐朽为神奇的本事。

尤其是一尾豆瓣活鱼,又烫、又嫩、又鲜、又辣;可下酒、可下饭,真是叫人百吃不厌,真有人不惜赶一两个时辰的车,就为的要吃他这道菜。

后来彭老板生了儿子,娶了媳妇,又抱了孙子,算算自己的家当,连玄孙子、灰孙子都已经吃不完,所以就退休了。可是"寿尔康"的老招牌仍在,跟他学手艺的徒子徒孙们,就用他的招牌,到各地方去开店,店越开越多,每家店的生意都不坏。

这里的"寿尔康",却是最近才开张的,掌厨的大师傅,据说是彭老板的亲传,一尾豆瓣活鱼烧出来,也是又辣、又烫、又嫩、又鲜。

所以这家店开张虽然不到半个月,名气就已经不小。

无忌也知道这地方。他第一天到这里来的时候,就是在"寿尔康"吃的晚饭。

除了一道非常名贵的豆瓣烧黄河鲤鱼外,他还点了一样麻辣四件、一样鱼唇烘蛋、一样回锅酱爆肉、一碗豌豆肚条汤。

他吃喝得满意极了,却被辣得满头大汗,他还给了七钱银子小账。

一个单独来吃饭的客人,能够给几分钱银子小账已经算很大方的了。

所以他今天刚走进大门,堂口上的"幺师"就已经远远的弯下了腰。

幺师是四川话,幺师的意思,就是店小二、伙计、堂倌。

这里的幺师,据说都是货真价实,道道地地的四川人,虽然听不见"格老子"、"龟儿子"、"先八板板"这类川人常常挂在嘴边的土话,可是每个人头上都缠着白布,正是标准川人的标布。

川人头上喜欢缠白布,据说是为了纪念十月渡泸的诸葛武侯。

七星灯灭,武侯去世,川人都头缠白布,以示哀悼,以后居然相沿成习。

一入川境,只要看见头上没有缠着白布的人,一定是川人嘴里的"下江人",也就是"脚底下的人",吃一顿三十文钱的饭,也得多付十文。

幸好这里不是蜀境,今天也不是无忌请客。

所以他走进"寿尔康"大门的时候,脸上的表情愉快得很。

他心里是不是真的愉快,就只有天知道了。

主人有两位,贾六、廖八;客人只有无忌一个。

菜却有一整桌,只看前面的四冷盘和四热炒,就可以看出这是桌很名贵的菜。

酒是最好的泸川大曲。

无忌微微一笑,道:"两位真是太客气了。"

贾六和廖八确实很客气,对一个快要死了的人,客气一点有什么关系。

到这里来之前,他们已经把这件事仔细讨论了很久。

"那个人虽然来历不明,行踪诡异,可是他说的话,我倒很相信。"

"你相信他能对付赵无忌?"

"我有把握。"

"你看见过他的功夫?"贾六本来一直都抱着怀疑的态度。

"他不但功夫绝对没问题,而且身上还好像带着种邪气。"

"什么邪气?"

"我也说不出,可是我每次靠近他的时候,总觉得心里有点发毛,总觉得他身上好像藏着条毒蛇,随时都会钻出来咬人一样。"

"他准备怎么样下手?"

"他不肯告诉我,只不过替我们在寿尔康楼上订了个房间雅座。"

"为什么要选寿尔康?"

"他说话带着川音,寿尔康是家川菜馆子,我想他在那里一定还有帮手。"

寿尔康堂口上的幺师一共有十个人,楼上五个,楼下五个。

贾六曾经仔细观察过他们,发现其中有四个人的脚步,都很轻健,显然是练家子。

等到他们坐定了之后,楼上的幺师又多了一个,正是他们的那位"朋友"。

"我们约定好五万两银子先付三万,事成后再付尾数。"

"你已经付给了他?"

"今天一早就付给了他。"

"帖子呢?"

"帖子也已经送给了那个姓赵的,还附了封短信。"

"谁写的信?"

"我那大舅子。"

廖八的大舅子虽然只不过是个监生,写封信却绝不成问题。

信上先对无忌表示歉疚和仰慕,希望无忌必要赏脸来吃顿饭,大家化敌为友。

"你看他会不会来?"

"他一定会来。"

"为什么?"

"因为他天生就是个胆大包天的人,对什么事都不在乎。"

无忌当然来了。

他从不拒绝别人的邀请,不管谁的邀请都一样。

"他们准备什么时候下手?"

"等到第一道主菜豆瓣鲤鱼端上来的时候,只要我一动筷子挟鱼头,他们就出手。"

现在主菜还没有开始上,只上了四冷盘和四热炒,廖八手心里却已开始冒汗。

他并不是没有杀过人,也不是没有看见过别人杀人,只不过等待总是会令人觉得紧张。

他只希望这件事赶快结束,让赵无忌这个人永远从地面上消失。

因为这件事绝不能让焦七太爷知道,所以,一动手就绝不能出错。

无忌一直显得很愉快,好像从未发觉这件事有任何一点值得怀疑。

虽然他"白天从不喝酒",也吃得不多,话却说得不少。

因为他在说话的时候,别人就不会发现他一直在注视观察。

他看不出这地方有什么不对,几样菜里也绝对没有毒! 贾六和廖八也吃了不少。

他们甚至连贴身的随从都没有带,外面也看不到有任何埋伏。

难道他们真的想化敌为友?

惟一有点奇怪的地方是,这里有几个幺师特别干净。

他们上菜的时候,无忌注意到他们连指甲缝里都没有一点油垢。

在饭馆里做事的,很少有这么干净的人。

可是他们如果真的有阴谋,也应该想到这一点,把自己弄得脏一些。

其中还有个堂倌的背影看起来好像很眼熟,好像在什么地方见过。

但是无忌却又偏偏一直想不起来。

他很想看看这个人的脸,可是这个人只在门口晃了晃,就下楼去了。

"这地方的堂倌,我怎么会认得? 身材长得相像的人,世上本就有很多。"

他一直在替自己解释,因为他并不是真的想找贾六、廖八他们的麻烦。

他这么样做,只不过因为他要用这法子去找一个人。

他认为,只有用这种法子,才能够找得到。

"寿尔康"远近驰名的豆瓣鲤鱼终于端上来了,用两尺长的特大号盘子装上来的,热气腾腾,又香又辣,只闻味道已经不错。

屋子里一直有两个幺师站在旁边伺候,端菜上来的人已低着头退下去。

廖八道:"有没有人喜欢吃鱼头?"

贾六笑道:"除了你之外,只有猫才喜欢吃鱼头。"

廖八大笑,道:"那么我只好独自享受了。"

他伸出筷子,去夹鱼头。

就在这时,桌子忽然被人一脚踢翻,无忌的人已扑起,大喝一声,道:"原来是你!"

上菜的幺师刚退到门口,半转过身,无忌已扑了过去。

就在这同一刹那间,一直站在屋里伺候的两个幺师也已出手。

他们三个人打出来的都是暗器,两个分别打出六点乌黑色的寒星,打无忌的腿和背。

他们出手时,才看出他们手上已戴了个鹿皮手套。

和廖八谈生意的那个壮汉,也趁着转身时戴上了手套,无忌飞身扑过去,他身形一闪,回头望月式,竟抖手打出了一片黑蒙蒙的毒砂。

木已退到角落里的贾六和廖八脸也变了,失声而呼。

"暗器有毒!"

他们虽然还没有看出这就是蜀中唐门威震天下的毒蒺藜和断魂砂,却知道手上戴着鹿皮手套的人,打出的暗器一定剧毒无比。

无忌的身子凌空,想避开后面打来的十二枚毒蒺藜,已难如登天,何况前面还有千百粒毒砂!

就算在唐门的暗器中,这断魂砂也是最霸道、最可怕的一种。

这种毒砂比米粒还要小得多,虽然不能打远,可是一发出来就是黑蒙蒙的一大片,只要对方在一丈之内、两丈方圆间,休想躲得开,只要挨着一粒,就必将腐烂入骨。

这次行动的每一步骤、每一点细节,无疑都经过了极周密的计划。

三个人出手的位置应该如何分配?

应该出手打对方的什么部位才能让他绝对无法闪避?

他们都已经算得很准。

可是他们想不到无忌竟在最后那一瞬间,认出了这个头缠白布的壮汉,就是上官刃那天带去的随从之一,也就是把赵标杀了灭口的凶手,和曾经在和风山庄逗留了好几天的人。

无忌虽然并没有十分注意到这么样一个人,脑子里多少总有点印象。

就是这点印象,救了他的命。

他抢先了一步,在对方还没有开始发动前,他就已扑了过去。

这壮汉翻身扬手,打出毒砂,惊慌之下,出手就比较慢了一点。

他的手一扬,无忌已到了他胁下,拳头已打在他胁下的第一二根肋骨上。

骨头破裂的声音刚响起,他的人也已被翻起,刚好迎上后面打来的毒蒺藜。

十二枚毒蒺藜,竟有九枚打在他的身上。

他当然知道这种暗器的厉害,恐怕已堵住了他的咽喉,他连叫都叫不出来,只觉得全身的组织一下子全都失去控制,眼泪、鼻涕、口水、大小便一起涌出。

等到无忌将他抛出去时,他整个人都已软瘫,却偏偏还没有死。

他甚至还能听得见他们那两位伙伴的骨头碎裂声和惨呼声。

然后他就感到一只冰冷的手在捆他的脸,一个人在问:“上官刃在哪里?”

手掌不停的捆在他的脸上,希望他保持清醒,可是,问话的声音,却已愈来愈遥远。

他张开嘴,想说话,涌出的却只有一嘴苦水,又酸又臭又苦。

这时他自己却已闻不到了。

无忌终于慢慢的站起来,面对着贾六和廖八。

他的脸上全无血色,身上却有血,也不知是谁的血溅上了他的衣服。

那上面不但有别人的血,也有他自己的。

他知道他的脸已经被几粒毒砂擦破,还有一枚毒蒺藜打入他的肩头。

可是他绝不能让别人知道。

现在毒性还没有完全发作,他一定要撑下去,否则他也要死在这里,死在廖八的手下!

廖八的手是湿的，连衣裳都已被冷汗湿透。

刚才这一瞬间发生的事，简直就像是场噩梦，令人作呕的噩梦。

骨头碎裂声、惨呼声、呻吟声，现在一下子全部停止。

可是屋子里却仍然充满了令人无法忍受的血腥气和臭气。

他想吐。

他想冲出去，又不敢动。

无忌就站在他们面前，冷冷的看着他们，道："是谁的主意？"

没有人开口，也没有人承认。

无忌冷笑，道："你们若是真的要杀我，现在动手还来得及。"

没有人敢动。

无忌冷看着，忽转身走出来："我不杀你们，只因为你们根本不配我出手。"

他的脚步还是很稳，他绝不能让任何人看出他已将支持不住。

伤口一点都不痛，只有点麻麻的，就好像被蚂蚁咬了一口。

可是他的头已经在发晕，眼已经在发黑。

唐家的毒药暗器，绝不是徒具虚名的，这家馆子里，一定还有唐家的人，看起来特别干净的幺师，至少还有两三个。

用毒的人，看起来总是特别干净。

无忌挺起胸，坚步向前走。

他并不知道他受的伤是否还有救，可是他一定要走出去。

他就算要死，也绝不能死在这里，死在他的仇人们面前。

没有人敢拦阻他，这里纵然有唐家的人，也已被吓破了胆。

他终于走出了这家装潢华美的大门。

可是他还能走多远？

阳光灿烂，他眼前却愈来愈黑，在路上走来走去的人，看起来就像是一个个跳动的黑影。

他想找辆大车坐上去，可是他找不到，就算有辆大车停在对面，他也看不见。

也不知走了多远，他忽然发觉自己竟撞到一个人的身上了。

这人好像在问他话，可是声音又偏偏显得模糊遥远。

这个人是谁，是不是他的对头？

他用力睁开眼睛，这个人的脸就在他眼前，他居然还是看不太清楚。

这人忽然大声道："我就是轩辕一光，你认不认识我？"

无忌笑了，用力抓住他的肩，道："你知不知道我自己跟自己打了个赌？"

轩辕一光道："赌什么？"

无忌道："我赌你一定会来找我。"他微笑着又道："我赢了。"

说出了这三个字，他的人就已倒下。

第四回 活 埋

毒药与暗器

"蜀中唐门"并不是一个武功的门派,也不是一个秘密帮会,而是一个家族。

可是这个家族却已经雄踞川中两百多年,从没有任何一个门派、任何一个帮会的子弟门人,敢妄入他们的地盘一步。因为他们的毒药暗器实在太可怕。

他们的暗器据说有七种,江湖常见的却只有毒针、毒蒺藜,和断魂砂三种。

虽然只有三种,却已令江湖中人闻风而丧胆,因为无论任何人中了他们的任何一种暗器,都只有等死,等着伤口溃烂,慢慢的死,死得绝对比其他任何一种死法都痛苦。

他们的暗器并不是没有解药,只是唐家的解药,也和唐家的毒药暗器一样,永远是江湖中最大的秘密之一,除了唐家的嫡系子孙外,绝对没有人知道它的秘密,就连唐家的嫡系子弟中,能有这种独门解药的,也绝对不会超过三个人。如果你受了伤,你只有去找这三个人才能求到解药。

那时候你就遇到一个不但非常严重且根本无法解决的问题——你根本就不知道这三个人是谁?

就算你知道了他们是谁,也找不到他们。就算你能找得到他们,他们也绝不会给你解药。

所以你如果中了唐家的毒药暗器,就只有等死,等着伤口溃烂,慢慢的死。

很慢很慢——

无忌还没死。昏迷中,他一直觉得自己在颠簸起伏,就好像怒海惊涛中的一片叶子。

可是当他醒来时,他却平平稳稳的躺在一张很舒服的床上。

轩辕一光就站在床头看着他,脸上带着种很有趣又很严肃的表情,使得他这张本来就长得很奇怪的脸,看起来显得很滑稽。看见无忌睁开了眼,这个充满传奇性的人就像孩子般笑了。

他眨着眼笑道:"你知不知道我也跟自己打了个赌?"

无忌舐了舐干裂苦涩的嘴唇,用虚弱的声音问:"赌什么?"

轩辕一光道:"我赌我自己一定能够保住你这条命。"

他的眼睛里发着光,笑得比孩子还愉快,又道:"这次我总算赢了!"

无忌已经开始吃一点用人参和燕窝熬成的甜粥。他嘴里一直在发苦,苦得想呕吐。

吃完甜粥后,才觉得舒服些。

粥煮得很好,屋子里的布置也像这甜粥一样不淡也不甜,恰到好处。他相信这绝不会是轩辕一光的家,一个逢赌必输的赌徒,也许还会有栋很好的房子,却绝不会有这么样一个家。

等他的体力稍为恢复了一点之后,他就忍不住问:"这是什么地方?"

轩辕一光道:"这是第八个地方。"

"第八个地方"是什么意思?

无忌不懂。

轩辕一光道:"昨天一夜之间,我已经带你跑了七八个地方。"

他骑了一夜马,骑得很快——这就是无忌为什么一直觉得自己好像在海浪中一样。

他找了七八个有可能替无忌治好伤的人,但是别人只要一听见伤者中的是唐家的独门毒药暗器,就只有对他说"抱歉"了!

轩辕一光又问:"你知不知道你现在为什么还能够活着?"

无忌道:"为什么?"

轩辕一光道:"第一,因为那三个姓唐的龟儿子并不是唐家的高手,用的暗器都是唐家嫡系子弟挑剩下的渣滓。"

他并没有夸张:"打在你身上的那个毒荙藜若是精品,现在你已经烂成一堆泥了。"

无忌苦笑。

轩辕一光道:"第二,因为这里的主人恰巧有一颗天山的雪莲子,又恰巧是我的好朋友!"

天山雪莲子,正是武林中人人公认的解毒圣药,无上珍品,价值远较体积比它大十倍的珍贵宝石还要贵重得多。

这里的主人居然肯为一个陌生人拿出这样珍贵的药物来,虽然是轩辕一光的面子,无忌对这个人却还是同样感激。

轩辕一光道:"第三,当然是因为我已经跟自己打了个赌,不能让你死。"

无忌忽然点了点头,道:"因为你想知道我为什么总是能掷出三个六来? 是不是用了什么手法? 你想弄清楚,你那次输得是不是很冤枉?"

轩辕一光瞪着他:"你知道?"

无忌道:"我当然知道。"

轩辕一光道:"难道你是故意这么做的?"

无忌道:"我当然是故意的。"

轩辕一光道:"为什么?"

无忌道:"因为我找不到你,就只有想法子要你来找我。"

轩辕一光道:"你知道我一定会来找你?"

无忌笑道:"不弄清楚这件事,你一定连饭都吃不下去。"

轩辕一光大笑:"好,好小子,你真有两手!"

无忌道:"何止两手而已!"

轩辕一光忽然不笑了,板起脸瞪着无忌,道:"你究竟是不是用了什么手法? 我那次究竟输得冤不冤枉?"

无忌微笑道:"你猜呢?"

轩辕一光忽然跳了起来,跳起来足足有一丈高,大声叫道:"好小子,我辛辛苦苦的救了你这条小命,你就这样子报答我?"

无忌并没有被他吓住,反而笑得更愉快:"不管怎么样,当时你既然看不出来,就得认输。"

轩辕一光怒道:"难道你没有看见我输出去的那些金子?"

无忌道:"那是你输给萧先生的,莫忘记你还输了点东西给我。"

轩辕一光道:"我输给你什么?"

无忌道:"输我一句话。"

轩辕一光的记忆力好像忽然变得很坏,摇头道:"我记不得了!"

无忌道:"你应该记得的,你说只要我能掷出个豹子,你就随便我怎么样!"

轩辕一光再想赖也没法子赖了,他并不是个赖皮的人,记性其实也不坏。

他一下子又跳了起来,大吼道:"你要怎么样?要我嫁给你做老婆?"

无忌道:"我只不过要你替我找一个人。"

他眼睛里露出热切的希望,又道:"你说过,你不但输钱的本事大,找人的本事更是天下第一。"

轩辕一光又有点高兴了,"天下第一"这四个字,总是人人都喜欢听的。

他立刻问:"你要找谁?"

无忌用力握住手,控制住自己的声音,一字字道:"上官刃。"

轩辕一光好像吓了一跳:"大风堂的上官刃?"

无忌点头,额上已因悲愤仇恨沁出冷汗。

轩辕一光道:"你就是赵简的儿子,所以要找上官刃报仇?"

无忌已经点头,黯然道:"你救了我的命,我永远都会记住,我并不是个忘恩负义的人,可是我一定要找到上官刃!"

轩辕一光说道:"你连一点线索都没有?"

无忌道:"一点都没有!"

轩辕一光不说话了,在屋里兜了十来个圈子,忽然大声道:"好,我替你去找,只不过……"

无忌道:"不过怎么样?"

轩辕一光道:"你找到了他又怎么样?以你这点本事,连唐家三个不入流的小王八蛋都几乎要了你的命,你凭什么去对付上官刃?"

无忌沉默着,过了很久,继续道:"这一点我也已想到!"

轩辕一光道:"哦?"

无忌道:"自从我到了萧先生那里之后,就已经知道这世上的武功远比我想像中多得多,我的武功却远比我自己想像中差得多!"

轩辕一光道:"你总算还有点自知之明!"

无忌道:"我是想报仇,不是想去送死。"

轩辕一光道:"你并不笨!"

无忌道:"所以你只要能替我找到上官刃,我就有法子对付他!"

轩辕一光道:"要找上官刃,并不是件容易的事!"

无忌道:"我知道。"

轩辕一光道:"他自己一定也知道自己做出来的事,见不得人,一定会改名换姓,找个别人绝对想不到的地方,去躲起来!"

无忌道:"我只希望你能在一年之内给我消息!"

轩辕一光道:"你能等一年?"

无忌道:"有的人为了报仇,十年都可以等,我为什么不能等一年?"

他的态度很镇定,已不再是个被仇恨蒙住了眼去乱冲乱闯的无知少年。

他显得充满了自信和决心。

轩辕一光又盯着他看了很久,忽然伸出手,在他的肩上用力一拍,道:"好,一年之后你再到这里来,我一定有消息给你!"

他不让无忌表示感激,立刻又问道:"现在你是不是可以告诉我了,你是不是用了手法?"

无忌道:"我的确用了点手法,却不是郎中的手法。"

轩辕一光道:"你用的究竟是什么手法?"

无忌道:"是种绝不会被人揭穿的手法,就算我告诉别人我是用了这种手法,别人也只有认输!"

轩辕一光道:"为什么?"

无忌点点头道:"你有骰子?"

轩辕一光道:"当然有。"

就像是大多数真正的赌鬼一样,他身上也带着他最喜欢的赌具。

他喜欢的是骰子,随手就掏出了一大把。

无忌拈起一粒,道:"骰子上每一面都刻着点数,每一面的点数都不同,六点这一面,通常比五点那一面重些。"

轩辕一光道:"为什么?"

无忌道："因为点子上的漆，要比做骰子的骨头分量重些。"

他又补充："如果是用玉石做的骰子，六点那一面就要比五点轻了！"

他观察得的确很仔细，轩辕一光整天在骰子里打滚，这道理却从未想到过。

无忌道："这种轻重之间的差别当然很小，一般人根本不会注意到，就算能注意到，也觉察不出，可是一个久经训练的人就不同了！"

轩辕一光道："有什么不同？"

无忌道："如果你常常练，就可以利用这种分量上的这一点差别，把你想要的那一面掷在上面，也就是说，你想掷几点，就可以掷成几点！"

轩辕一光张大了眼睛在听，就好像在听封神榜中的神话。

无忌道："我从八九岁的时候就开始练，甚至连睡觉的时候都会带三粒骰子到被窝里去掷，每天也不知要掷多少遍，一直练到二十岁，我才有把握绝对可以掷出我想要的点子来。"

轩辕一光怔了半天，才缓缓吐出口气，说道："你怎么会想到要练这种玩意儿的？"

无忌道："我们一向不许赌钱，只有在过年前后才开禁几天，却还是不准小孩子去赌。"

他点点头又道："就因为不准我们小孩去赌，所以我们反而越想去赌。"

这种心理轩辕一光当然很了解。

无忌道："那时候我的赌运很不好，每年都要把压岁钱输得精光，我越想越不服气，发誓要把输出去的钱都赢回来！"

轩辕一光道："后来，你当然赢回来了。"

无忌笑道："我练了两三年之后，手气就刚刚开始变好了，到后来每人在掷骰子的时候，只要一看见我走过去，就立刻作鸟兽散，落荒而逃。"

轩辕一光抚掌大笑，笑得连腰都弯了下去。

只要想一想无忌那种"威风"，这个逢赌必输，输遍天下无敌手的赌鬼，就变得像孩子一样兴奋欢喜。

无忌用眼角瞟着他，然后道："只可惜你现在才开始练，已经来不及了！"

轩辕一光立刻不笑了："为什么？"

无忌道:"因为大人的手没有小孩那么灵巧,也没法子像小孩那么样整天都睡在被窝里面掷骰子。"

轩辕一光一把抓住无忌,道:"你看在这方面还有没有法子补救?"

无忌不说话,只摇头。

轩辕一光怔了半天,忽然又大笑,就好像又想到了什么得意之极的事。

轩辕一光只笑,不说话。

门是开着的,门外忽然有人在轻轻咳嗽,一个衣着清雅的中年美妇人,扶着一个小女孩的肩走进来,嫣然道:"是什么事让你这么开心?"

小女孩一双大眼睛滴溜溜乱转,吃吃的笑道:"我刚才听见大叔说要嫁给这位赵公子做老婆,现在赵公子一定已经答应了!"

妇人瞪了这孩子一眼,自己也忍不住笑了。

看见这妇人走过来,轩辕一光居然变得规矩了起来,甚至显得有点拘束。

无忌猜不透他们之间的关系,轩辕一光已经对他说:"这位梅夫人,才是真正救你命的那一个人……"

那小女孩子抢着说道:"真正救他命的人是我,娘早已把那颗雪莲子送给我了。"

梅夫人又瞪了她一眼,敛衽道:"小孩子没规矩,赵公子别见笑。"

无忌赶紧站起来,想说几句客气感激的话,又不知应该怎么说。

这种救命的大恩,本不是几句感激话能够表达得出的。

梅夫人道:"若不是大哥及时把赵公子伤口上的腐肉割掉,就算有雪莲子,也一样没法子解得了赵公子的毒。"

她嫣然一笑,又道:"这也是赵公子吉人天相,才会有这种巧合。"

小女孩又插嘴说道:"只可惜他脸上以后一定会留下个大疤来,一定丑得要命。"她吃吃的娇笑,道:"幸好,他不怕娶不到老婆,因为至少还有大叔要嫁给他。"

无忌也笑了。

这小女孩聪明伶俐,绝不在那一双孪生兄弟之下,却好像比他们还要调皮,还要会说话。

她的母亲虽然在瞪她、骂她,目光和语气中却连一点责怪的意思都没有,只有欢喜和慈爱。

就连无忌都觉得很喜欢,忍不住要问道:"小妹妹,你叫什么名字?"

小女孩眼珠子转了转,忽然摇头,道:"我不能告诉你。"

无忌道:"为什么?"

小女孩道:"因为你是个男人,男女授受不亲,女孩子怎么能随便把自己的名字告诉男人?"

轩辕一光大笑,道:"好宝贝,你真是个宝贝。"

小女孩忽然一下跳到他的身上,要去揪他的胡子:"你为什么要把我的名字说出来,我要你赔。"

原来她就叫做宝贝。

梅宝贝。

无忌记住了这名字,也记住了这母女两个人,她们的恩情,他一辈子都没有忘记。

宝贝道:"我也知道你叫赵无忌。"

无忌向她一笑:"以后,你还会不会认得我?"

宝贝道:"我当然认得,因为你脸上一定会有个大疤。"

无忌心里忽然多了几个结。

这绝不是因为他脸上多了块疤,更不是因为他肩膀少了块肉。

这些事他根本不在乎,根本没有想。

可是另外有件事,他却不能不想。

梅夫人为他们准备的宵夜精致而可口,最让赵无忌觉得愉快的是:她并没有留下来陪他们。

一个聪明的女人,总会适时的避开,让男人们去说只有男人听得有趣的话。

她也许并不能算是个很好的母亲,因为她对孩子显然有点溺爱。

但她却无疑是个理想的妻子。

可是她的丈夫呢?

无忌没有看见她的丈夫,也没有听他们提起过她的丈夫。

难道她已是个寡妇?

看她对轩辕一光的温柔亲近,轩辕一光对她的体贴尊重,他们之间的关系显然很不寻常。

他们究竟是什么关系? 是不是有一段不能对外人诉说的感情?

这些事无忌很想知道。

但是他并没有问,因为他心里有件别的事让他觉得很忧虑,甚至有点恐惧。

那就是唐家的毒药暗器。

一些"被唐家嫡系子弟挑剩下的渣滓"已经如此可怕,三个唐家门下的普通角色,已经几乎要了他的命。

这一点他只要想起来就难受。

现在唐家和霹雳堂已经结盟,上官刃的随从中,居然有唐家的人。

他们之间是不是已有了什么秘密的勾结? 上官刃会不会躲到唐家去?

他当然不能到唐家去搜人,他根本没有证据,何况他就算有证据也不能去找。

以他的武功,就只怕连唐家的大门都进不了。

想到了这一点,他只觉得全身都在发冷。

他只希望轩辕一光能替他找出上官刃确实的下落来,他伺机行刺,全力一搏,才会有成功的机会。

他的仇恨,绝不是单凭一时血气之勇就能够报得了的。

有酒,很好的酒。

受了伤的人不能喝酒,喜欢赌的人不会太喜欢喝酒,一个人喝酒更无趣。

所以酒几乎没有动。

无忌倒了点茶在酒杯里,向轩辕一光举杯:"这次我以茶代酒,下次再陪你喝真的。"

轩辕一光道:"只要再过两三天,你就可以喝真的了。"

无忌道:"我呆不了那么久。"

轩辕一光道:"你急着要走? 还是急着要赶我走,替你去找人?"

无忌笑了:"我两样都急。"

轩辕一光道:"你急着到哪里去?"

无忌道:"我要到九华山,等人去找我!"

轩辕一光道:"等谁?"

无忌道:"我既不知道他的名字,也不知道他的来历,可是我知道,这世上如果有一个能破唐家武功的人,这个人,就是他。"

轩辕一光道:"他用什么破?"

无忌道:"用剑。"

轩辕一光冷笑,道:"你有没有见过唐家的独门暗器手法'满天花雨'?"

无忌没有见过,却听说过。

据说,这种手法练到登峰造极时,一双手可以同时发出六十四件暗器来,分别打向六十四个部位,无论你怎么躲都躲不了。

轩辕一光道:"除非他一个人有十只手,十把剑,才能够破得了那一着满天花雨。"

无忌道:"他只有一双手,一把剑,可是已经足够了。"

轩辕一光眼睛忽然发亮,仿佛已猜出了他说的这个人是谁。

无忌又道:"他的剑法之快,我保证连你都没有看见过。"

轩辕一光故意冷笑,道:"就算他的剑法真快,也未必会传授给你。"

无忌道:"他当然不一定要传授给我,因为他随时可以杀了我。"

轩辕一光道:"如果他不想杀你,就一定要传你剑法? 如果他不想传你剑法,就一定要杀了你?"

无忌道:"就是这样子的。"

灵山开九华

曲平在和风山庄大厅外那面光可鉴人的屏风前先照了一下自己的样子,对一切都觉得满意了之后,才大步走了过去。

他是个很英俊的年轻人,修长而健壮,一张永远不会令人觉得衰老疲倦的娃娃脸上,总是带着真诚而讨人喜欢的笑容。

他的装束既不太华丽,也不寒酸,他的举止和谈吐都很得体,绝不会让人觉得憎恶讨厌。

从外表看上去,他无疑是个毫无瑕疵的年轻人,他的身世和历史也无可让人非议之处。

他的父亲是个名气并不响亮的镖师,可是在退休之前却从未有过失镖的记录,退休后就回到家乡,开场授徒,虽然没有教出过什么出类拔萃的弟子,却也没有误人子弟。

他的母亲温柔贤淑,是乡里闻名的贤妻良母,而且会做一手好针线。

在冬日苦寒时,贫苦人家的小孩子们身上,总是穿着曲老太太亲手缝制的棉衣。

他的家世不显赫,可是一家人和和睦睦,一向很受人尊重。

他今年二十三岁,独身未婚,除了偶尔喝一点酒之外,绝没有任何奢侈浪费的不良嗜好。

十六岁那年,他就进了他父亲早年服务过的那家镖局,三年后就升为正式的镖师。

那时候他就知道这家镖局也是隶属于大风堂的,他也顺理成章的投入了大风堂,拜在司空晓风属下的一个分舵舵主的门下。

没有多久,他的才能就使得他脱颖而出,被司空晓风亲自擢升为"分司"。

分司虽然没有固定的地盘管辖,却在三大堂主的直属之下,薪俸和地位都和分舵的舵主完全一样,有时权力甚至更大。

他负责的事务是联络和传讯,其中还包括了侦访和交际。

因为他的特殊才能并不是杀人,也不是武力。

他的人缘极好,无论到什么地方去,都很快就能交到朋友。

而且他观察敏锐,反应极快,做事从不马虎,如果要他去调查一件事,他更不会令人失望。

司空晓风对他的评论是:

"这孩子,总有一天会成为分堂堂主的。"

他见过赵简赵二爷几次,今天却是他第一次到和风山庄来。

今天是司空晓风特地叫他来的,据说是因为"一点私事"。

如果堂主私人有事要他处理,那就表示他已进入这组织的核心。

他外表虽然极力保持平静,却还是掩不住内心的兴奋。

他早就听说赵二爷的千金是个有名的美人,而且至今云英未嫁,自从赵二爷去世,赵公子离家之后,掌理和风山庄的就是这位赵小姐。

"我如果能够成为和风山庄的乘龙快婿……"

这是他心底一个秘密的愿望,他很少去想,因为只要一想起来,他的心跳就会加快。

今天是七月初五,距离赵简之死,已经有整整四个月。

自从四月之后,就没有再听到过赵公子无忌的消息。

赵无忌竟失踪了。

天气很热。

和风山庄的大厅虽然高大宽敞,坐久了还是会冒汗。

卫凤娘亲自将一块用井水浸得很凉的面巾送到司空晓风面前,请他擦擦汗。

她一向温柔体贴,最近一段日子里,更表现出她的坚强和能干。

她默默的帮着千千治家,任劳任怨,从来没有摆过一点女主人的架子。

一个女人所能具有的全部美德,你都可以在她身上找到。

可是她的夫婿却"失踪"了。

司空晓风心里在叹气——为什么红颜总是多薄命?

千千身上还戴着重孝,经过这几个月来的苦难磨练,使得她终于完全长成。

现在她已不再是以前那刁蛮任性的小姑娘,已经是个完全可以独立自主的女人。

这种改变使得她看来更成熟美丽。

她发育得本来就很好,很久以前就要用一根布带紧紧束起胸。

这使得她自己很气自己。

每当她发现一些年轻力壮的小伙子在偷看她时,她就会无缘无故的生气,气得要命。

外面已经有人传报。

"第一堂堂主下的分司曲平求见。"

司空晓风早已解释过:

"是我叫他来的,两个多月以前,我就叫他去打听无忌的消息。"

千千立刻问道:"他已经打听出了什么没有?"

"这正是我要问他的,"司空晓风说:"所以我找他来,让你当面听他说。"

曲平走进来的时候,笑容诚恳,态度稳重,可是,千千对他第一眼的印象并不好。

她不喜欢这种衣裳总是穿得整整齐齐,头发总是梳得一丝不乱的男人。

她总认为这种男人太做作,太没有性格。

像她哥哥那种洒脱不羁,敢作敢为的男人,才是她心目中真正的男子汉。

幸好曲平并没有像别的年轻人那样,用那种眼光去看她,而且一开始就说出了重点!

他道:"三月二十八日那天,还有人看见过赵公子,那好像就是他最后一次露面了。"

司空晓风道:"那天他是在什么地方露面的?"

曲平道:"在九华山一家叫'太白居'的客栈里。"

他又道:"他先在镇上买了些干粮和酒,将坐骑留在太白居,托客栈的掌柜照顾,还预付了十两银子的草料钱。"

司空晓风道:"这么样看来,他一定是到九华山去了。"

曲平道:"大家都这么想,只不过……只不过……"

千千看着他,厉声叫道:"只不过怎么样?"

她的态度实在很不好,只因为她从不喜欢说话吞吞吐吐的人。

曲平看出了这一点,立刻回答:"他上山之后,就一直没有下来过。"

千千道:"你怎么知道?"

曲平道:"因为那小镇是入山的必经之路,他那匹坐骑,直到现在还留在太白居,我亲自去看过,那是匹好马。"

对无忌这样的男人来说,一匹好马的价值,有时几乎就像是个好朋友。

曲平道:"所以我想,如果赵公子下了山,绝不会把那么样一匹马,留在客栈里。"

他想了想,又补充着道:"可是客栈的韦掌柜并不着急,因为十两银子的草料,至少可以让那匹马吃上一年。"

千千皱起了眉,道:"一年?难道他早已准备到山上去过一年?"

曲平道:"所以我就带了十二个人到山上去找,大大小小的佛寺岩洞都去找过,却连一点线索都没有找到。"

千千道:"难道他一上了山之后,就凭空失踪了?"

曲平沉吟着,道:"也许他根本没有上山去,因为山上所有的寺庙我都去问过,他们都没有看见过赵公子这么样一个人。"

像赵无忌这么样一个人,无论走到哪里,都应该很引人注意的。

司空晓风道:"那天有些什么人看见过他?"

曲平道:"那附近有不少人都认得赵公子。"

司空晓风问道:"他们怎么会认得他的?"

曲平好像并不想说出原因,可是一看见千千的脸色,立刻就改变了主意。

他说得简单而扼要:"从三月初八到三月二十三日那半个月里,赵公子已成了附近一带十三个城镇里有名的人。"

他眼中仿佛也带羡慕之色,接着道:"因为那半个月里,他一共掷出了三十九次'三个六',几乎把所有的赌场都赢垮了,连号称'赌王'的焦七太爷,都曾经栽在他手里。"

他本来不想说出这些事,因为他已知道无忌那时候还属服丧时期,本来绝对不应该到赌场里去掷骰子的。

可是他不想让千千认为他有所隐瞒,他已看出了千千的脾气。

能够在一两眼就看出一个人的性格和脾气,正是他最特别的才能之一。

凤娘的脸色立刻变了,千千已叫起来:"他怎会到赌场里去赌钱?他绝不是这样的人。"

她狠狠的瞪着曲平，又道："你一定是在胡说八道。"

曲平没有辩驳，也不想辩驳，他知道最聪明的法子就是保持沉默。

司空晓风果然已替他说话了："他绝不敢胡说的，无忌当然也绝对不会是这么荒唐糊涂的人，他这样做，一定有他的用意。"

其实他当然知道无忌这么做是为了要"钓出"轩辕一光来。

他也知道无忌为什么要上九华山去，是去找什么人。

奇怪的是，他居然没有说出来，也许他认为说出来之后，千千反而会更担心。

千千又瞪了曲平两眼，才问道："三月二十八日之前，他在哪里？"

曲平道："三月二十三日的中午，他在县城一家新开张的川菜馆子"寿尔康"和两个赌场老板吃饭，手刃了三个蜀中唐门的子弟。"

他接着道："我已调查过他们的来历，除了一个叫唐洪的，是唐二先生的侄孙外，其余两个人，都是唐家的旁支。"

千千冷笑一声道："唐家的人，到了我们地盘上来，居然要等到我哥哥杀了他们之后，你们才知道，你们平常是在干什么的？"

曲平又闭上了嘴。

千千终于也发觉这句话不但是在骂他，也伤了司空晓风，立刻就改变话题，问道："他杀了那个人之后，到哪里去了！"

曲平道："从二十三日到二十七日这五天，也没有看见过赵公子的行踪，直到二十八日那一天，他才在九华山下露面。"

千千道："然后他就忽然不见了？"

曲平道："是！"

千千又忍不住冷笑，谵："这就是你打听出来的结果？"

曲平道："是。"

司空晓风淡淡一笑，道："如果他只能打听到这些，我想别人未必能打听出更多。"

千千忽然站起来，大声道："我为什么一定要叫别人去打听，我自己去。"

司空晓风道："可是这里的事……"

千千道："我哥哥的事比什么事都重要。"

司空晓风当然也知道她的脾气，所以并没有阻拦她，只问："你准备带些什么人去？"

千千还没有开口，凤娘忽然也站起来，道："她要带我去。"

她的态度虽然温柔，却很坚决道："因为她不带我去，我自己也会去的。"

　　"昔在九江上，
　　遥望九华峰，
　　天河挂绿水，
　　秀出九芙蓉。

　　我欲一挥手，
　　谁人可相从，
　　君为东道主，
　　于此卧云松。"

这是诗仙李白的名句，九华山和这位谪仙人的渊源极深。

寰宇说："旧名九子山，唐李白以九峰如莲花削成，改为九华山。"

山以诗仙而名，山上而下以"太白"为名的地方很多。

"太白居"就是其中之一。

现在赵千千和卫凤娘已到了太白居。

"这就是赵公子的马，"太白居的掌柜再三强调说："我们从来不敢缺一顿草料。"

这位胖胖的掌柜无疑是个老实人，千千也看出他说的是老实话。

无忌的马，被养在一个单独的马厩里，马也养肥了，只不过总显得有点无精打彩的样子，仿佛也在思念着它的主人。

看见千千，它居然也认得，欢喜的轻嘶着，用头来顶千千的颚。

千千却已几乎落泪。

她回头去看凤娘，凤娘远远的站在一棵孤零零的银杏树下，眼泪早已流满了面颊。

无忌究竟到哪里去了？为什么一去就全无消息？

是吃饭的时候了。

她们并不想吃饭，也吃不下，饭菜却已经摆在桌上等着她们。

六菜一汤、一碟鸡丝炒豆芽、一碟金钩白菜、一碟卤猪肝切片、一碟酸菜炒辣椒、一碟清蒸鱼、一碟醋溜鱼片、一大碗黄瓜氽丸子汤。

这都是很普通的家常菜，她们看见却吃了一惊。

因为这六样菜正是她们平常最喜欢吃的，十顿饭里至少有九顿都少不了。

这家客栈的掌柜怎么会知道她们喜欢吃什么？

千千忍不住问道："这些菜是谁叫你做的？"

掌柜的赔着笑脸，说道："是西跨院的一位客人，他说他知道姑娘们喜欢吃这几样菜。"

千千的脸立刻气得发红，道："那位客人是不是叫曲平？"

掌柜的点了点头，还没有开口，千千已经跳起来，大声道："你叫他到这里来，赶快来，越快越好。"

曲平来了，来得很快。

千千看到他的时候，就好像看到了仇人一样，板着脸道："你跟着我们到这里来干什么？"

曲平道："我是奉命而来的。"

千千道："奉谁的命？"

曲平道："司空堂主。"

千千道："他叫你来干什么？"

曲平道："来照顾二位姑娘。"

千千冷笑，道："你凭什么认为我们需要别人照顾？"

曲平道："我只知道奉命行事。"

千千道："你怎么知道我们想吃些什么？"

曲平道："司空堂主既然要我照顾二位，这些事我都应该知道。"

千千狠狠地的瞪着他，忽又冷笑，道："看起来你倒真像很会办事的样子。"

曲平不开口。

千千道:"你能不能替我做件事?"

曲平道:"请吩咐。"

千千又跳起来,大声道:"你能不能走远一点,走得越远越好。"

夜,灯下。

千千好像还在生气,虽然她平常也很会生气,但没有这次气得久。

凤娘柔声问:"你在气什么?"·

千千道:"我讨厌那个人。"

凤娘道:"我倒看不出他有什么太让人讨厌的地方。"

千千道:"我看得出。"

凤娘没有再问下去。

她知道如果她再问:"他有什么地方讨厌?"

千千一定会说:"他全身上下,没有一个地方不讨厌。"

一个人如果要讨厌一个人,根本就不需要任何理由。

就好像一个人如果喜欢一个人,也不需要任何理由一样。

有时候没有理由就是最好的理由。

所以凤娘只淡淡的说了句:"不管怎么样,他总是司空大爷派来的,你总得给司空大爷一点面子。"

这句话很有效。

凤娘一向很少说话,可是她说出来的话通常很有效。

千千的态度已经有点转变了,就在这时候,她们听见了一声惊呼。

一声很多人同时发出来的惊呼。

赵千千和凤娘住在后面一座跨院间客房里,再往后面去,就是这客栈掌柜和伙计们自己住的地方了,惨呼声就是从那里传来的。

凤娘不是喜欢多事的女人,可是一听见惨呼,千千就冲了出去。

她也只好跟着出去,她不想一个人呆在这陌生而冷清的屋子里。

后面的院子比前面简陋得多,也小得多,只有一间屋里燃着灯。

屋子里很窄,只能摆一张木桌和几张板凳,桌上还摆着饭菜。

客栈的掌柜夫妻和四个伙计刚才正在吃饭,吃着吃着,掌柜的忽然倒了下去。

别人去扶他的时候,他整个忽然缩成了一团,不停的抽搐,一张嘴歪斜肿胀,像是被人狠狠打了一拳。

他的妻子已经快急疯了,跪在地上,拼命去挖他的嘴,叫他把那根鱼刺吐出来。

每个人都已想到一定是鱼刺有毒,却想不到一根鱼刺怎么会毒得这么厉害。

千千她们赶到的时候,这胖胖掌柜的脸已发黑、眼珠已凸出。

等他的妻子把鱼刺挖出来时,他整个人都已经不会动了。

"都是这根该死的鱼刺。"

他的妻子又急、又害怕又愤怒,恨不得一口把这根鱼刺嚼碎吞下。

千千忽然大喝:"吐出来,赶快吐出来。"

掌柜娘子又吃了一惊,嘴里的鱼刺掉在地上,发出"叮"的一声轻响。

大家这才看出,这根鱼刺并不是鱼刺,而是一根针,比绣花针还小的针。

针尖在灯下闪着惨碧色的乌光。

千千拾起双筷子,挟起这根针,脸色立刻变了,失声道:"这是唐家毒针!"

掌柜娘子骇极而呼:"这怎么会是毒针? 鱼里面怎么会有毒针?"

呼声凄厉嘶哑,她的脸忽然也开始扭曲,接着人也缩成了一团,完全跟他的丈夫倒下去时的情况一样。

伙计们看着她,都吓呆了。

千千大声道:"你们有谁吃过鱼?"

伙计们脸上立刻露出恐惧之极的表情,他们每个人都吃过鱼。每个人都蹲了下去,用手拼命挖自己的嘴,想把刚吃下的鱼吐出来。

他们吐出的只不过是一口口酸水,就算他们能把鱼刺吐出来,也来不及了。

忽然间四个伙计中已有三个倒了下去,身子立刻缩成一团。

没有倒下去的那个伙计也已吓得全身发软,连裤档都湿了一片。

千千道:"你没有吃鱼?"

这伙计牙齿打战,结结巴巴的说:"我吃……吃了一样,没……没有吃……醋……醋……"

桌上果然有两种做法不同的鱼,一碟清蒸鱼,一碟醋溜鱼片。

他只吃了清蒸鱼,没有吃醋溜鱼片,毒针就在醋溜鱼片里,针上的剧毒,把一碟子鱼片都染成了致命的毒鱼,只要吃了一片,就必死无救,掌柜的咬到毒针,所以发作得最快。

唐家独门的毒药暗器,绝不会无缘无故的掉在一碟醋溜鱼片里。

这是谁下的毒,想毒死谁?

桌上有六碟菜,一碗汤。

除了这两味鱼外,还有一碟鸡丝炒豆芽、一碟金钩白菜、一碗卤肝切片、一碗酸菜炒辣椒、一大碗黄瓜余丸子汤。

这桌菜本是替千千和凤娘准备的。

掌柜的一向很节省,没有人在房子里,连灯都舍不得点燃,当然舍不得浪费这一桌好菜。

千千她们既然不吃,他就把老妻和伙计们找来一起享用。

这桌菜就成了他们的催命符。

看着这些无辜的人即将惨死,凤娘全身颤抖,倚在墙上流泪。

"原来他想毒死的是我们。"

这桌菜是曲平特地为他们准备的,曲平为什么要毒死她们?

难道他也已和唐家的人在暗中勾结?

千千脸色铁青,咬着牙道:"你是跟我去? 还是在这里等?"

凤娘道:"你……你要到哪里去?"

千千道:"我要去杀人。"

凤娘眼泪又流下。

她一向憎恶流血和暴力,她不敢看别人杀人,可是她更不敢留在这里。

她忽然开始恨自己,恨自己为什么如此软弱?

她掩着脸冲了出去,刚冲出房门,就撞在一个人身上。

这个人赫然正是曲平。

七月的晚上,繁星满天。

淡淡的星光照着曲平的脸,他脸上那种诚恳的笑容已不见了,显得说不出的残酷邪恶。

千千听到凤娘的惊呼赶出来时,曲平已捏住凤娘的手。

"放开她。"

曲平冷冷的看着她,连一点放手的意思都没有。

千千想扑上去,又停下,凤娘还在他手里,她不能轻举妄动。

她勉强使自己保持镇定,压低声音问:"你为什么要做这种事?"

曲平的眼睛全无表情,冷冷道:"因为我要让你知道,你并没有什么了不起。"他的声音冷如刀割:"你只不过是个被你老子宠坏了的小婊子而已。"

谁也想不到这种话竟会从平时那么斯文有礼的一个人嘴里说出来。

千千也气得全身发抖。

黑暗的角落里却忽然有人在拍手,吃吃笑道:"说得好,这女娃儿看起来倒真像个婊子,在床上动起来一定很带劲!"

黑暗中有两个人。

比较高的一个宽肩凸肚,满脸淫猥的笑容,眼睛正瞪在千千的腰下。

比较矮的一个脸色阴沉,一双小而尖的眼睛看来就像是条毒蛇。

两个人的腰带上都佩着革囊,右手上却戴着只鹿皮手套。

可是千千的眼睛已红了,什么都不管了,解下了扣在腰带上的软鞭,一个箭步就窜了过去。

虽然赵二爷并不赞成女孩子练武,可是这位大小姐却在偷偷的练。

和风山庄里本就有不少高手,她可哥偶尔也会偷偷教她几手,加上她又特别聪明,这几年来挨过她鞭子的人可真不少。

只可惜这两个人并不是和风山庄的门下,也用不着故意让她。

毒蛇般的矮子忽然毒蛇般伸出那只戴着鹿皮手套的手,反手一抓,就抓住了鞭梢。

千千虽然吃惊,还不太在意,她的鸳鸯双飞腿也踢倒过不少人。

她双腿齐飞,踢了出去。

等到她发现自己的武功并不如自己想像中那么高的时候,已经来不及了。

她的足踝已经被一只大手抓住。

比较高的这个人用一只手抓住她纤巧的足踝,把她的腿慢慢往上抬,脸上的笑容更淫猥,吃吃的笑着道:"这姿势倒不错。"

千千虽然还是个很纯洁的女孩子,可是这种话不管多纯洁的女孩子都能听得懂的。

她又羞、又急、又恨,一口口水往他脸上啐了过去。

"猪!"

这人脸色变了,变得说不出的狞恶可怕。

曲平大呼:"不可以。"

这人却已经一拳打在千千的胸脯上,一阵奇异的剧痛,痛得她眼泪涌出,全身抽紧,连叫都叫不出来。

这人的眼睛却发出了光,又开始吃吃的笑,又想挥拳打出去。

他的拳头,却被那较矮的一个人伸手拦住。

这人着急道:"老三,你让我先干了这臭婊子行不行?"

老三道:"不行。"

这人道!"为什么不行?"

老三道:"因为我说不行。"

这人叫了起来:"你是不是一定要老子把这个细皮白肉的女娃儿让给那个龟儿子?"

他们说的本来是普通话,可是他一发脾气,就露出了乡音。

老三沉下脸,冷冷道:"你既不是老子,他也不是龟儿子,是我们的朋友。"

他们的朋友,当然就是曲平。

大个子虽然并没有把曲平当朋友的意思,但对这个老三却好像有点畏惧,虽然气得连脖子都粗了,却还是放开了千千。

唐力道:"我们不远千里从蜀中赶到这里来,只因为我们有笔账要跟赵无忌算一算。"

千千忍不住问道:"你要找他算什么账?"

唐力道:"我们有一个兄弟死在他的手里。"

他们的兄弟就是唐洪。

唐力道:"唐洪要杀赵无忌,所以赵无忌杀了他,这本来是很公平的事,可是他实在死的太惨了。"

想到唐洪扭曲残破的尸体和脸上的恐惧之色,他眼睛里的怨毒更深:"我知道你们一个是赵无忌的老婆、一个是他的妹妹,我本来应该杀了你们,让他也难受难受。"

千千道:"你为什么不动手?"

唐力道:"因为我们和这位姓曲的朋友做了件交易。"

千千道:"什么交易?"

唐力道:"用你换赵无忌。"

他阴森森的笑笑,又道:"这交易也很公平,我们要的是赵无忌的脑袋,他要的却是你,要你陪他睡觉。"

千千转过头,狠狠的瞪着曲平,眼睛里像是要冒出火来。

曲平却好像看不见。

唐力道:"我们并不想剥下你的裤子,要你陪他睡觉,这要靠他自己的本事,可是你们最好也老实些,千万不要捣乱生事,更不要想逃走,否则我只好把你们交给唐猛。"

他淡淡的接着道:"唐猛对付女人的法子,我保证你们连做梦都想不到。"

一想到唐猛那双淫猥的眼睛和一双脏手,千千就想吐。

唐猛又吃吃的笑了:"我也喜欢你,尤其喜欢你的腿,你的腿又长又结实。"

他捡起一根木柴,轻轻一拧,干燥坚固的木柴就立刻散裂扭曲。"如果你敢玩一点花样,你的腿就会变成这样子。"

千千也不能不承认,这个人手上的力量实在很吓人。

但是唐力却一定比他更可怕,女孩子落入这么样两个人的手里,简直还不如死了的好。

唐力道:"我希望你们也不要想先死,因为我保证你们一定连死都死不了的。"

千千咬着牙,说道:"你到底想怎么样?"

唐力道:"我只要你们乖乖的跟着我们,等我们找到赵无忌,我就把你们交给曲朋友,那时不管你们想干什么,都跟我们没关系了。"

千千道:"他能找得到无忌?"

唐力道："他答应过我们,三天之内,一定替我们找到赵无忌。"

他又用那双毒蛇般的眼睛瞪着曲平:"你是不是这样说的?"

曲平道:"是。"

唐力道:"我希望你说得到就能够做到。"

曲平道:"我一定做到。"

唐猛又吃吃的笑道:"如果你做不到,不但你的身体会忽然变得非常糟糕,这两个女娃儿的身体,也会变得很难看的。"他特别强调"身体"两个字,对别人的身体,他一向很感兴趣。

千千只觉得全身都起了鸡皮疙瘩,就好像全身都爬满了蚂蚁。她也希望他们能找到无忌,她相信无忌一定有法子对付这些人的,她对无忌一向有信心。唐力瞪着她,道:"现在我是不是已经把每件事都说得很明白了?"

千千只有点头。

唐力道:"那就好极了。"

他又问曲平:"赵无忌是不是真的躲在九华山上面?"

曲平道:"是。"

唐力道:"我们明天一早就上山,今天晚上就歇在这里。"

他转向凤娘:"你到厨房去弄点东西给我们吃,看你的样子,我就知道你会烧一手好菜。"

千千抢着道:"我陪她去。"

唐力道:"你不能去!"

千千道:"为什么?"

唐力道:"因为你生病了。"这句话说完,他已闪电般出手,点了千千的穴道。他的出手快而狠,千千的武功在他面前,简直就像是个孩子。

唐力脸上露出满意之色,道:"现在我只想舒舒服服吃一顿,再喝一点酒。"

唐猛吃吃的笑道:"这主意好极了。"

非 人 间

凤娘缩在屋角里,整个人缩成了一团,只觉得疲倦、伤心,而且绝望。

他们并没有绑住她，也没有点住她的穴道，他们根本不怕她逃走。

那个淫猥而变态的猪，甚至还说不定在希望她逃走。

她已在心里发了誓，绝不逃，绝不做任何一样会激怒他们的事。

她只希望千千也能和她一样明白，在这种情况下，她们只有逆来顺受。

可是，以后怎么样呢？她们要忍受多久？

她连想都不敢想。

屋子里的两个座位已经被唐力和唐猛占据了，喝过酒之后他们就像猪一样睡着。

就连曲平都被他们点了穴道。

他们用一根绳子，把他和千千绑在一起。

唐猛吃吃的笑道："只要你有本事能动，随便怎么动都没有关系。"

曲平不能动。

唐猛又笑道："看得到吃不到，这滋味一定不太好受。"

他很得意，这本来就是他的主意，他坚持要把曲平的穴道也点住。

现在还没有找到赵无忌，我们为什么要提早让他先占便宜？

曲平居然还微笑道："没关系，我不急。"

千千不敢张开眼睛。

她只要一睁眼，就会看到曲平那张无耻的伪君子的脸。

曲平的脸距离她的脸还不到半尺。

不管千千怎么用力挣扎，他们两个人的身子还是紧紧贴在一起。

她恨不得亲手活活的扼死他，她从未见过如此卑鄙无耻的男人。

可是一种男人身上独特的势力和气味，又使得她的心里莫名其妙的觉得很乱。

她只希望能把这一夜赶快熬过去，明天又怎么样呢？

她也不敢想。

极度的疲倦和悲伤，终于使凤娘昏昏迷迷的睡着了。

可是她忽又惊醒，全身立刻僵硬。

一只粗糙的大手,正在她大腿上滑动,沿着她腰肢滑上去,笨拙的解她衣钮。

她想叫,想吐。

她吐不出,又不敢叫,她知道如果激怒了这条猪,后果只有更糟。

可是,这只手的活动,已愈来愈不能忍受。

平生第一次,她想到死,只可惜她连死都死不了。

衣钮已被解开。

粗糙的手掌,已接触到她的细嫩皮肤,一阵带着酒臭的呼吸,慢慢移近她的脖子。

她已无法再控制自己,全身忽然开始不停的发抖。

这种颤抖更激起了这男人的情欲,他的手更疯狂,更用力……

忽然间,手被拉开,人被拉起。

唐猛在怒吼:"这个女娃又不是那个龟儿子的,老子为什么不能动?"

唐力的声音冰冷:"滚回床上去,好好睡觉,否则我就打断你的这双脏手!"

唐猛居然不敢反抗。

凤娘用力咬着嘴唇,已咬出了血,现在全身忽然放松,终于忍不住放声大哭起来。

那双毒蛇般的眼睛,正在黑暗中盯着她,居然伸出手来替她擦眼泪。

对这个男人,她也不知道是感激?是憎恶?还是害怕?

她怕他得寸进尺,更进一步。

幸好唐力的手轻轻一摸她的脸后,就立刻站起来走了。

她仿佛听见他在轻轻叹息。

第二天一早,凤娘就起来煮了一大锅粥,先满满盛了一碗给唐力。

这次唐力居然避开了她的目光,连看都不看她一眼,只冷冷的说:"吃过了粥,我们就上山了。"

九华四十八峰并峙,如九朵莲花。

四十八峰中,天台最高,入山第一站为"霞天门",过此之后,山路更险。

他们经"碧泉亭"、"定心石"、"半宵亭";过大小仙桥;再过"望江楼"、"梅檀林"、"经八十四梯凌紫霞";看到了地藏菩萨的肉身塔殿。

他们对菩萨并不感兴趣。

他们终于登上天台峰,只见流水行云,万山叠翠,巨石嶙峋,耸削壁立,黑石苍苔,错叠成趣,石缝间透出青松,也不知是人工所栽?还是天工?

要登上天台绝壁,还得穿过层云雾。

凤娘的脚已经走破了,头发也乱了,衣裳也被汗衣湿透。

阴壑里的疾风,像是利箭一样吹来,吹在她身上,她全身都在发抖。

可是她既没有埋怨,也没有叫苦。

唐力看着她,忽然道:"我们一定要到绝顶上去。"

凤娘道:"我知道。"

唐力道:"你一定上不去。"

凤娘垂下头,道:"我……我可以试试。"

唐力道:"用不着试。"

千千道:"我背她上去。"

唐力道:"不行。"

千千道:"为什么不行?"

唐力道:"因为我说过,你们连死都死不了。"

在这种地方,不管从哪里跳下去,都必死无疑。

千千道:"难道你要把她留下来?"

唐力道:"她可另外找人背上去。"

千千道:"找谁?"

唐力道:"除了你之外,随便她找谁都行。"

唐猛抢着道:"我来。"

唐力冷笑,不理他,却去问凤娘:"你要谁背你上去?"

凤娘想也不想:"你。"

云雾凄迷,几尺外就看不见人影。

凤娘伏在唐力背上,忽然问道:"你知不知道我为什么找你?"

唐力道:"不知道。"

风娘道："因为我知道你并不是太坏的人。"

唐力道："我是。"

风娘道："那你为什么要救我！"

唐力沉默，过了很久，才问道："你真的想知道？"

风娘道："真的。"

唐力的声音冰冷："我救你，只因为我已经被人阉割，根本不能碰你，所以我也不想让别的男人碰你。"

风娘怔住。

她做梦也想不到一个男人会把这种事说出来。

唐力冷冷道："如果我还行，现在你已经被我强奸过十次。"

风娘不知道别的女人听见这种话会有什么样的反应。

她心里只有种谁都无法了解的怜悯和同情，这原本是人类最高贵的感情。

她正不知道应该说什么话来安慰他，眼前已豁然开朗。

他们终于登上了天台峰的绝顶。

一片平岩，一片丛林，一片巨石屹立，一片危崖上刻着三个大字。

"非人间。"

这里是人间？还是天上？

是天上？还是鬼域？

不管这里是什么地方，都绝不是人间，因为极目苍茫，都看不见人影。

唐力已放下风娘，用那双毒蛇般的眼睛盯着曲平："再上去还有没有路？"

曲平道："没有了。"

唐力道："你是不是带我们来找赵无忌的？"

曲平道："是。"

唐力道："赵无忌在哪里？"

曲平指着那片"非人间"的危崖，道："就在那里。"

危崖那边却看不见人，这里本不是人间。

曲平道："那后面还有个秘密的洞穴，赵无忌就躲在那里。"

唐力道:"他为什么要躲到这种地方来?"

曲平道:"因为他害怕。"

唐力道:"怕什么?"

曲平道:"他知道只要他还活着,就一定要报父仇,否则,任何人都会看不起他。"

在江湖中,不共戴天的仇恨,是为人子者不能不报的。

曲平道:"他也知道他自己绝不是他仇人上官刃的敌手。"

唐力道:"所以他怕去报仇? 怕找到上官刃?"

曲平道:"他怕得要命。"

唐力道:"所以他才躲到这里?"

曲平冷冷道:"人间已经没有他立足之地!"

唐力道:"我希望你说的是真话。"

曲平道:"不管是真是假,都马上就会揭穿,我为什么要说谎?"

唐力道:"好,你带我们去。"

曲平道:"我不能去。"

唐力道:"为什么?"

曲平道:"我出卖了他,他只要一看到我,就一定先杀了我。"

他苦笑又道:"赵无忌的武功虽然并不高明,要杀我却不难,那时你们当然也不会救我。"

唐力冷笑道:"难道你认为我不能杀你?"

曲平道:"反正你们只要一转过那片崖石,就可知道我说的话是真是假,如果他不在那里,你们再回来杀我也不迟。"

唐力盯着他,慢慢的伸出两根手指,去点他腰下的软穴。

曲平完全没有闪避。

唐力的手忽然旋螺般一转,已点在十十的玄机穴上。

他用的手法并不重,但是非常准。

千千立刻软瘫。

曲平也已倒下,因为唐力的手又一转,也同样点了他的玄机穴。

唐力冷冷道:"你应该知道,唐家不但有独门暗器,也有独门的点穴手法。"

曲平知道。

唐家的独门点穴,也和唐家的独门暗器一样,除了唐家子弟外,无人可解。

唐力道:"所以如果我不回来,你们也只有在这里等死。"

等死比死更惨。

凤娘忽然道:"如果你找到无忌,能不能让我们见他一面?"

这句话她已想说很久,她没有说,只因为她一直不知道说出来会有什么样的后果。

唐力凝视着她,用那双毒蛇般的眼睛,表情忽然变得很奇怪。

凤娘垂下头,赧然道:"我也不知道你们的仇恨会怎么样了结,我只想再见他一面。"

唐力冷冷道:"只要能再见他一面,你死也心甘情愿?"

凤娘用力咬着嘴唇,慢慢的点点头。

唐力眼睛里的表情更奇怪,也不知是仇恨?是悲伤?还是嫉妒?

千千看着他俩,眼睛里的表情也很奇怪。

她也在等着唐力的答复。

可是唐力什么话都没有说,用力系紧了腰边的革囊,戴上了鹿皮手套,脸色阴沉得就像是高山上的冷雾。

然后他就走了,连看都没有再看凤娘一眼。

唐猛却忽然回过头,道:"好,我答应你,一定让你再见他一面。"

他轻拍腰边的革囊,吃吃的笑道:"只不过,那时他是死是活,我就不能担保了。"

天色渐暗。

凤娘孤零零的站在西风里,痴痴的看着危崖上"非人间"那三个大字。

虽然是七月,山上的风却冷如刀刮。

唐家兄弟已转过危崖,他们是不是能找到无忌?

找到了之后又如何?

她虽然不会武功,可是她也知道唐家独门暗器的可怕。

唐力临走时的表情更可怕,何况还有这个残酷变态的疯子。

他们绝不会放过无忌的,等到再见无忌时,只怕已不在人间了。

凤娘慢慢的转过身,看着曲平,黯然道:"大风堂待你并不薄,你为什么要做这种事?"

曲平不开口。

千千冷笑道:"他根本就不是人,你何必跟他说人话?"

凤娘垂下头,已泪流满面。

千千看着她,眼睛里又露出刚才那种奇怪的表情,忽然道:"你真的是在替无忌担心?"

凤娘转过脸,吃惊的看着她,颤声道:"难道我还会替别人担心?"

千千道:"我并没别的意思,只不过……"

凤娘不让她说下去,道:"你应该知道,如果无忌死了,我也绝不会活下去。"

千千轻轻叹了口气,道:"如果无忌死了,还有谁能活得下去?"

她又盯着凤娘看了很久:"不管怎么样,你都是我的嫂子!"

凤娘道:"我活着是赵家的人,死了也是赵家的鬼。"

千千道:"那么,我想求你一件事。"

凤娘道:"什么事?"

千千道:"我靴子里有把刀,你拿出来。"

她靴子里果然有把刀,七寸长的刀锋,薄而锋利。

凤娘拔出了这把刀。

千千狠狠的瞪着曲平,道:"我要你替我杀了这个卑鄙无耻的小人。"

凤娘又吃了一惊,失声道:"你……你要我杀人?"

千千道:"我知道你没有杀过人,可是杀人并不难,你只要把这把刀往他心口上刺下去,只要一刀就够了。"

凤娘的脸色吓得惨白,握刀的手已经在发抖。

千千道:"如果你还是我的嫂子,就应该替我杀了他。"

凤娘道:"可是……可是他们万一回来了……"

千千道:"如果他们回来,你就连我也一起杀了,我宁死也不能让这个无耻的小人碰到我。"

凤娘不再流泪,却在流汗,冷汗。

千千连眼都红了,嘶声道:"你为什么还不动手? 难道你一定要让我被他们欺负?"

凤娘终于咬咬牙,一步步向曲平走了过去,用手里的刀,对准了他的心口。

她忽然觉得很奇怪。

这个卑鄙无耻的小人，本来应该很怕死的，可是现在他脸上却没有一点恐惧之色，反而显得很坦然。

只有问心无愧的人，才会有这种坦然的表情。

凤娘忍不住问道："你还有什么话要说？"

曲平终于开口："只有一句话。"

凤娘道："你说。"

曲平道："你定要想法子生堆火。"

凤娘奇："为什么要生火？"

曲平道："唐家的独门点穴手法，没有人能解，可是不管多恶毒的点穴手法，最多也只能维持一个对时，只要生堆火，你们就可以熬过去了。"

千千又在喊："你为什么还不动手？为什么要听他的废话？难道你看不出他这是在故意拖时间。"

这次凤娘却没有理她，又问曲平："难道他们不会回来了？"

曲平笑了笑，笑得仿佛很愉快："他们绝不会再活着回来了。"

就在他说这句话的时候，唐猛已经回来了！

夕阳残照，晚霞满天。

唐猛已攀过那片危崖，一步步向前走，夕阳正照在他脸上。

他脸上的表情奇特而诡异，仿佛愉快之极，又仿佛恐惧之极。

千千大喊："现在你还不动手，就来不及了。"

凤娘咬牙，一刀刺下。

就在她刀锋刺入曲平心口时，唐猛已扑面倒了下去。

就像是一根死木头般倒了下去。

凤娘怔住。

千千也怔住。

曲平却在笑，鲜血已经开始从他的心口上往外流，他笑得居然还是很愉快。

就在这里，危崖后又飞出条人影，凌空翻身，向他们扑了过来。

在夕阳最后一抹余光中,正好能看到他的脸,和那双毒蛇般的眼睛。

他眼睛里仿佛充满了怨毒和悔恨。

凤娘惊呼,放松了手里的刀,往后退,唐力整个人却已扑在曲平身上。

曲平却笑得更愉快。

唐力喘息着,狠狠的盯着他,嘶声道:"你好,你很好,想不到连我都上了你的当。"

他忽然看见曲平心口上的刀,立刻拔出来,狞笑道:"可惜你还是要死在我手里。"

曲平微笑道:"幸好我死而无憾。"

唐力手里的刀已准备刺下去,忽然回头看了凤娘一眼,脸上忽然又露出那种奇怪的表情。

就在这一瞬间,他脸上的表情忽然僵硬。

然后他的头就垂了下去。

他们回来了,却不是活着回来的。

曲平脸色惨白,鲜血已染红了他胸前的衣裳。

凤娘那一刀刺得并不太轻,只要再往前刺半寸,曲平现在也已是个死人。

想到这一点,凤娘的冷汗还没有干,又已开始流泪。

因为她已想到,她刚才要杀的这个人,很可能就是她们的救命恩人。

但她却还是想不通这究竟是怎么回事,她一定要曲平说出来。

曲平道:"唐力虽然不是唐家的嫡孙,武功是唐二先生的亲传——"

据说蜀中唐家的内部,一共分成十大部门,其中包括毒药的配方和提炼、暗器的图样和制造、解药的制做和保管;以及警卫附设、训练子弟、分配工作、巡逻出击。

这十大部门分别由唐家嫡系中的十位长老掌管,唐二先生就是这十位长老之一。

没有人知道他掌管的究竟是哪一个部门,只知道他冷酷骄傲,武功极高。

在唐门十大长老中,他出来行走江湖的次数最多,所以名气也最大。

江湖中人只要看见一个身穿蓝布袍、头缠白布巾、嘴里总是衔着根旱烟袋的老头子,不管他是不是唐二先生,都会远远的躲开。

不管是有意还是无意,只要是得罪了唐二先生的人,就绝不会再有一天好日子过。

曲平道:"唐二先生独身到老,收的徒弟也不多,这个唐力不但为唐家出了不少力,而且吃了不少苦,才能得到他的传授。"

凤娘心里在叹息,她知道唐力吃的是什么苦。

对一个男人来说,世上还有什么痛苦比被人阉割更不能忍受?

她的心一向很软,对于别人受到的伤害和痛苦,她也会同样觉得很难受。

曲平道:"我知道我们绝不是他们的对手,我……"

他垂下头,黯然道:"我的出身平凡,又没有得到过名师的传授,这几年来,我的杂务又太多,我连他三招都接不下来。"

凤娘立刻又觉得对他很同情,柔声道:"一个人武功好不好并不是最重要的,我们毕竟不是野兽,并不一定处处都要依靠暴力。"

曲平勉强笑了笑,目中充满感激,道:"我也看得出唐猛是个疯子,绝不能让你们落在他手里,所以我只有想法子带他们到这里来。"

凤娘道:"你知道他们一到了这里,就非死不可?"

曲平道:"上次我来找赵公子的时候,曾经亲眼看见三个武功远比他们还高的人,死在那片危崖下,我正想过去看他们的死因,就听见有人警告我,那里是禁地,妄入者死!"

他说得很简略,其实那天发生的事,直到现在他想起来还觉得心有余悸。

他知道的也远比说出来的多。

那天死在危崖下的三个人,都是成名已久,而且还归隐多年的剑客。

他们到这里来,是为了寻仇。

他们的仇家是个在传说中已死了很久的人,可是以曲平的推测,这个人现在一定还活着,就隐居在这片"非人间"的危崖后。

这个人的剑法,在三十年前就已纵横天下,现在想必更出神入化。

他既然不愿让别人知道他还活着,曲平为什么要泄漏他的秘密?

白人的隐私,本来就是件很不道德的事。

曲平已发誓绝不将这秘密说出来。

凤娘也没有再问,只轻轻的叹了口气道:"我知道你刚才心里一定很难受。"

曲平道:"为什么难受?"

凤娘道:"因为我们不但错怪了你,而且还要杀你。"

她握住了曲平的手:"我也知道你刚才为什么不解释,因为那时你就算说出来,我们也不会相信。"

千千忽然冷笑,道:"你怎么知道他现在说的就是真话?"

凤娘转过头,看着她,柔声道:"我不怪你,因为我知道你心里也跟我一样觉得对他很抱歉,也跟我一样难受,所以才会说出这种话。"

千千闭上了嘴,连眼睛都闭上。

夕阳已消逝,黑夜已渐渐笼罩大地,风更冷了。

曲平道:"现在你一定要想法子生堆火。"

凤娘仿佛在沉思,没有开口。

曲平道:"唐力的身上,说不定带着火种。"

凤娘好像根本没听见他在说什么,忽然站起来,道:"我要去看看,一定要去看看。"

曲平道:"到哪里看看? 看什么?"

凤娘边望着那一片在黑暗中看来宛如洪荒怪兽般的危崖,道:"那里既然有人,无忌说不定也在那里。"

她嘴里说着话,人已走了过去。

曲平失声道:"那里是禁地,你绝不能去!"

凤娘根本不理他。

看着她一步步朝那片"非人间"的危崖走过去,曲平的冷汗又湿透衣裳。

千千也急了,忍不住道:"那里真的是禁地,任何人进去都会死?"

曲平道:"嗯。"

千千道:"她是个女孩子,又不会武功,那里的人难道也会杀她?"

曲平道:"那里是非人间,怎么会有人?"

千千道:"既然那里没有人,她怎么会死?"

曲平道:"一个人到了非人间,又怎么能不死?……"

有　鬼

暗夜,荒山,非人间。

凤娘一步步走入黑暗中,终于完全被黑暗吞没。

曲平脸上虽然全无表情,眼睛里却有了泪光,就好像眼看着一个人掉下深不见底的万丈绝壑中,却偏偏没法子去拉他一把。

千千忽然问道:"你是不是在替她难受?"

曲平道:"嗯。"

千千道:"如果到那里去的是我,就一定不会有人觉得难受了,因为我只不过是个不知好歹、蛮横无理的女人,死活都不会有人放在心上。"

曲平不说话。

千千道:"但是她却又温柔,又漂亮,男人只要一看见她,就会喜欢她。"

她又在冷笑:"就连那个姓唐的都喜欢她,我看得出。"

曲平终于忍不住道:"别人喜欢她,只因为她心地善良,不管她长得有多美或者是难看都是一样!"

千千道:"对,她心地善良,我却心肠恶毒,又不会拉住人家的手,故意作出温柔体贴的样子,我……我……"

她的声音哽咽,眼泪已流下面颊。

其实她心里何尝不知道自己不应该说这种话的,她心里又何尝不难受?

她正在为自己这种莫名其妙的嫉妒悲伤时,忽然看见一个影子向她飞了过来。

一条淡淡的白色影子,仿佛是个人,一个很小的人。

如果这真是个人的影子,这个人一定是个小孩。

小孩怎么会飞?怎么会有这么快的速度?

她正在惊奇,忽然觉得腰下麻了一麻,一阵黑暗蒙住了她的眼。

她立刻觉得自己好像有十年没有睡过觉一样,仿佛要睡着了。

她真的睡着了。

窗外阳光灿烂。

灿烂的阳光从窗外照进来,照在一张明亮如镜的桌子上。

屋子里每样东西都跟这桌子一样,光亮洁净,一尘不染。

千千醒来时,就在这屋子里。

她明明是在一个黑暗、寒冷的荒山绝顶上,怎么会到了这里?

难道这是个梦?

这不是梦,她的确已醒了,完全清醒,她也看见了曲平。曲平本来是在看着她的,等到她看到他时,就避开了她的眼睛,去看窗台上一盆小小的花。

黄花已盛开。

凤娘那间总是收拾得一尘不染的屋子里,窗台上也有这么样一盆花。

这不是凤娘的屋子。

"凤娘呢?"

曲平没有回答,眼睛里却带着任何人都可以看得出的悲伤。

——我们怎么会到这里来的? 这里是什么地方?

千千没有问,这些事都已不重要。

她并没有忘记曲平说的话,也没有忘记唐猛临死前的表情。

她一定要去找凤娘,不管那地方是不是人间都一样。

但是她还没有去,凤娘就已经来了。

"我刚走过那片危崖,就看见一个小小的白影子朝我飞了过来,只听见一个人对我说:'你要找的人不在这里',然后我就好像忽然睡着了。"

"你醒来时就已到了这里?"千千问道。

凤娘点点头,眼睛里充满迷惘:"这里是什么地方?"

谁也不知道这里是什么地方。

不管这里是什么地方,都可以算是个好地方。

窗外是个小小的院子,灿烂的阳光正照在盛开的花朵上。

花丛外竹篱疏落,柴扉半掩,假山下的鱼池里养着十几条活活泼泼的鲤鱼,檐下鸟笼里的画眉正在吱吱喳喳的歌唱。

六间屋子三明三暗,布置得简朴而清雅,有书房,有饭厅,还有三间卧室,连床上的被褥都是崭新的。

厨房后的小屋里堆满了柴米,木架上挂满了香肠、腊肉、咸鱼、风鸡。

后面还有个菜园,青椒、豆角和一根根比小孩手臂还粗的大萝卜。

看来这里无疑是户很富足的山居人家,主人无疑是个退隐林下的风雅之士。

日常生活中所需要的东西,只要你能想得到的,这里样样俱全,一件不缺。

可是这里没有人。"主人也许出去了。"可是他们等了很久,还是没有看见主人的影子。

千千道:"住在非人间里面的,究竟是些什么人?"

曲平说的还是那句话:"既然是非人间,怎么会有人?"

现在连曲平自己都知道别人一定能看得出他在隐藏着什么秘密。

他已下了决心,不管怎么样,都绝不把这个秘密说出来。

因为无论谁知道了这个秘密都绝对不会有好处。

千千道:"他们是人也好,是鬼也好,既然是他们把我们送到这里来的,我们就可以在这里住下去。"

曲平道:"我们为什么要在这里住下去?"

凤娘道:"因为无忌虽然不在非人间,却一定还在这九华山里,我们只要有耐心,迟早总能听到他的消息!"

她一向很少发表意见,她的意见一向很少有人能反对。

曲平虽然很不想留在这里,也只有闭上了嘴。

卧房有三间,他们每个人都可以单独拥有一间,这地方简直就像是特地为他们准备的。

千千显得像孩子般高兴,她本来一直担心在山上找不到地方住,想不到却忽然凭空出现个这么样的地方。

这实在是件很好玩的事,简直就好像孩子们在玩"家家酒"。

就连凤娘都似已将心事抛开,道:"从今天起,烧菜煮饭是我的事。"

千千道:"我洗衣服洗碗。"

曲平也只有打起精神,道:"我去劈柴挑水。"

屋子左面的山坡后,就有道清泉,山坡上桃李盛开,已结了果实,李子微酸,桃子甜而多汁,正都是女孩子们的恩物。

一个人生活中所需要的一切,这里几乎都已经有了,只不过少了一样而已。

这里居然没有灯。

非但没有灯,连蜡烛、灯笼、火把、灯草、火刀、火镰、火石——任何一样可以取火照明的东西都没有。

这里原来的主人若不是睡得很早,就是晚上从不回来。

幸好灶里居然还留着火种,曲平燃着,凤娘蒸了些风鸡、腊肉,炒了一大盘新摘下的豆角,煮了一大锅白米饭。

千千用小碟子盛满油,将棉花搓成灯蕊,就算是灯了。

她得意的笑道:"这样我们至少总不会把饭吃到鼻子里去。"

凤娘道:"外面的风景这么美,如果我们能够有几盏那种用水晶做罩子的铜灯那就更美了。"

她一向是个很爱美的人。总觉得在这依山面水、满园鲜花的小屋里,能燃起这么样一盏灯,是件很有诗意的事。

可是她也知道在这种地方,是绝不会有这种灯的。

所以他们很早就睡了,准备第二天一大早去打听无忌的消息。

晚上凤娘在那个用碟子做成的小油灯下,写她那从无一日间断的日记时心里还在想着这种灯。

第二天她起得最早。

她一推开门,就看见了十盏这么样的灯,整整齐齐的摆在门口,一个个用水晶雕成的灯罩,在旭日下闪闪的发着光。

"这些灯是谁送来的?"

"他怎么知道你想要这样的灯?"

凤娘没法子回答。她看着这些灯,痴痴的发了半天呆,苦笑道:"其实我根本不想要这么多,只要每间屋子有一盏就够了,多了反而麻烦。"

然后他们就出门去寻找无忌,等他们回来的时候,十盏灯果然已只剩下五盏。

每个人都怔住,只觉得仿佛有股冷气从脚底直冒上来。

——是不是一直都有个人躲在这屋子里，偷听他们说的话？

他们嘴里虽然没说，心里却都在这么想。于是他们立刻开始找，把每个角落都找遍了，甚至连床底下、箱子里、屋梁上、灶洞下都找过，也看不到半个人影子。

千千手脚冰冷，忽然道："你们知不知道我想要什么？"

凤娘道："你想要什么？"

千千道："我想要个泥娃娃。"

她又问凤娘："你呢？今天你想要什么？"

凤娘道："泥娃娃容易摔破，我想要个布娃娃。"

曲平道："布做的也容易破，用木头雕成的岂非更好？"

千千说道："你是不是想要个木头娃娃？"

曲平道："我想要两个。"

这天晚上，他们睡觉之前，又将自己屋子里每个地方都找了一遍，确定了绝没有人躲着后，才锁好门窗、上床睡觉。

他们睡得都不好。

第二天早上，他们推开门，门外既没有泥娃娃，也没有木头娃娃。

门外只有一个布娃娃，好大好大的一个。

千千瞪着凤娘。

凤娘虽然也怔住了，却知道她心里在想什么。

——别人无论要什么，这个人都不重视，只有凤娘开口，他才会送来。

——难道他是凤娘的"朋友"？

——他究竟是个什么样的"朋友"？为什么不敢露面？

这件事凤娘自己也没有法子解释，因为她自己也想不通。

她在这里连一个认得的人都没有。

千千眼珠子转了转，忽然道："你做的菜我已经吃腻了，我想换换口味。"

凤娘道："你想吃什么？"

千千道："我想吃逸华斋的酱肘子和酱牛肉，还有狗不理的肉包子。"

这些都是京城里的名点。

逸华斋在西城，酱肉用的一锅老卤，据说已有两三百年没熄过火，他们卖出来的酱肉,只要一吃进嘴,就可以辨出滋味不同。

狗不理在陕西巷,包子做得也绝不是别家能比得上的。

京城距离这里远在千里之外,就算是飞鸟,也没法子在半天之间飞个来回。

凤娘知道千千这是故意在出难题,立刻道:"好极了,今天晚上我就想吃。"

千千还不放心:"你想吃什么?"

凤娘一字字道:"我想吃北京逸华斋的酱肘子和酱牛肉,还有狗不理的肉包子。"

他们又出去找了一整天,心里却在想着酱肉和肉包子。

那个人就算有天大的本事,也没法子赶到京城去把这些东西买回来的。

千千心里在冷笑:"我倒要看你以后还有没有脸再玩这种把戏?"

还没有日落,他们就匆匆赶了回去。

桌子上果然摆着一大盘酱肘子、一大盘酱牛肉;二十个包子还在冒着热气。

这还不稀奇。

稀奇的是:酱肉果然是逸华斋的风味,一吃就可以吃出来是用那一锅陈年老卤卤出来的,别的可以假,这一点却绝对假不了。

曲平也喜欢吃这种酱肉,可是现在吃在嘴里,却不知是什么滋味。

千千又在盯着凤娘冷笑道:"看来你这个朋友的本事倒不小。"

凤娘不怪她。

这件事实在太奇怪,本来就难免要让人怀疑的。

千千道:"你这位朋友是谁?既然来了,为什么不来跟我们一起吃顿饭?"

她故意作出笑得很愉快的样子,说道:"不管怎么样,这些东西都是他老远买来的……"

曲平忽然问道:"多远?"

千千道:"很远。"

曲平道:"你能不能在半天工夫里,赶到这么远的地方去买这些东西回来?"

千千道:"我不能。"

曲平道:"你想不想得出天下有什么人能在这半天工夫里,赶到京城去把这些东西买回来?"

千千道:"我想不出。"

曲平道:"我也想不出,因为世上根本就没有人能做得出这种事。"

千千道:"可是现在这些东西明明摆在桌子上。"

曲平叹了口气,道:"我只不过说没有'人'能做得出这种事。"

他特别强调这个"人"字。

千千忽然又觉得脚底心在发冷:"难道你是说这地方有鬼?"

鬼屋主人

鬼能够听得见你说话,不管你说得声音多么小,鬼都能听得见,你却听不见鬼说话。

鬼能够看见你,你的一举一动,鬼都能看得见,就算在黑暗中也能看得见,你却看不见鬼,就算鬼在你旁边,你也一样看不见。

鬼不用点灯。这屋子里什么都有,就是没有灯。

鬼可以在瞬息间来去千里,你却要骑着快马奔驰三天三夜才能跑一个来回。

凤娘的"朋友"难道不是人?是鬼?这屋子难道是间鬼屋?

夜,繁星。清澈的泉水在星光下看来就像是根纯银的带子。

凤娘沿着泉水慢慢的向前走。她睡不着,她心里很闷,不但闷,而且害怕,怕得要命。

她并不是怕鬼。如果那真是个鬼,既然对她这么好,她也用不着害怕的。

她从小就不怕鬼,她觉得有些人还比鬼更可怕。

不管是人是鬼,只要真心对她好,她都会同样感激。

她害怕,只因为她忽然想到了无忌。

虽然这世上真的有鬼魂,也只有无忌的鬼魂才会对她这么好。

难道无忌已死了？难道这个鬼就是无忌？

她不敢再想下去，也不敢在千千面前提起，她发觉她们之间已有了距离。

这也许只因为她们本来就不是亲密的朋友，她们之间的关系，只因为无忌才能联系。

千千本不了解她，也不信任她，人们如果不能互相了解，又怎么互相信任？

泉水的尽头，是个小小的水池。四面长满了巨大的针枞树和一些不知名的野花。

满天星光。

她忍不住蹲下去，用手掬水，池水还带着白天阳光的温度，又清凉，又温柔。

在她家乡的山坡后，也有这么样一个水池。

她小的时候常常在半夜里偷偷的溜到那里去游水。

她本来是个很顽皮的孩子，只不过一直在尽量约束自己。

现在她无意间想起了那欢乐的童年，那一段无拘无束、自由自在的日子。

她忍不住在心里问自己："如果时光能倒流，我会不会再做一个像现在这么样的人？"

她心里忽然有了种秘密的冲动。

一个人如果能暂时抛开一切，再重温童年时欢乐的旧梦，这种想法无论对谁来说，都是种不可抗拒的诱惑。

她的心在跳，越跳越快。

她实在已被约束得太久，也应该偶尔放松一下自己。

夜深人静，荒山寂寂，池水又是那么清凉，那么温柔。

她忍不住伸出一只微微颤抖的手，解开了一粒衣钮……

也许就因为童年那一段顽皮的生活，她发育得一向很好。

她的腿修长笔挺，乳房饱满结实，只不过因为很久没有晒过太阳，所以看起来显得有点苍白柔弱，却更衬出了她女性的柔媚。这正是一个少女最值得骄傲珍惜的,她从未让任何人侵犯过,甚至连她自己都很少去看。

她自己看了也会心跳。

她很快就滑入水里,让清凉的池水和童年的梦境将她拥抱。

就在这时候,她看到了一双眼睛。

一双发亮的眼睛,隐藏在茂密的野花和草木间,瞬也不瞬的盯着她,眼睛里充满了惊奇、喜悦和一种淫猥的赞赏。

她立刻觉得全身都已冰冷僵硬,用双手掩住了自己,沉入了水中。

等她再伸出头来呼吸时,这双眼睛还在盯着她,而且在吃吃的笑。

她没有叫。

她不敢把千千和曲平叫来,她只恨自己,为什么这样不小心。

其实她已经很小心的四面看过,在这静夜荒山,本不该有人来的。

这人忽然笑道:"你想不到这里会有人吧?"

凤娘闭着嘴。

她实在不知道应该怎么说,她只希望这人是个君子,能赶快走。

这个人却显然不是君子,非但连一点要走的意思都没有,反而从草丛中站了起来。

他是个很健壮的年轻人,穿着身浅黄色的紧身衣,看来矫健而有力。

凤娘的心沉了下去。

这种年轻人本来就精力充沛,无处发泄,怎么经得起诱惑?

看到她脸上的惊与恐惧,这人笑得更愉快:"我也想不到,我居然会有这么好的运气。"

幸好水很暗,他看不见躲在水面下的部分,可是他也在解自己的衣服。

难道他也要跳下来?

他还没有跳下来,凤娘的心已经快跳出来了,失声道:"不可以。"

这人故意眨了眨眼,道:"不可以怎么样?"

凤娘道:"你……你不可以下来。"

这人笑道:"这水池又不是你家的,我为什么不可以下去玩玩?"

他并不急着下水,就像是一只猫已经把老鼠抓住了,并不急着吞下去。

他还想逗逗她。

凤娘已经忍不住要叫起来了。

这人笑道："你叫吧,你就算叫破喉咙,也不会有人来的,这种地方只有鬼,没有人。"

他是想吓吓她,想不到却提醒了她。

她忽然想到了那个有求必应的鬼魂,立刻大声道："你知道我现在想要什么?"

这人道："是不是想要我?"

凤娘咬了咬牙,道："我只想要你变成瞎子。"

这句话刚说完,黑暗中忽然有寒光一闪,就像是闪电下击。

这人一双发亮的眼睛,立刻变成了两个血洞。

他好像还不知道这是怎么回事,愣了一愣后,脸上才露出恐惧之极的表情,才开始放声惨呼,抱着脸冲出去,却一头撞在树上,跌下去再也爬不起来。

凤娘也吓呆了。

刚才那道闪电般的寒光,忽然而来,又忽然而去了。

空山寂寂,不见人影,仿佛什么事都没有发生过。

可是那个人却已明明倒下,忽然间就真的变成瞎子。

凤娘不住放声大呼："我想看看你,你能不能让我看看你?"

空山寂寂,没有回应。

凤娘实在快吓疯了,不顾一切的跳起来,湿淋淋的穿上衣服,狂奔回去。

这一路上总算没有意外,她总算又奔回了那神秘的小屋。

虽然她又怕、又累,却还是不愿吵醒千千和曲平,等到自己的喘息稍微平静了些,才悄悄的推开门,回到自己的房间。

房里一片黑暗。

幸好她还记得火种在哪里,很快就燃起了灯,光明温暖的灯光,总会使人觉得安全。可是灯光一亮起,她就失声惊叫了起来。

她房里赫然有个人。

一个脸色惨白的素衣人,动也不动的坐在角落的椅子上,一双眼睛也是惨白色的,看不见眼珠,也看不见瞳仁。

这人竟然也是个瞎子。

千千和曲平也来了。

其实他们也没有睡，凤娘回来的时候，他们都知道。但他们却不知道这瞎子是什么时候来的，他们也吃了一惊。

千千失声道："你是什么人？"

这瞎子脸上全无表情，冷冷的反问："你是什么人？"

千千道："你到这里来干什么？"

瞎子道："你到这里来干什么？"

千千怒道："现在是我在问你！"

瞎子道："我也知道现在是你问我，只不过这话却是我应该问你。"

他冷冷的接着道："这是我的家，你们是什么人？到这里来干什么？"

千千说不出话来了。有时候她虽然很不讲理，可是这一次她却连一句强词夺理的话都没法子说出口。

她们实在连一点道理都没有。

她也相信这瞎子并没有说谎，像这么样一栋房子，当然绝不会没有主人。

这地方什么都有，就是没有灯，只因为这地方的主人是个瞎子。

瞎子当然用不着点灯。

曲平赔笑道："我们是到这里来游山的，只想暂时在这里借住几天！"

瞎子道："我不管你们是干什么的，只希望你们快走。"

曲平道："我们能不能多住几天？"

瞎子道："不能。"

曲平道："我们愿意出租金，不管你要多少都行。"

瞎子道："不管你出多少都不行。"

千千又火，大声道："难道你要我们现在就搬走？"

瞎子在考虑，终于说道："好，我再给你们一天，明天日落之前，你们一定要走。"

他慢慢的站起来，用一根白色的拐杖点地，慢慢的走了出去，嘴里仿佛在喃喃自语："其实你们还是快走的好，再不走，只怕就要有大难临头了!"

外面依旧一片黑暗。

瞎子一走出去,忽然就消失在黑暗里。

一个瞎子怎么会住到深山中来?怎么能将这地方收拾得这么干净?

曲平叹了口气,道:"这瞎子一定不是普通人,我们……"

千千冷笑道:"你是不是想劝我们快点走?"

曲平不否认。

千千道:"我们当然是要走的,反正这种鬼地方,我早就住不下去了!"

她在跟曲平说话,眼睛却盯着凤娘。

凤娘看起来就好像刚从水里捞起来。

一个人三更半夜跑出去干什么?怎么会掉到水里去?

凤娘自己也知道自己这样子难免要让人疑心,可是千千却连一句话都没有问。

不问比问更糟。

她知道她们之间距离已愈来愈远了。

夜更深。

凤娘本来以为自己一定睡不着的,想不到忽然就已睡着。

她睡得并不沉。

晕晕迷迷,她觉得自己身边仿佛多了样东西,这样东西竟仿佛是个人。

这个人睡在她旁边,身材仿佛很矮小,身上带着种很奇异的香气。

她想叫,却叫不出来,想动,也动不了。

这个人仿佛在抱着她,亲她的脸、亲她的嘴。

她又急,又怕,身体却起了种奇怪的反应,她想睁开眼睛看看这个人是谁?

是不是无忌?

她眼睛睁不开,随便怎么样用力都睁不开。

她仿佛听见这个人在说:"你是我的,除了我之外,任何人都不能碰你!"

声音明明在她耳边,却又仿佛很远。

这个人是不是无忌？听起来为什么不像是无忌的声音？

她忽然又睡着了,醒来时一身冷汗。

她是被一阵敲门声惊醒的,当然是曲平去开门。

敲门的居然又是昨天晚上那瞎子,曲平很意外！

"你是不是又来催我们搬走？"

更意外的是,瞎子居然摇摇头,道："你们不必搬走了。"

这瞎子主意变得好快。

曲平几乎不相信,道："你是说,我们又可以住下去了？"

瞎子道："随便你们喜欢住多久,就可以住多久。"

曲平忍不住问："你为什么忽然改变了主意？"

瞎子道："因这房子也不是我的。"

曲平道："这房子的主人是谁？"

瞎子道："是个朋友的。"

曲平道："朋友？谁的朋友？"

瞎子不回答。

但是曲平已想到了那些用水晶做罩子的灯和逸华斋的酱肉。

曲平觉得呼吸间有点冷,却还是不能不问："那位朋友答应我们留下来？"

瞎子道："他有条件。"

曲平道："什么条件？"

瞎子道："今天晚上他要来吃饭。"

曲平怔住。

这条件他实在不敢答应,却又不能不答应。

不管怎么样,你住了人家的房子,人家要来吃顿饭,总不能算是苛求。

问题只有一点。

那位"朋友",究竟是个什么样的朋友？

曲平还在犹豫,千千已经冲出来："他要吃什么？"

瞎子道："随便吃什么都行,他知道你们这里有位卫姑娘,能烧一手好菜。"

黄昏。

凤娘在准备晚饭的菜。

凤鸡、腊肉、香肠都已经上了蒸锅,咸鱼是准备用油煎的。

刚拔下来的萝卜可以做汤,虽然没有鲜肉排骨,用咸鱼肉烧起来也一样很鲜。还有两条刚从池里捞出来的鲤鱼,她本来是想做汤的,可是后来想一想,还是清蒸的好。

鲜鱼如果烧得太久,就会失去鲜嫩,不鲜不嫩的鲤鱼,就好像木头一样索然无味。

如果是鲫鱼,她就会用来做汤了。

配菜也是种学问。

一些并不太好的菜料,在一个很会做菜的人手里,就好像一把并不太好的剑,握在一个很会用剑人的手里一样。

对于这一点,凤娘很有把握。

但是她炒菜的时候,心里却一直很不安定。

——这屋子的主人,究竟是个什么样的人?

——究竟是"人"? 还是鬼魂?

——他是不是无忌?

——如果不是无忌,会是谁,为什么对她这样好? 只要她说出口,总是有求必应。

凤娘在洗豆荚。

用紫红色的香肠炒青绿色的豆荚,也是样色、香、味俱全的好菜。

千千在切香肠,忽然回过头,盯着她,问道:"你是不是我的嫂子?"

凤娘心里在叹息!

虽然她觉得千千不应该问她这句话的,她却不能不回答:"我永远都是你的嫂子!"

千千道:"那么你就应该告诉我,今天晚上要来吃饭的人是谁!"

凤娘道:"我怎么会知道他是谁?"

千千用力切下一片香肠,板着脸道:"你怎么会不知道,难道他不是你的朋友？"

凤娘闭上眼睛，生怕自己流下泪来，纵然她有泪，也只能在腹中流。

她又想到了昨天晚上那个绝不可能向任何人诉说的噩梦。

那奇异的香气，那灼热的嘴——

他究竟是不是无忌？

如不是无忌，为什么要这样子对她？

凤娘的手虽然没在冷水中，却还是不由自主的在发抖。

就在这时候，她听见外面有人在说话，正是那瞎子的声音："你们的客人，已经来了。"

凤娘在炒豆荚，用已经切成片的香肠炒，她平生第一次炒菜忘了放盐。

她心里一直想着那位已经坐在前厅里的"客人"——他应该算是客人？还是主人？她只希望能快点炒好这最后一样菜，好到前面去看看他。

他究竟是个什么样的人，怎么会有那种神奇的力量，能做到别人做不到的事？

她做梦也想不到这位神秘的客人，只不过是个小孩子。

贵　客

这小孩高坐在上位，并没有一点不安的样子，就好像久已习惯了受人尊敬。他身上穿着的是件雪白的衣裳，质料高贵，一尘不染。他的态度也很高贵，苍白的脸上带着种王侯般的严肃表情。

这种苍白的脸色，和这种冷淡严肃的表情，好像已成了贵族们特有的标布。虽然他在尽量做出大人的样子，可是年纪却很小，最多也不过十二三岁。

看到凤娘走进来的时候，他严肃冷淡的脸上，忽然起了种奇怪的变化，眼睛也露出灼热的光。

曲平正在为他们引见——"这位就是我们的贵客雷公子，这位就是能烧一手好菜的卫姑娘！"

这小孩好像根本没有听见他在说什么，一双灼热的眼睛始终盯在凤娘脸上。

如果是个大男人这样盯着个女孩子看，无疑是件很失礼的事。他却只不过是个小孩子。

凤娘虽然觉得很惊奇，很意外，心里的负担却减轻了。

昨天晚上那个人，当然绝不会是这个小孩，那也许只不过是个梦而已，又荒唐，又可怕的梦。

想到那个梦，她的脸又有些红，等到她发现菜里没有放盐的时候，脸就更红。

可是这位小贵客却好像对这道菜很感兴趣，因为别的菜他几乎连碰都没有碰。

他吃得很少，说得很少。事实上，他根本连一句话都没有说，这屋里的人除了凤娘之外，在他眼中看来简直都像是死人一样，他连看都没有看他们一眼。

他的眼睛一直没有离开过凤娘。虽然他只不过是个小孩子，凤娘还是被他看得有点难为情。

千千看着他们的眼神，也让她觉得很不好受。幸好这位贵客已经站起来，好像已准备要走，这顿可怕的晚宴总算已将结束。凤娘心里舒了一口气，这小孩子却忽然道："你陪我出去走走。"

他想要做什么，就做什么，竟全不顾别人对他的想法。

他认为自己说出来的话就是命令，绝对不容人违抗。

凤娘实在不知道怎么办才好，只希望千千能帮她说句话，千千却显然已决心不管他们的事。

这小孩还在看着她，等着她的答复，眼神中带着种热切的盼望。

凤娘在心里叹了一口气，终于答应："好，我陪你出去走走！"

她也像无忌 样，从来不忍拒绝别人的要求，何况他毕竟是个孩子。

一个十二三岁孩子，能对她怎么样？

夜，繁星。

他们沿着银带般的泉水往上走，走了很久都没有开口。

"这孩子实在很特别,很奇怪。"

凤娘实在猜不透他心里在想些什么? 有时他看起来还很小,有时看起来又比他实际的年龄要大得多。

又走了一段路,又快走到泉水源头处那个水池了。

凤娘忍不住道:"我们不要往上面走了,好不好?"

小孩道:"为什么?"

凤娘说不出,也不敢说,昨天晚上的事,直到现在还让她心跳、害怕。

小孩盯着她,忽然道:"你用不着害怕,昨天晚上那个人,已经不在那里。"

凤娘吃了一惊:"你说是哪个人?"

小孩道:"就是那个忽然变成了瞎子的人。"

凤娘更吃惊:"你怎么会知道?"

小孩笑了笑,说道:"我怎么会不知道?"

他的笑容看来仿佛很神秘,又很得意。

凤娘吃惊的看着他,试探着问道:"难道是你?"

小孩道:"当然是我。"

凤娘问道:"是你刺瞎了那个人的眼睛?"

小孩淡淡道:"他是我们一个仇家派来找我们的人,我本来就不会放过他的,何况,他又对你那样无礼。"

他的表情又显得很严肃道:"只要有我在,就没有人能欺负你。"

凤娘又惊讶、又感激:"那些水晶灯也是你送去给我的?"

小孩点点头,道:"逸华斋的酱肘子也是我送去的。"

凤娘又盯着他看了很久,先叹了口气,然后又笑了:"我怎么看不出你有那么大的本事?"

小孩傲然道:"我的本事比你想像中还要大得多。"

凤娘忽然觉得,他不但神秘。而且有趣极了,道:"那些酱肘子,你是怎么弄来的?"

小孩道:"你不必管我用的是什么法子,只要你说出来的事,我就能够替你做到。"

凤娘又感激,又高兴。

这孩子对她实在很好,有这么一个神奇的小孩做她的保护人,实在是件很有趣的事。

她忍不住要问:"你能不能告诉我,你叫什么名字?"

小孩道:"我的名字就叫雷,雷电的雷。"

凤娘道:"那么你的姓呢?"

小孩脸上忽然露出很悲伤的表情,冷冷的道:"我没有姓。"

他为什么会没有姓?

难道他竟是个无父无母的孤儿,一生都不知道自己的姓氏么?

凤娘心里立刻充满了怜悯的同情,只觉得自己也应该像这孩子母亲一样来保护这孩子。

她轻轻的拉起了小孩的手,柔声道:"那么,我以后就叫你小雷。"

他的手心忽然变得滚烫,用力握住她的手,喃喃地说道:"你是我的,你是我的……"

也不知是因为他那滚烫的手心,还是那双灼热的眼睛,她竟然觉得自己的心在跳。

她告诉自己:"他只不过是个孩子。"

可是他的手,他的眼睛,都已不像是个孩子。

她想挣脱他的手,又怕伤他的心,只有叹声道:"我知道你的意思,我愿意做你的大姐姐。"

小雷道:"你不是我的姐姐。"

凤娘道:"我不是?"

小雷道:"难道你不知道你是我的人了? 自从昨天晚上之后,你就已经是我的人了。"

凤娘的心又几乎要跳出了脖子,失声道:"昨天晚上是你?"

小雷点点头,道:"你全身上下,每一个地方我都看过,每一个地方我都……我都……"

他的手心更热,把凤娘的手握得更紧。如果是千千,现在早已摔脱他的手,一个耳光打过去。

凤娘不是千千。

凤娘是个温柔而善良的女人,正是中国典型女人的化身。

她很不忍伤任何人的心。

他只不过是个孩子,这只不过是种孩子气的冲动,因为他太孤独,太寂寞,太需要别人的爱。

她希望她能让他冷静下来:"你做的事,我都可以原谅你,只要你以后记得千万不要再那样子做了。因为我已经是有了丈夫的女人。"

小雷却用力摇头,大声道:"我知道你没有丈夫,你那个还没有成婚的丈夫赵无忌已经死了,现在我已经是你的丈夫,除了我之外,谁也不能碰你。"

他忽然紧紧的抱住了她,就像昨天晚上一样,亲她的脸、亲她的嘴。

她完全混乱了。

一种母性的温柔,使得她不忍伤害这孩子,不忍去推他。

何况她要推也推不开。

另一种女性的本能,却使她身体自然有了种奇妙的反应。

她全身也开始发热,发抖,而对方却只不过是个孩子。

她简直不知道应该怎么办才好。

就在这时候,小雷忽然从她身上凭空飞起,就像是背后有根绳子忽然被人提了起来的木偶。

是不是真的有人把他提了起来?

凤娘没有看清楚。

她只看见了一灰白色的影子,在她眼前一闪而过,就消失在黑暗中。

小雷也跟着这影子消失。

一切又都已过去,仿佛什么都没有发生过——凤娘是不是也能把它当做什么事都没有发生过?

面对着寂寞的空山,闪动的星光,她忽然觉得有种说不出的悲伤涌上心头,却不知是为了这样的遭遇?还是为了无忌的消息?

难道无忌真的忍心就这样离她而去,连最后一面都不让她再见着?

无忌当然不愿死,更不想死。

但是死亡就正如世上所有不幸的事一样,通常都令人无可奈何,身不由主的。

凤娘决心不再哭。

要哭,也要等到看见无忌时再哭。

不管他是死也好,是活也好,等她看见他时,她都要大哭一场。

那么现在又何必哭? 现在她就算哭死也没有用。

她擦干眼泪,站起来,忽然发现有个人正站在她面前冷冷的看着她。

这个人当然不能用眼睛看她,因为这个人就是昨天晚上的那个瞎子。

可是这个人却偏偏像是在看着她,用那双看不见的眼睛看着她,忽然问道:"你想不想再见赵无忌?"

凤娘一颗心立刻拎起:"你知道他在哪里?"

"你跟我来。"瞎子转过身,那根白色的拐杖点地,慢慢的向前走。

凤娘想也不想,就跟着他走。瞎子穿过一片密林,又来到那泉水尽头的小水池旁。

"就在这里?"

"是的!"

小池边却没有人,只有一口棺材,崭新的,漆黑的棺材。难道无忌就在棺材里?

棺材是空的。

"无忌呢?"

"你想见无忌,就睡下去。"

"睡进棺材去?"

"是的。"

活人为什么要睡到棺材去? 是不是因为别人已将她当作个死人? 瞎子脸上全无表情,谁也看不出他心里在打什么主意。可是只要是能见到无忌,就算要她死,她也是心甘情愿的!

她睡了下去,睡进棺材里。

活　　埋

棺材的盖子已经盖了起来,接着,棺材就被抬起。

这瞎子难道准备把她活埋?

凤娘还是很清醒的,恐惧总是能令人清醒。她感觉到抬棺材的绝不止一个人,因为棺材抬得很平稳,走得很快。

开始的时候,他们走的路还很平坦,然后就渐渐陡峭。

虽然躺在棺材里,她还是可以感觉到愈来愈冷,显见他们是在往上走,走了很长的一段路,算来已经接近山顶。

但是他们并没有停下来,走的路却更奇怪,有时向上,有时很直,有时很曲折。

听他们脚步的声音,有时仿佛走在砂石上,有时却是在坚硬的石块上。

外面的气温忽又转变,变得很温暖,仿佛走入了一个岩洞里。

又走了一段路,外面忽然传来几声奇怪的响声,仿佛岩石在磨擦,又仿佛绞盘在转动。

棺材虽然盖得很严密,却还是有通风的地方,她忽然嗅到了一种芬芳扑鼻的香气。

这时候棺材已被轻轻的放下,好像是放在一片柔软的草地上。

如果他们准备活埋她,为什么要走这么一段路,选在这里?

这里究竟是什么地方?

四下很安静,听不到一点声音。

她躺在墨黑的棺材里等了很久,外面还是没有动静,她敲了敲棺盖,也没有回应。

把棺材抬来的人放下她之后,就似已悄悄的退出去。

她又等了半天,终于忍不住把棺材的盖子抬起,外面果然没有人,连那瞎子都不见了。

她用力移动棺材,坐了起来,就发现自己仿佛已进入了一个神话中的梦境里。

就算这不是梦,这地方也绝非人间。

这是个用大理石砌成的屋子,四面挂满了绣满金红的大红锦缎,门上挂着织锦的门帏。

在屋子的正面,有一个仿佛是天然洞穴一样的神龛,里面却没有供奉任何菩萨和神祇,只摆着一柄剑。

剑身很长,形式很古雅,绝没有用一点珠宝来装饰。和四面的华丽显得有点不相衬。

难道这柄剑就是这地方主人信奉的神祇?

屋子里灯火辉煌,灯火是从许多盏形样奇巧的波斯水晶灯中照射出来的。

几上的金炉中散发出一阵阵芬芳扑鼻的香气,地下铺着很厚的波斯地毡,花式如锦绣,一脚踩下去,就像踩在春天柔软的草地上。

凤娘虽然也生长在富贵人家,却从来也没有看见过这么奢侈的地方。

惊奇使得她几乎连恐惧都忘了,她一面看,一面走,忽然发出了一声惊叫。

她又碰到了一口棺材。

一口用古铜铸成的棺材,一个人笔笔直直的躺在棺材里,双手交叉,摆在胸口,雪白的衣裳一尘不染,惨白枯槁的脸上更是连一点血色都没有,看来已死了很久。

她是被人用棺材抬进来的,这里居然另外还有口棺材。

难道这地方只不过是个华丽的坟墓?

凤娘只觉得手脚冰冷,一种出于本能的反应,使得她想找样东西来保护自己。

她想到了那柄剑。

她转身冲过去,手指还没触及剑柄,忽然听到一个人说:"那柄剑碰不得!"

声音既冰冷又生涩,赫然竟像是从那口古铜棺材里传出来的。

凤娘吓得全身都已僵硬,过了很久,又忍不住回头去看。

棺材里那个死人竟已站了起来,正在用一双水晶灯般闪烁光亮的眼睛看着她,一字字道:"除我之外,天下没有人能动那柄剑!"

他的声音中带着种令人绝不能相信的慑人之力:"谁动,谁就死!"

凤娘道:"你……"

这人说道:"我不是死人,也不是僵尸。"

他声音里又露出尖锐的讥讽:"有很多人,都认为我已经死了,可惜我还没有死。"

凤娘舒了口气,忍不住问道:"这地方是你的?"

这人道:"你看这地方怎么样?"

凤娘喃喃道:"我不知道,我简直不知道应该怎么说。"

想了想,又道:"我也没有到皇宫去过,可是我相信这个地方一定是比皇宫更漂亮。"

这人忽然冷笑道:"皇宫?皇宫算什么?"

皇宫的华丽、帝王的尊贵,在他眼里看来,竟算不了什么。

凤娘忽然鼓起勇气,道:"我有句话要问你,不知道你肯不肯告诉我。"

这人道:"你问。"

凤娘道:"你究竟是什么人?"

这人沉默着,慢慢的转过身,去看挂在棺材外面的一副对联!

"安忍不动如大动,

静虑深思似秘藏。"

凤娘反复看了几遍,苦笑道:"我看不懂。"

这人道:"这是地藏十轮经上的两句经文,地藏菩萨因此而得名。"

凤娘吃惊的看着他,道:"难道你就是地藏菩萨?"

这人缓缓道:"这两句话虽然是佛经上的,但是也包含着剑法中的真义。"

他的眼睛更亮:"普天之下,能懂得这其中真义的,只有我一个人。"

凤娘还在等着他回答刚才的问题。

这人又道:"这里就是地藏的得道处,他虽然得道却决不成佛,而是常现身地狱中。"

他的目光忽又黯淡:"这二十年来,我过的日子,又何尝不像是在地狱中?"

凤娘道:"那么你……"

这人终于回答了她的问题:"我不是菩萨,但是我的名字就叫地藏,其他的你都不必知道,知道了对你没有好处。"

凤娘不敢再问了。

她已看出这人一定有段极悲惨的往事,他的身世来历一定是个很大的秘密。

这人仿佛已经很久没有说过这么多的话了,仿佛忽然觉得很疲倦。

凤娘正想问他:"是不是你要那瞎子送我来的? 无忌的人在哪里?"

他却又躺入棺材,闭上眼睛,双手交叉,摆在胸口,连动都不动了。

凤娘不敢惊动他。

——别人需要休息睡眠的时候,她从没有因为任何原因去惊动过任何人。

她坐下来,眼睛看着这屋里两扇挂着织锦帘帷的门。

她很想出去外面看看,可是,这是别人的家。

——她从来没有在别人家里随便走动过,不管是谁的家都一样。

她当然也不能就像这么样坐在这里等一辈子。

幸好瞎子又出现了。

他掀起那织锦门帷走进来,只说了一个字:"请。"

这个字就像是某种神奇的魔咒,让凤娘不能不跟着他走。

门后是另一个梦境,除了同样华丽的布置外,还多了一张床。

瞎子道:"从今天起,这间房就是你的,你累,可睡在这里,你饿了,只要摇一摇放在床头的这个铃。随便你想吃什么,都立刻有人送给你。"

他说的就像是神话。

每个人都难免有好奇心,凤娘忍不住问:"随便我要吃什么?"

她想到了逸华斋:"如果我想吃逸华斋的酱肘子呢!"

瞎子用事实回答了她的话,他出去吩咐了一声,片刻后她要的东西就送来了。

凤娘不能相信:"这真是从京城逸华斋买来的?"

瞎子道:"逸华斋的酱肘子,已经不是真的,他们那个铁锅和原汁,已经被我用九千两银子买来了。"

凤娘道:"狗不理的包子呢?"

瞎子道:"在那里做包子的大师傅,多年前就已在我们的厨房里。"

听起来这也像是神话,却绝对不是谎话,这至少解释很多本来无法解释的事。

凤娘道:"我并不想知道狗不理的大师傅在哪里,我只想知道无忌在哪里?"

瞎子道:"等到你应该知道的时候,你就会知道的。"

他死灰色的眼睛里一片空茫,也不知隐藏了多少秘密。

凤娘没有再问。

她是个很懂事的女人,她知道世上很多事都是这样子的,都要等待时机。

如果时机未到,着急也没有用。

但是她却可以问:"你为什么要花九千两银子去买个铁锅?"

瞎子道:"我买的不是铁锅,是那一锅陈年的卤汁。"

凤娘道:"我知道那锅汁很了不起,据说就算把一根木头放下去卤,吃起来也很有味道。"

瞎子淡淡道:"我们卤的不是木头,是肉。"

凤娘道:"你花了九千两银子,为的就是要买那锅汁来卤肉?"

瞎子道:"是的。"

如果是千千,她一定会问:"你们是不是想开家酱肉店,抢逸华斋的生意?"

凤娘不是千千,所以她只问:"为什么?"

瞎子道:"因为我的主人随时可能想吃。"

凤娘道:"你为什么不去买?"

瞎子道:"因为就算是骑最快的马,昼夜不停的奔驰,也要二三十个时辰才能买得回来。"

凤娘道:"你试过?"

瞎子道:"只试过一次。"

凤娘道:"那一次你就连那锅卤汁也买回来了?"

瞎子道:"是的。"

凤娘道:"只要是你主人想吃的,你随时都有准备?"

瞎子道:"是的。"

凤娘道:"如果他想吃……"

瞎子冷冷道:"如果他想吃我的鼻子,我立刻就会割下来,送到他面前去。"

凤娘说不出话了。

瞎子道:"你还有什么事要问?"

凤娘终于叹了口气,道:"其实我并不是真的想问这些事。"

瞎子道:"我知道你真正想问的是什么。"

凤娘道:"你知道?"

瞎子道:"你想问我,他究竟是谁?怎么会有这么大的权力?"

凤娘不能否认。

她忽然发现瞎子虽然连眼珠都没有,却能看透她的心。

瞎子道:"你是个很有教养的女人,很温柔,很懂事,从来不会说让人讨厌的话,更不会做让人讨厌的事,为了别人你宁可委屈自己。"

他居然也叹了口气,又道:"像你这样的女人,现在已经不太多了。"

这本来是句恭维赞美的话,可是他的口气中却带着种说不出的悲伤惋惜。

他那双什么都看不见的眼睛里,仿佛已看到了她本来的不幸。

这瞎子第二次进来的时候,已经是两天之后了。

凤娘并不能确信是不是真的过了两天,这地方无疑是在山腹里,根本分不出昼夜。

她只知道屋角那铜壶滴漏,已经漏出了二十几个时辰。

她觉得很衰弱。

因为她没有吃过一粒米、一滴水。

虽然她知道只要摇一摇床头的铃,就可以得到她所想要的任何饮食。

可是她没有碰过那个铃,这屋里任何一样东西她都没有碰过。

虽然门没有锁,她只要掀开那织锦的帷帘,就可以走出去。

可是她宁可待在这里。

因为她从来不愿做她明明知道做了也没有用的事。

虽然她很温柔,很懂事,很能够委屈自己,可是她不愿做的事,也从来没有人能勉强她去做。

瞎子仿佛又在"看"着她,可是这一次他也看不透她了。

凤娘对他还是很温柔,很有礼,一看见他就站起来,道:"请坐。"

瞎子没有坐,却掀起了门帷,道:"请。"

凤娘并没有问他这次准备带她到哪里去,对任何事她好像都已准备逆来顺受。

她走出这扇门,就看见那个自称为"地藏"的白衣人已在厅里等着她。

桌上摆满了丰富的酒菜,两个石像般伺候在桌旁的饱宝奴,手里托着个很大的金盘,堆满了颜色鲜艳、成熟、多汁的水果,有并州的梨、莱阳的枣、哈密的瓜、北京的石榴、南丰的蜜橘、海南岛上的香蕉和菠萝蜜。

他坐在饭桌旁,虽然没有站起来,态度却显得很和气,就连那双眼睛中利刃般闪动的光芒,都已变得温和起来。

在这一刻间,他看来已不再是诡异的僵尸,而是个讲究饮食的主人。

他对面还有张铺着银狐皮垫的椅子,虽然是夏日,在这阴寒潮湿的地底,还是很需要的。

他说:"请坐。"

凤娘坐下来。

摆在她面前的晚餐是她生平从未见过的丰盛菜肴。

白衣人凝视着她,缓缓道:"你是个很奇怪的人,无论谁在你这种情况下,都一定不会像你这么样做的。"

凤娘笑了笑,道:"其实我什么事都没有做。"

白衣人道:"你也什么都没有吃。"

他慢慢的接着道:"一个人如果不想吃,谁都不能勉强他,也无法勉强他。"

凤娘道:"我也是这么想。"

白衣人道:"如果我告诉你一件事,不知道你会不会改变主意?"

凤娘等着他说出来。

白衣人道:"赵无忌并没有死,你迟早一定可以看见他的。"

凤娘尽量控制自己,在饭桌上显得太兴奋激动,是件很失礼的事。

白衣人道:"我保证一定让你们相见,我一生中从未失信。"

凤娘什么话都没有再说,什么话都没有再问。

她举起了筷子。

白衣人也像小雷一样，吃得非常少。

凤娘吃得也不多。

一个已经饿了两天的人，骤然面对这么样一桌丰盛的酒菜，本不该有她这么样优雅和风度。

她却是例外。

因为她自己知道自己根本没有力量反抗别人，只有用她的意志。

她无论做什么事，都尽量克制自己。

白衣人看着她，目中带着赞赏之色，缓缓道："你应该看得出我是个很好吃的人，但是我却不能吃得太多，而且时时刻刻都需要休息。"

他语声停顿，仿佛在等着凤娘问他原因。

凤娘果然适时问道："为什么？"

白衣人道："因为我中了毒。"

凤娘动容道："你几时中了毒？"

白衣人道："几乎已经快二十年。"

他的神情忽然变得悲愤而沮丧："那实在是种很可怕的毒，这二十年来，时时刻刻都在纠缠着，每年我都要去求一次解药，才能保住我的生命，只不过我还是不能太劳累，更不能妄动真力，否则毒性一发作，连那种解药也无能为力。"

无论谁都可以看出他是个多么骄傲的人，现在居然对凤娘说出了他不幸的遭遇。

这使得凤娘不但同情，而且感激，柔声道："我想，这些年来你一定受了不少苦。"

白衣人居然避开了她的目光，过了半晌，忽又冷笑道："那解药并不是我去求来的，而是凭我的本事去换来的，否则我宁死也不会去求他。"

凤娘虽然不知道他和萧东楼之间的恩怨，却绝不怀疑他说的话。

白衣人目中又射出精光，道："昔年我一剑纵横，杀人无数，仇家遍布天下，就是跟我没有仇的人，也一心想要我的头颅，因为无论谁杀了我，立刻就可以用我的血，染红他的名字。"

他又在冷笑，道："只可惜我绝不会让他们称心如愿的。"

凤娘现在终于明白，他时时刻刻都像死人般的僵卧不动，并不是为了吓人，而是生怕毒性会忽然发作。

他像死人般住在地下，以棺材为起居处，也并不是在故弄诡秘玄虚，而是为了躲避仇家的追踪。

她忽然觉得这人一点都不可怕了，非但不可怕，而且很可怜。

因为他虽然没有死，却已等于被活埋了。

第五回　辣　椒　巷

凤娘的自由

酒也有很多种。

有一种颜色红得像血一样的,是波斯进贡的葡萄酒。

盛在水晶夜光杯里更美,一种神秘而凄艳的美。

白衣人浅浅啜了一口,惨白的脸上仿佛也有了种神秘而凄艳的红晕。

他慢慢的接着道:"我的行踪虽然很秘密,可是近年来好像也渐渐泄漏了出去,我昔年仇家的门人子弟,已有人到九华山来寻找我的下落。"

他故意不看凤娘:"那天被雷仔除去的那一个人,就是我一个极厉害的仇家门下。"

凤娘垂下头,尽量不去想那个奇怪的孩子,不去想那天晚上的事。

她已看出了他和这白衣人间的关系。

白衣人道:"我虽不怕他们,可是我的毒随时都可能发作,那时我就难免要死在他们的手里。"

他脸上的红晕渐渐消退,终于又转脸凝视凤娘,道:"只要我一旦死了,跟随我的人,也必死无疑,而且可能死得很惨。"

凤娘没有开口。她实在不知道应该说什么,他本不该把这些事告诉她的。

白衣人道:"我告诉你这些事,只因为我……我想要你在这里陪着我。"

他忽然说出这句话来,凤娘也吃了一惊。

白衣人道:"这些年来,我一直很寂寞,从来没有找到过一个合适的人能够陪我说说话。"

像凤娘这样的女人世上的确已不多。

　　白衣人道："可是我对你并没有别的意思，你应该看得出我已是个废人。"

　　他虽然也在尽量控制着自己，可是一种谁也无法控制的痛苦和悲伤，已经从他那双冷酷无情的眼睛里露了出来。

　　凤娘没有让他再说下去，忽然道："我答应你。"

　　白衣人仿佛也吃了一惊，道："你……你答应我？"

　　凤娘道："我可以留在这里陪你。"

　　现在她还不能见到无忌，不管为了什么原因，这都是无法改变的事实。

　　她相信千千和曲平都一定能照顾自己，绝不会为她伤心的。

　　她觉得自己现在惟一能做的事，就是让这个又骄傲，又痛苦，又可怕，又可怜的人，过几天比较快乐的日子。

　　白衣人脸上又泛起了那种红晕，道："我并不勉强你。"

　　凤娘道："这是我自己愿意的，我不愿做的事，谁也不能勉强我。"

　　白衣人道："可是你……"

　　凤娘道："我只希望你也能答应我一件事。"

　　白衣人道："你说。"

　　凤娘道："只要一有了无忌的消息，你就要让我走。"

　　白衣人道："你没有别的条件？"

　　凤娘道："如果你还要答应我别的条件，你……你就是在侮辱我。"

　　白衣人看着她，惨白的脸上忽然发出了光，就像是一棵枯萎的树木忽然又有了生机。

　　对某种人来说，"赐予"远比"夺取"更幸福快乐。

　　凤娘无疑就是这种人。

　　瞎子远远的站在一旁，那双看不见的眼睛里，却又仿佛看到某种悲哀和不幸。

　　到了这里之后，凤娘也没有中断她每天写日记的习惯。

　　她是根据一个精确的"滴漏"来计算日期的，每个月相差不会在半个时辰以上。

那时的历法，每年只有三百六十天。

地底的生活，单纯而平淡，只要选出其中三天的记载，就可以明白她在那几个月之间的遭遇和经历了。

这三天，当然是特别重要的三天，有很多足以改变一个人一生命运的事，就是在这三天中发生的事。

这些事有的幸运，有的不幸。

第一件不幸的事，发生在九月二十三日。

九月二十三日，晴。

在这里虽然看不到天气的阴晴，我却知道今天一定是晴天。

因为那位瞎先生出去的时候，衣服穿得很单薄，回来时身上和脚底都是干的。

他出去，是为了去找小雷。

小雷出走了。

我在这里一直都没有看见过他，"地藏"好像在故意避免让我们相会。

"地藏"实在是个怪人，小雷也实在是个奇怪的孩子。

其实他们的心地都很善良。

尤其是小雷，我从来没有恨过他，他那样对我，也许只因为他从来没有得到过母爱——也许我长得像他母亲。

在孩子们心目中，母亲永远都是天下最温柔美丽的女人。

可是他为什么要出走呢？

我想问"地藏"，他的脾气却忽然变得很暴躁，对我也比平常凶恶。

我也不怪他，我知道他是在为小雷的出走而生气、伤心。

他对小雷的期望很高。

他们在找小雷的时候，我又发现了一件怪事。

这地方一共间隔成了十六间房，后面还有个石门，平时总是关着的，我猜那一定是"地藏"一个秘密的宝库。

今天他们什么地方都去找过，却没有到那里去，难道他们认为小雷绝不会躲在那里，只是因为那地方任何人都去不得？

我忍不住偷偷的去问那位瞎先生，他听了我的话，竟像是忽然被毒蛇咬了一口,话也不说就走了。

我从未见他这么害怕,他怕的是什么?

十一月十五日。

算起来今天又应该是月圆的时候了,不知道今天外面是否有月亮?月亮是否还像以前那么圆?

我已经在这里度过四个月圆之夜了。

我常常想到无忌,天天都在想,时时刻刻都在想,可是我从来没有说起过他。

因为我知道说也没有用。

无忌好像在一种很特别的情况下,我一定要等到某一个时候,才能见到他。

我有这种感觉,所以我定要有耐心。

而且我相信"地藏",他绝不是个不守信用的人,他对我也很好,从来没有对我"有别的意思",这一点他就很守信。

可是自从小雷出走了以后,他的脾气越来越奇怪,常常一个人躺在棺材里,整天整晚的不说话,我也只有一个人坐在那里发呆。

这种日子自然并不太好过,可是我总算已度过来了。

有人说我很软弱,也有人说我像瓷器一样,一碰就会碎。

我从来没有反驳过。

人身上最软的是头发,最硬的是牙齿,可是一个人身上最容易坏,最容易脱落的却是牙齿,等到人死了之后,全身上下都腐烂了,头发却还是好好的。

人身上最脆弱的就是眼睛,可是每人每天从早到晚都在用眼睛,不停的在用,眼睛却不会累,如果你用嘴不停的说话,用手不停的动,用脚不停的走路,你早就累得要命。

所以我想,"脆弱"和"坚硬"之间,也不是绝对可以分别得出的。

直到今天我才知道,小雷出走,是为了我。

原来他走的时候,还留了封信,信上只有几句话:

"我喜欢凤娘,你抢走了凤娘,我走,总有一天我会抢回来的。"

小雷真是个奇怪的孩子,我一直不懂他为什么会这样对我。

每个月圆的时候，"地藏"就会变得特别暴躁不安。

今天他脾气更坏，而且还喝了一点酒，所以才会把小雷这封信拿给我看。

现在我才明白，那位瞎先生为什么会有那种眼色。

他一定认为我来了之后，就会带来灾难和不幸，小雷的出走，只不过是个例子而已。

我并没有为小雷担心，像他那样的孩子，无论走到哪里，都不会吃亏的。

我只希望他不会走入歧途，因为他太聪明，剑法又那么高，如果他走入歧途就要天下大乱了。

我是八月十五那一天开始学剑的，到今天也有三个月了。

我连一点剑术的根基都没有，除了小时候我从三叔那里学了一点内功吐纳的方法之外，我根本连一点武功都不懂。

可是"地藏"偏偏说我可以学剑。

他说我也很古怪，说不定可以练成一种江湖中绝传很久的"玉女剑法"，因为我的脾气性格很适合练这种剑法。

我从来不知道练剑也要看一个人的性格和脾气，我练了三个月，也不知道究竟练到怎么样了。

只不过"地藏"实在是个了不起的人，他说他以前"一剑纵横，天下无敌"，好像并不是在吹嘘。

他的剑法实在很惊人。

有一次他说，他可以从我头上削断一根头发，只削断一根，然后再把这一根头发削断，随便我要他削成几段都行。

他真的做到了。

我故意把头发梳得很紧，只看见他手里的剑光一闪，我的头发就被他削掉了一根，等到这根头发落在地上时，已变成了十三段。

他的剑光只一闪，我的头发就不多不少恰好被他削掉了一根，而且不多不少恰好断成了十三段。

我虽然不懂剑法，可是我也看得出他的剑法一定很少有人能比得上。

因为他出手实在太快，快得让人没法子相信。

他说我已经把"玉女剑法"中的诀窍全都学会了，只要以后能常常练，别人就算练过十年剑,也未必能比得上我。

我相信他绝对是位名师,却不能相信我会是个这么好的徒弟。

不管怎么样,只要他一躺进棺材,我就会去找把剑来练。

我当然不敢去碰他放在神龛的那把剑,就连他自己都没有碰过。

他常说,现在就连他自己都不配去用那把剑,因为那把剑从未败过,现在他已经不是以前那个天下无敌的剑客了。

三月二十八日。

不知不觉的,在这里已经过了快八个月了,今天已经到了无忌父亲的忌辰。

去年的今天,也正是我要跟无忌成亲的日子,每个人都说那是个大吉大利的黄道吉日。

唉!那是个什么样的黄道吉日?那一天发生的惨案,不但害了老爷子的命,毁了无忌一家人,也毁了我的一生。

如果老爷子没有死,今天我是个多么幸福,多么快乐的人,说不定我已有了无忌的孩子。

可是今天……

在"今天"这两个字下面,有很多潮湿的痕迹,仿佛是泪痕。

难道今天发生的事,比去年的今天还要悲惨可怕?

如果你能够看到她这些秘密的记载,看到这里,你当然一定会看下去。

下面她的字迹,远比平常潦草得多。

今天早上,"地藏"居然起来得比我还早,我起床时他已经在等着我,神情也好像跟平时不一样。

他说在他这个洞府里,我只有一个地方还没有去过,他要带我去看看。

我当然很兴奋,因为我已猜到他要带我去的地方,就是那秘密的宝库。

我猜得不错。

他果然叫人打开了后面那个石门,我跟着他走进去后,才知道我还是有一点猜错了。

那地方非但不是个宝库,而且臭得要命,我一走进去,就觉得有股恶臭扑鼻而来,就好像是猪窝里那种臭气。

我虽然被臭得发晕,想吐,可是心里却更好奇,还是硬着头皮跟他走了进去。

里面也是间大理石砌成的屋子,本来布置得好像也不错,现在却已经完全变了样子,那些绣着金花的红幔,几乎已变成了乌黑的,痰盂,便桶,装着剩菜剩饭的锅碗,堆得到处都是。

墙壁上,地上,到处都铺满了上面画着人形的剑谱,每张剑谱都很破旧。

一个披头散发,又脏又臭的人,就坐在里面,看到这些剑谱,有时仿佛已看得出神,有时忽然跳起来,比划几下,谁也猜不出他比的是什么招式。

他的人已经瘦得不成人形,而且至少已有几个月没洗过澡。一张又脏又瘦的脸上长满了胡子,我简直连看都不敢看。

他也好像完全不知道有人走了进来,连看都没有看我们一眼,忽然抓起一张剑谱抱在怀里放声大笑,忽然又痛哭了起来。

我看这个人一定是个疯子。

"地藏"却说他并没有疯,只不过痴了,因为他已经被这些剑谱迷住,迷得饭也不吃,觉也不睡,澡也不洗,迷得什么都忘了。

我也分不出"疯"和"痴"有什么分别。

不管他是疯也好,是痴也好,我都不想再留在这种地方。

"地藏"还在盯着他看,居然好像对这个人很感兴趣。

我悄悄的溜了出去,因为我实在忍不住想吐,却又不愿在他面前吐。

不管怎么样,他到底总是个人。

我躲在屋里好好的吐了一场,喝了杯热茶,"地藏"就来了。

他又盯着我看了半天才告诉我,现在又到了他每年一度要去求解药的时候,这一次路程不近,要一个月左右才能回来。

他问我,是愿意跟他一起去?还是愿意留在这里?

我当然愿意跟他一起去,我已经在这里憋得太久了,当然想到外面去看看。

到了外面,说不定就有了无忌的消息,何况我也想知道千千和曲平的情形。

我总觉得他们两个人倒是很相配的一对,千千的脾气不好,曲平一定会让着她,千千到处惹麻烦,曲平定会替她解决。

只可惜千千对曲平总是冷冰冰的,从来也没有给过他好的脸色看。

"地藏"听到我愿意跟他一起走,也很高兴,就倒了杯葡萄酒给我喝。

我喝了那半杯酒,就睡着了。

等到我醒来的时候,才知道我们已经离开了他的地底洞府。

我坐在一辆马车上,全身披麻戴孝,几个穿黑衣服的人,抬着"地藏"那口古铜棺材,跟在马车后。

我知道他一定在那口棺材里,我这样打扮,也是种掩护。

晚上我们找到了家很偏僻的客栈落脚,而且包下了一整个跨院。

客栈里的伙计,都以为我是个刚死了丈夫的寡妇,对我照顾得特别周到。

我一个人住一大房间,一直都没有睡,因为我知道"地藏"一定会来的。

深夜时他果然来了,我陪他吃了一点清粥,他又在盯着我看,忽然问了我一句很奇怪的话:"你真的不认得他了?"

开始的时候我还不懂,后来我看到他那种奇怪的表情,心里忽然有了种又疯狂,又可怕的想法——

那个又脏又臭,我连看都不敢看他一眼的人,难道就是我不惜牺牲,只想去看一眼的无忌?

"地藏"已看出了我在想什么,就跟我说:"你没有想错,他就是无忌。"

我简直快疯了。

我想大哭,大叫,想把他活活扼死,可是我什么都没有做。

"地藏"并没有失信,他遵守诺言,让我看到了无忌。

他并没有错,错的是我,他并不该死,该死的是我。

我竟不认得无忌了。

我日日夜夜的想见他,等我真的见到他时,竟不认得他了。

我还有什么话可说?

等我情绪稍微平静了一点之后,"地藏"才告诉我,无忌是找他学剑的,他也认为无忌是可造之材。

但是,在他们之间,有一项约定,在无忌剑术还没有学成之前,绝不能会见任何人。

无忌也答应遵守这约定,所以我要见无忌的时候,他总说还没有到时候。

"地藏"又说:"我们以一年为期,约定了今天我要去试他的剑,只要他能够击败我,我就让他走。"

他说出了这句话之后,我才知道他们之间的约定并不简单。

我很了解无忌。

他知道"地藏"一定不会传他剑术的,一定用了种很特别的法子,逼着"地藏"不能不答应把剑术传给他。

所以"地藏"要他答应这条件的时候,他也不能不接受。

可是他又怎么能击败"地藏"呢? 他简直连一点机会都没有。

"地藏"显然又看出了我心里在想什么,冷冷的对我说:"他并不是没有机会,因为我的剑术也是从那些剑谱上学成的,我做事一向公平。"

他又说:"可是我见到你之后,我的想法就变了,我生怕他的剑术真的练成把你从我身旁夺走,我想杀了他,让你永远也见不到他。"

可是他并没有这么做,因为他绝不是这种卑鄙无耻的小人。

所以他心里也充满了矛盾和痛苦,所以他的脾气才会变得那么暴躁古怪。

这一切都是因为我。

现在我才明白,为什么那个瞎子总认为我会为他们带来不幸。

"地藏"又说:"但是,我也想不到他练剑会练得那么'痴',竟好像完全变了个人!"

也许就因为他知道无忌已变了个人,所以才让我去见无忌。

"地藏"盯着我,又说:"我知道你心里在想什么,可是你想错了,我本来已下了决心,要让你回到无忌身边去,因为我已看出你对他的真情,你发觉我不让你们相见,一定会恨我一辈子,我不想你恨我一辈子!"

他又说:"可是,现在他既然已变成了那样子,你去见他,反而害了他,如果他剑术能够练成,等到那一天,你们再相见也不迟。"

我没有开口,因为我已发觉他说的并不完全是真心话。

我不怪他,每个人都难免有私心的,他毕竟也是个人。

要等到哪一天无忌的剑术才能练成?才能击败他?

那一天可能永远也等不到了。

但是我可以等到他回去的时候,那时候我就可以见到无忌了。

不管无忌是疯了也好,是痴了也好,这一次,我再见到他,都不会离开他的。

凤娘是三月二十八离开九华山的。

四月初一的晚上,梅檀僧院的和尚们晚课后,忽然发现有个又脏又臭,瘦得已不成人形的怪人躺在大殿前的石级上,看着满天星光就好像已经很久没有看到过星光一样,竟似已看痴了。

试　剑

四月初二,天气晴朗。

在天气特别好的日子里,廖八总是会觉得心情也特别好。

尤其是今天。

今天他一早起来,吃了顿很丰富的早点后,就去遛马。

晚上他通常都要喝很多酒,有时甚至连午饭的时候都喝,所以他一向很注重这顿早点。

今天早上他吃的是一整只鸡,用酒烧的鸡,一条活鲤鱼,红烧的活鲤鱼,和一大盘用虾米炒的包心菜。

除了可以大把花的钱,漂亮的女人,和好酒之外,鸡、鲤鱼、包心菜,很可能就是这位廖八爷最喜欢的三种东西。

今天早上,他在半个时辰之内,就绕着城跑了一个来回。

这是他最快的记录。

他当然不是用自己的两条腿跑的,他是骑着马跑的。

他骑的当然是匹快马,就算不是天下最快的马,至少也是附近十八个城里最快的一匹。

这匹马本来并不是他的。

那天在"寿尔康"楼上,他眼看着无忌击毙了唐家三兄弟之后,他就没有一天能睡得安稳。

他也是江湖人,在江湖之间,这种仇恨是非报不可的。

如果无忌来报仇,他根本没有抵抗之力。

所以他一方面托人到各地去寻访高手来保护他,一方面也在暗中打听无忌的行踪。

等到他听说无忌最后一次露面的是在九华山下"太白居",他就立刻带着人赶去,太白居的掌柜夫妇却已在一夕间暴毙。

他只看见了一个叫小丁的伙计和这匹马,赵无忌的马。

他和赵无忌之间的梁子既然已结定了,又何妨再多加一样?

所以这匹马就变成了他的。

这一年来,他的日子过得很太平,赵无忌在他心里的阴影早已淡了。

现在他惟一的烦恼,就是他用重金请来,一直供养在这里的三位高手。

他很想打发他们回去,却又生怕得罪了他们,尤其是那位胡跛子,他实在得罪不起。

他决心要在这几天内解决这件事,就算要再多花一笔,他也认了。

供养这三个人的花费,简直比养三个姨太太还贵,他已感到有点吃不消了。

现在他才知道,世上最花钱的事并不是"快乐",而是"仇恨"。为了这件事,他已花了三十多万两,再加上无忌赢走了那一票,现在他表面看来虽然过得风光,其实已只剩下个空架子。

幸好他的"场子"还在,过年前后又是旺季,所以他还可以撑得下去。

用冷水冲了个澡后,连这个问题好像也变得不是问题。

他换了套干净的衣服,还准备抱着他新娶的小姨太再睡个回笼觉。

就在这时候,费老头忽然来了。

费老头是他场子里的管事,是个不折不扣的老狐狸,在赌这一行里,已经混了好几十年,什么样的花样他都懂,什么样的场面他都见过。

可是今天他却显得是有点惊慌的样子,上气不接下气的跑过来,几乎被门槛绊得摔一跤。

廖八笑骂道："看你急成这样子,是不是你老婆又偷人了!"

费老头叹了口气,苦着脸道："我老婆偷人不稀奇,今天这件事才稀奇。"

廖八皱了皱眉,道："难道今天场子里面又出了事?"

费老头道："出的事还不小。"

做场子最怕的一件事,就是忽然凭空来了个手气特别好的大赢家,就好像去年来的那个"行运豹子"一样。

可是像"行运豹子"这种人,一辈子也难得碰到一个的。

廖八道："你先喘口气,坐下慢慢说,就算天塌下来,咱们也撑得住,你急个鸟。"

费老头却好像连坐都坐不住,道："今天场子里又来了个高手,狠狠的勾了咱们一票。"

"勾"的意思,就是赢了。

廖八什么都不问,先问:"这个人现在走了没有?"

费老头道："还没有。"

廖八冷笑道："只要人还没走,咱们就有法子对付他。"

有赌不算输,像费老头这样的大行家,当然应该明白这道理。

可是今天他却不这么想:"就因为他还没有走,所以才麻烦。"

廖八道："为什么?"

费老头道："因为他还要赌,而且看样子还要再赢下去。"

廖八道："你看得出?"

费老头道："他只带了十两银子本钱,现在已赢了十四把。"

廖八道："十四把是多少。"

费老头说道："十六万三千八百四十两。"

廖八脸色变了,用力一拍桌子,大声道："你是干什么的,怎么会让他连赢十四把!"

费老头道："我一点法子都没有,因为他把把掷出来的都是三个六。"

廖八一下子就跳了起来,变色道："是不是那个行运豹子又来了?"

费老头道："我本来也怀疑是他,可是他们的样子却长得一点都不像。"

他想了想,又道："那个行运豹子,是个长相很好的年轻小伙子,这个人看起来却像是个痨病儿。"

廖八吼道："他用的究竟是哪一路的手法?"

费老头道："我看不出。"

廖八又吼了起来："他连掷十四把豹子,你连他用的是什么手法都看不出!"

费老头道："他好像没有用手法?"

其实他心里也知道,天下绝没有运气这么好的,能连掷十四把三个六。

费老头道："就算他用了手法,场子里也没有人能看得出来,所以我也不敢动他,只有先把他稳住在那里。"

他愁眉苦脸的接着说："现在场子里根本已没有钱赔给他了,他不但等着拿钱,而且还要赌,八爷你看怎么办?"

廖八冷笑,道："难道你不知道应该怎么办?"

费老头道："可是他既然敢来吃咱们,就一定有点来头。"

廖八怒道："不管他有什么来头,你先去替我做了他再说。"

费老头道："就算要做他,也得先把赌注赔给他!"

这是做场子的规矩,规矩一坏,下次还有谁敢来赌?

这一点廖八也不是不明白,只可惜他根本已没有钱可赔了。

"你再去把那小子稳住,我去想法子。"

他惟一能够想得出的法子,就是去找他的贾六哥,可是他也知道这条路未必会走得通。

他们早已疏远了,自从他把贾六投资在他场子里的二十万两银子,也算成是输给行运豹子之后,他们就已经疏远了。

贾六的答复果然是："最近我也很紧,我正在想找你去调动。"

所以他只好去找胡跛子。

你永远不必把赌注赔给一个死人。

这虽然不是做场子的规矩,却绝对是无论谁都不能争辩的事实。

一个人到了没有钱的时候,就会把现实看得比规矩重要得多。

把很多事都看得比规矩重要得多。

胡跛子不但有一条腿跛得很厉害,身上其他的部分长得也不能算很健全。

他瘦小,秃头,鼻子有点歪,耳朵缺了一个角,不但其貌不扬,而且脏得要命,看起来实在不是个值得尊敬的人。

这个人惟一的好处就是不太喜欢说话。

他来的时候,不但廖八看不起他,另外两位被廖八重金礼聘来的好手更没有把他看在眼里,甚至不愿跟他同桌吃饭。

这两人以前据说都是辽北地道上的绿林好汉,"丁刚","屠强",显然都不是他们的真名实姓。

丁刚使雁翎刀,屠强用丧门剑,两个人手底的功夫都很硬。

他们当然不屑与这个其貌不扬的跛子为伍,决心要把他好好的教训一顿,让他知难而退。

有一天晚上,他们喝了几杯之后,就找胡跛子到后面的暗巷去"谈谈话"。

第二天早上,廖八就发现他们对胡跛子的态度已完全改变了,不但变得极恭敬客气,而且简直像怕得要命。

廖八并不笨,当然可以猜得到他们的态度是为什么改变的。

所以他对胡跛子态度立刻也改变了。

胡跛子却一点都没有变,随便别人怎么样对他,他好像都不在乎。

就算你打了他两个耳光,他好像也不在乎。

他到这里来了一个月之后,有个既输了钱,又喝了酒的镖师,真的打了他两耳光。

这位镖师当天晚上就"失踪"了。

廖八本来以为胡跛子未必肯管这件事的,这种事有屠强和丁刚去解决已足够。

想不到跛子却自动要去看看,因为他想去看看那双能连掷十四把三个六的手。

无忌看看自己的手。

这双手虽然并没有变,可是他知道他的样子一定已改变了许多。

这地方居然没有一个人认得出他了。只不过短短的十个多月,一个人怎么会变得这么多?

他照过镜子,几乎连他自己都认不出自己了。

他的脸已因长久不见阳光而变得苍白而透明,他的眼睛已因用脑过度和缺乏睡眠而变得深深陷落,甚至连头发都比以前少了很多。

奇怪的是,他的胡子反而长得特别快,有时甚至可以盖住他脸上的疤。

在热水里泡了整整一个时辰后,他总算把身上的臭气洗掉了。

但是他知道自己已永远无法再恢复以前的样子。

无论谁过了三百天那样的生活之后,都会变成另外一个人的。

他能够支持下去,只因为他对自己还有信心,他相信自己一定能活着走出那地方。

因为他知道那个僵尸在每年的四月之前,都要离开那里去求解药。

只要能够让那僵尸相信他已"痴"了,他就一定有机会逃脱。

这一点他无疑做得很成功。

所以他赢了。

他明知自己就算再练十年,也绝没有击败那僵尸的机会,他把自己一生的自由都押了上去,来赌这一把!

他非赢不可。

现在他又连赢了十四把,赢得轻松痛快。

场子里所有的赌台都已停了下来,但却没有一个人肯走。

大家都在等着看这场好戏。

无忌也在等。

他一点都不着急,他比谁都沉得住气,屠强和丁刚一走进来,他就知道是唱戏的来了。

丁刚走进来的时候,只觉得小腹下仿佛有一团火苗在燃烧。

每次要杀人之前,他都有这种感觉。

他一眼就看到了无忌。

廖八已经将这个人描述得很详细。

"你们要去杀他,只因为他跟你们有仇,并不是我叫你们杀他的,这一点你们一定要记住。"

丁刚当然明白廖八的意思。

他们既然是为了寻仇而杀人的,就跟这场子完全没有关系了,所以谁也不能说廖八破坏了做场子的规矩。

这个人看起来并不像很扎手的样子。

他只希望能赶快解决这件事,让他能赶快去找个女人,解决他自己的问题。

屠强想得更周到。

这个人是不是还有别的帮手? 场子里会不会有人伸手来管他们的闲事?

场子里比较惹眼的只有两个人。

一个人身长玉立,相貌堂堂,服饰也极华丽,年纪虽然最多只有三十左右,气派却很大,看起来不但一定很有钱,而且很有权力。

幸好一个人如果身家太大,通常都不大愿意去管别人的闲事的。

而且他看起来也绝不像是无忌的朋友,所以屠强已不再顾忌他。

另外一个人,长得更美,不笑的时候,也可以看得出两个深深的酒窝,一双大眼睛明亮灵活,无论在看什么,都会露出很好奇的样子。

如果他真的是个男人,显然是个很少见的美男子,但嫌太娘娘腔一点。

幸好她不是。

像屠强这样的老江湖一眼就可以看出她是女扮男装的。

对于女人的看法屠强也和丁刚一样。

——女人的可怕之处是在枕头上,不是在拳头上。

所以丁刚用一个箭步窜到无忌面前时,他也立刻跟了过去,冷笑道:"原来是你。"

无忌笑了。

这两个人果然是唱戏的,他早就算准了他们要来唱的是出什么样的戏。

丁刚沉着脸道:"我们找了你五年,今天总算找到了你,你还有什么话说?"

无忌微笑道:"你们找我,是不是因为跟我有仇?"

他问的这句话,恰巧正好是他们准备要说的。

丁刚立刻接道:"当然有仇,仇深如海。"

无忌道:"所以你们今天一定要杀了我?"

丁刚道:"非杀不可。"

无忌道:"我能不能还手?"

丁刚冷笑,道:"只要你有本事,也可以杀了我们。"

无忌道:"真的?"

丁刚已懒得再跟他啰嗦了,腰边的精钢雁翎刀已出鞘。

屠强也拔出了他的丧门剑。

他并不像丁刚那么喜欢杀人,只不过这件事总是越快解决越好。

无忌道:"你们又有刀,又有剑,绝不能让我空着手吧。"

他四面看看。"各位有没有带着剑来的? 能不能借给我用一用?"

当然有人带剑来,却没有人愿意惹这种麻烦。

屠强道:"你也会使剑?"

无忌道:"会一点。"

屠强冷笑道:"我手里就有剑,只要你有本事,就可以拿去。"

无忌道:"好。"

这个字说出口,屠强的剑已经在他手里,他的手一转,剑光匹练般飞出。

丁刚和屠强就倒了下去。

丁刚和屠强并不是容易倒下去的人。

在辽北,他们都是有名的"硬把子",因为他们手底下的确都有真功夫。

可是现在他们非但完全没有招架闪避的机会,他们甚至连对方的出手还没有看清楚,就已经像两块忽然被人劈开的木头一样倒下去。

就在这一刹那间,他们每个人都已被刺了两剑,正好刺在让他们非倒下去不可的地方。

他们倒下去之后,还不能相信这是真的。

无忌几乎也不能相信。

他本来并不想用剑的,可是他实在忍不住想试一试。

试一试他的剑。

他付出了代价,他有权知道他得到的是什么。

现在他知道了。

廖八的心已经开始在往下沉,却还没有完全沉下去,因为他还有希望。

他惟一的希望就是胡跛子。

胡跛子忽然道:"我好像是去年七月二十三到这里来的?"

廖八道:"好像不错。"

胡跛子缓缓道:"今天是不是四月初二?"

廖八道:"是的。"

胡跛子道:"那么我已经在这里呆了两百五十天。"

廖八道:"差不多。"

胡跛子道:"我每天吃两顿,连饭带酒,至少也要三两银子。"

廖八道:"我没有算过。"

胡跛子道:"我算过,你前后一共给了我八万七千两银子,再加上七百五十两饭钱,一共是八万七千七百五十两。"

他忽然从身上掏出叠银票,往廖八面前一摆:"这里是整整十万两,就算我还给你的,连本带利都够了。"

善财难舍,十万并不是小数目。

廖八当然觉得很惊奇:"你为什么要还给我?"

胡跛子的回答很干脆:"因为我怕死。"

看了无忌一眼,他又解释:"我不还给你,就要替你去杀人,那么我就是去送死。"

廖八道:"你去是送死?"

胡跛子道:"不管谁去都是送死。"

廖八的脸色变了。

胡跛子道:"今年我已经五十岁了,我本来是准备用这十万两银子去买块地,娶个老婆,生几个孩子,好好的过下半辈子。"他叹了口气:"可是现在我情愿还给你,因为我实在怕得要命。"

廖八看得出他说的不是假话,幸好他拿出来的银票也不假。

对一个已经快要垮了的人来说,十万两银子当然很有用。

廖八一把抓住了这十万两银票,就好像一个快淹死的人抓住了一根木头。

场子里的本钱应该还有七八万两。

他挺起胸,大步走到无忌面前大声道:"这一注我赔给你,我们再赌一把。"

下一把他又输了。

他抢着先掷,很想掷出个"豹子"来,只可惜骰子不能用假的,他又太紧张。

他掷出的是两个六,一个五。

五点也不小。

无忌却又随随便便的就掷出了三个六——骰子不假,他的手法没有假。

他押的赔注更不假:"这一次你要赔我三十二万七千六百八十两。"

廖八的人已经完全沉了下去,冷汗却冒了出来。

无忌道:"你要再赌,就得先把这一注赔给我。"

他淡淡的笑了笑:"你不赌,好歹也得把这一注赔给我。"

廖八在擦汗。越没有钱的人,汗反而越多,钱既然赔不出,汗也擦不干。

廖八终于咬了咬牙,说道:"我赔不出。"

无忌好像觉得很意外,道:"连三十多万两你都赔不出?"

廖八道:"连三万我都赔不出。"

无忌道:"明知道赔不出,为什么还要赌?"

廖八道:"因为我想翻本。"

这是句老实话。

输了钱的人,谁不想翻本?想翻本的人,有谁能不输?

无忌道:"现在你想怎么办?"

廖八道:"我想不出。"

无忌道:"你为什么不去借?"

廖八道:"找谁去借?"

无忌道:"找你的兄弟,或找你的朋友。"

廖八忽然笑了,笑得却像是在哭:"一个人已经垮了,哪里还有兄弟?哪里还有朋友?"

这是他亲身体验到的惨痛教训,他本来并不想说出来的。

现在他说出来,只因为他实在已心灰意冷。

别的人也都认为他实在已到了山穷水尽的时候,只有一个人是例外。

这个人忽然道:"你错了。"

你错了

"你错了!"说话的这个人口音很特别,口气也很特别。

他的口音低沉而生涩,就算是浪迹四海的老江湖,也听不出他是哪一省来的。

他的口气中好像总带着要强迫别人接受他的意思的力量。

如果他说你错了,你就是错了,连你自己都会觉得自己一定是错了。

这一点正和他那种高贵的气派,华丽的服饰完全配合。

他以前绝对没有到这地方来过,以前绝对没有人见过他。

廖八也不认得他:"你说我错了?"

这个异乡来的陌生人道:"你并不是没有朋友,你至少还有一个朋友。"

廖八道:"谁是我的朋友?"

这陌生人道:"我。"

他慢慢的走过来,两边的人立刻自动分开,让出一条路。

他走到无忌面前,只说了一句话:"我替他还你三十二万七千六百八十两。"

说完了这句话,银票就已摆在桌上。

他做事也像他说话一样,简单、干脆,绝不拖泥带水。

廖八怔住。

一个他从未见过的陌生人,居然在他穷途末路的时候,来交他这个朋友,而且随随便便就拿出这么大一笔钱来帮助他。

廖八并不是容易被感动的人,现在却忽然觉得眼睛有点发湿,喉头有点堵塞,忍不住道:"我们真的是朋友?"

这陌生人看着他,缓缓道:"一年前,我有个朋友在这里输得精光,还欠了你的债,可是你并没有逼他,还给了他盘缠上路。"

他伸出手,按住廖八的肩:"从那天起,你就是我的朋友。"

廖八道:"那……那只不过是一件小事。"

这陌生人道:"那不是小事,因为那个人是我的朋友。"

只要一说到朋友这两个字,他的口气就会变得充满尊敬。

他不但尊敬这两个字中包含的意义,而且把这两个字看得比什么都重。

他拉起廖八道:"我们走。"

廖八道:"走? 为什么要走?"

陌生人道:"这地方已然垮了,你就应抬起头走出去,再重新奋斗。"

廖八抬起头道:"是,我们走。"

无忌忽然道:"等一等。"

陌生人的目光立刻如刀锋般扫了过来,冷冷道:"你还要赌?"

无忌笑了笑,道:"我本来的确还要赌的,因为只有赌,才能让人家破人亡,一辈子抬不起头。"

他一笑起来,脸上的疤痕仿佛就变成了一个阴沉奇特的笑靥,显得说不出的冷酷。

他慢慢的接着道:"我本来已决心要他赌得家破人亡为止。"

陌生人并没有问:"为什么?"

他知道无忌自己一定会解释:"因为一年前,有个人几乎死在他手里,那个人恰巧也是我的朋友。"

无忌淡淡的接着道:"他帮助过你的朋友,所以你帮助他,他想要我朋友的命,我当然也想要他的命。"

以牙还牙,以血还血。

这种报复虽然野蛮而残酷,但是江湖人之间的仇恨,却只有用这种方法解决。

陌生人沉默着,过了很久,才问道:"现在你想怎么样?"

无忌盯着他看了很久,才缓缓道:"你是个好朋友,能够交到你这种朋友的人,多少总有点可爱的地方,所以……"

他慢慢的伸出手,把面前所有的银票都推出去。"所以现在我只要你们把这些东西也带走。"

说完了这句话,他就走了,头也不回的大步走了出去。

天气晴朗,风和日丽。

无忌深深吸了口气,心情忽然觉得很愉快,很久以来都没有这么愉快过。

他一向是个有原则的人。

他从不愿勉强别人,也不愿别人勉强他,他从不喜欢欠别人的,也不喜欢别人欠他的。

这就是他的原则。

就像是大多数有原则的人一样,了清一件债务后,他总是会觉得特别轻松。

何况他已试过了他的剑法,连他自己都觉得很满意。

这是条偏僻无人的长巷,快走到巷口时,就听到旁边屋脊上有衣袂带风的声音,很轻很快,显见是个轻功很不错的人。

等他走出巷口时,这个人已站在巷子外面一棵白杨树下等着他,居然就是那个不笑时也有两个酒窝的姑娘。

现在她在笑。

用一只手叉着腰,一只手拎着根乌梢马鞭,看着无忌直笑。

无忌没有笑,也没有望着她。就好像根本没有看见前面有这样一个人一样,就往她面前走了过去。

他的麻烦已经够多了,实在不想再惹麻烦。

麻烦通常是跟着女人一起来的,尤其是很漂亮的女人。

尤其是女扮男装的漂亮女人。

尤其是这种别人明明全都看得出她是女扮男装,她自己却偏偏以为别人都看不出的女人。

如果这种女人手里拎着鞭子,那么你只要一看见她,最好的法子就是赶快溜之大吉。

无忌选择了最好的一种法子,只可惜再好的法子有时也不灵的。

他才走出几步,忽然间人影一闪,一个人右手拎着根马鞭,站在他面前,他只要再向前走一两步,就可能碰到这个人的鼻子。

不管这个人是男也好,是女也好,他都不想碰到她的鼻子。

他只有站住。

这位女扮男装的大姑娘,用一双灵活明亮的眼睛瞪着他,忽然道:"我是不是个看不见的隐形人?"

她当然不是。

无忌摇头。

她又问:"你是不是个瞎子?"

无忌当然不是瞎子。

大姑娘的大眼睛还在盯着他,道:"那你为什么不望我?"

无忌终于开口:"因我不认得你。"

这理由实在再好也没有了,无论谁碰了这么样一个大钉子后都应该掉头就走。

这位大姑娘却是很例外。

她反而笑了:"不认得有什么关系? 谁也不是一生下来就认得的,你用不着不好意思,我绝不会怪你。"

无忌只有闭上嘴。

他忽然发现,就算你有天大的道理,在这位大姑娘面前也是说不清的。

大姑娘用马鞭指了指自己的鼻子,道:"我姓连,叫连一莲,就是一朵莲花的意思。"

她又笑道:"你若以为这是女人的名字,你就错了,从前江湖中有位很有名的好汉,就叫做"一朵莲花"刘德泰。"

无忌闭着嘴。

这位连一莲大姑娘等了半天,忍不住道:"我已说完了,你为什么还不说?"

无忌道:"我只想说两个字。"

连一莲道:"哪两个字?"

无忌道:"再见。"

"再见"的意思,通常就是说不再见了。

他说了再见,就真的要"再见",谁知他居然真的又再见了。

这位大姑娘虽然好像不太明白道理,但轻功绝对是一等的。

无忌刚转身,她已经在前面等着他,板着脸道:"你这是什么意思?"

她的脸虽然板起来,两个酒窝还是很深。

无忌绝不去看她的酒窝,也板起脸道:"我什么意思都没有,只想赶快再见。"

连一莲道:"我们现在岂非不是又再见了么?"

说着说着,她居然又笑:"你想赶快再见,我就跟你赶快再见,这还不好?"

无忌傻了。

他实在想不到天下居然真有这种人。

连一莲道:"现在我们既然又再见了,就算已经认得了,你就应该告诉我,你姓什么? 剑法是从哪里学来的?"

原来她并不是真的不讲理,也不是真的脸皮厚,她只不过想问出无忌的剑法和来历。

无忌当然也不是真的傻了。

他好像在考虑,考虑了很久,才说:"我也很想告诉你,可惜我又怕。"

连一莲道:"怕什么?"

无忌道:"怕老婆,怕我的老婆。"

连一莲道:"怕老婆的人不止你一个,你只管说,我不笑你。"

无忌道:"你不笑我,我更不能说。"

连一莲道:"为什么?"

无忌道："因为我一向听我老婆的话,她叫我干什么,我就干什么!她不准我干什么,我就绝不去干那个什么。"

他不但忽然变得话多了,而且简直说得有点语无伦次,夹缠不清。

连一莲道："难道她不准你说话?"

无忌道："她准我说话,可是她不准我在路上跟一些不男不女,女扮男装的人打交道。"

连一莲不笑了,脸已气得发红,忽然跳起来,冷笑道："你不说,难道我就看不出?"

她一跳就有七八尺高,话没有说完,忽然凌空一鞭子抽下。

她笑得虽然甜,出手却很凶。如果在一年前,无忌就算能躲过这一鞭,也未必能躲过第二鞭。

她一鞭接着一鞭抽过来,出手又快又凶,如果是在一年前,无忌很可能已挨了七八十鞭了。

幸好现在已不是一年前。

她的鞭子快,无忌躲得更快,这根毒蛇般的鞭子,连他的衣角都碰不到。

他只躲,不还手。

她想看出他的剑法来历,他也一样想看看她的武功来历。

可惜他也看不出,这位大姑娘的武功居然很杂。

也许就因为她学得太杂,所以功力难免不纯,无忌已听出她的喘息渐渐急促,脸色也渐渐发白,忽然站住不动了。

无忌当然也没有乘胜追击的意思。

他只想快走。

他还没有走,只因为这位大姑娘忽然抛下手里的鞭子,用两只手捧住心窝,喘息越来越急,脸色也越来越可怕,就好像受了重伤。

可是无忌自己知道,连一根小指头都没有碰到她。

连一莲盯着他,好像想说什么,可是连一个字都还没有说出来,就忽然倒下去,躺在地上不动了。

无忌怔住。

他并不是个疑心病很重的人,可是他不得不特别小心一点。

——这位大姑娘是不是在做戏?

他不想上她的当，又觉得如果就这么一走了之，未免也有点不像话。

——如果她不是做戏？又怎么会忽然变成这样子？

他连碰都没有碰到她，就算她有旧伤复发，也不至于这么严重。

何况她刚才看起来健康得就像是个刚摘下来的草莓一样，又鲜，又红，而且长满了刺。

无忌准备走了。

他不想在他低下头去看她时，反而被她掴个大耳光。

他走出去很远，她还是躺在那里没有动。

能小心谨慎些虽然总是好的，见死不救的事他却做不出。

——就算上当，好歹也得上这么一次。

他立刻走回来，远比他走出去时快得多。

他先弯下腰，听了听她的呼吸。

呼吸很弱。

他再伸出手，摸了摸她的额角。

额角冰冷。

他立刻拉起她的手。

手冰冷，连指尖都是冰冷的，脉搏已弱得几乎没有了。

无忌也着急了。

——不知道她的心还跳不跳？

想到这一点，他立刻就要查清楚，他没有那么多顾忌，因为他心里没有那么多鬼蜮。

就在他手摆到她胸口上的那一瞬间，他已经证明了两件事。

——她的心还在跳。

——她是个女人，活女人。

可是这个刚才还新鲜得像草莓一样的活女人，现在却已变得像是风干了的硬壳果了。

他应该怎么办？

他当然应该送她回去，可惜他根本不知道她住在哪里？

他也不能把她带回自己住的地方。

这两天他住在客栈里，抱着一个半死不活的大姑娘回客栈，好像也不像样子。

如果把她抛在这里不管,那就更不像话了。

无忌叹了口气,把她从地上抱了起来,准备先找个大夫看看她的病。

这时候居然有辆空马车出现了。

看到这辆马车,无忌简直就好像一个快淹死的人忽然看到一条船那么高兴。

他赶过去拦住马车:"你知不知道这附近哪里有会治病的大夫?"

赶车的老头子笑了:"你找到我,可真找对人了!"

赶车的老头了看来虽然老弱无力,却将一辆乌篷马车赶得飞快。

草莓般的大姑娘,还是像硬壳果一样,又干又冷,全没有半点生气。

无忌忽然想到,他本来应该带她去找乔稳的。

大风堂在这里也有分舵,乔稳就是这分舵的舵主,他的人如其名,是个四平八稳的人,处理这种事正是最恰当的人选。

可是他后来又想,万一乔稳也误会了他跟这大姑娘的关系,岂非更麻烦?

一个人遇见这种事,看来也只有自认倒霉了。

他才刚在心里叹了口气,马车已停下,停在一个荒凉的河弯旁,非但看不见会治病的大夫,连一个人影子都看不见。

赶车的那老头子,难道还是位"上线开扒"的绿林好汉?

只见他把手里的马鞭"劈啪"一抖,大喝道:"带来肥羊两口,一公一母,一死一活。"

河弯里立刻有人回应。

"收到——"

芦花还没有白,光秃秃的芦苇中,忽然荡出了一叶轻舟。

一个蓑衣笠帽的渔翁,手里长篙一点,轻舟就笔直荡了过来。

他的笠帽戴得很低,无忌看不到他的脸。

无忌也不认得渔翁。

他居然没有问那赶车的老头子,他要找的明明是大夫,为什么把他带到渔翁这里来。

他也没有问这渔翁是什么人。

渔翁只说了一句话:"上船来。"

无忌就真的抱起那大姑娘,跳上了渔舟。

一个刚才还事事谨慎的人,现在怎么会忽然粗心大意起来?

渔翁手里的长篙又一点,轻舟就荡开了。

赶车的老头子也打马而去,嘴里还在大声吆喝!

"肥羊带到,老酒几时拿来?"

渔翁也大声回答:"老酒四坛,明日送上,一坛不少。"

车马急行,转眼间就已经绝尘而去,轻舟也已荡入了河心。

无忌刚把连大姑娘放在船舱里,那渔翁居然就放下长篙走过来!

轻舟在河上打转。

渔翁看着无忌,微微冷笑,忽然问道:"你会不会游水?"

无忌道:"会一点。"

渔翁道:"会一点是什么意思?"

无忌道:"会一点的意思,就是说我到了水里虽然沉不下去,可是如果有人拉我的腿,我想不沉不去都不行了。"

渔翁道:"想不到,你倒是个老实人。"

无忌道:"我本来就是。"

渔翁道:"可是有时候老实人也不该说老实话的!"

无忌道:"为什么?"

渔翁道:"因为说了老实话,就要破财。"

无忌道:"好好的怎么会破财?"

渔翁冷笑,道:"你少装糊涂,我问你,你是要钱? 还是要命?"

无忌道:"我两样都要。"

渔翁道:"你不怕我先把你弄到水里去,再拉你的腿?"

无忌道:"我怕。"

渔翁道:"那么你最好就乖乖的把银子拿出来,我知道今天你在廖八爷那里刮了不少。"

无忌叹了口气,苦笑道:"原来你早就在打我的主意了。"

渔翁厉声道:"你拿不拿出来?"

无忌道:"不拿。"

渔翁道:"你想死?"

无忌道:"不想。"

渔翁好像有点奇怪了,忍不住问道:"你想怎么样?"

无忌悠然道:"我只想你把那四坛老酒拿出来,请我好好喝一顿。"

渔翁怔住。

这才叫强盗遇见打劫的。

渔翁又忍不住问:"你这人是不是有点毛病?"

无忌道:"我一点毛病也没有。"

.渔翁道:"那你凭什么认为我非但不要你的银子,还要请你喝酒?"

无忌又笑了笑,道:"你凭什么认为我是个笨蛋?"

渔翁道:"谁说你是笨蛋?"

无忌道:"我若不是笨蛋,怎么会随随便便的就上你的船?"

渔翁怔了怔,道:"难道你早就认出了我?"

无忌道:"当然。"

渔翁道:"我是谁?"

无忌道:"你就是那个输遍天下无敌手的倒霉赌鬼。"

渔翁傻了。

无忌大笑,就在他笑得最愉快的时候,忽然听得"啪"的一声响。

响声是从他脸上发出来的,他的脸上已挨了一个又香又脆的大耳光。

无忌也傻了。

那位连大姑娘居然已趁他们不注意的时候站了起来,正用一双大眼睛瞪着他,冷笑道:"你凭什么又摸我,又抱我?我不打你耳光,打谁的耳光?"

无忌没有争辩。

她自己应该知道,他摸她,只不过因为要救她。

跟这种不讲理的女人,还有什么道理好讲?

渔翁还没有弄清楚这是怎么回事,忽然又听到"啪"的一声响。

这次响声不是从无忌脸上发出来的,是从大姑娘脸上发出来的。

她也挨了一个大耳光。

她也被打傻了,吃惊的看着无忌,道:"你……你敢打人?"

无忌说道："你敢打，我为什么不敢打？"

连大姑娘道："我可以打你，你不能打我。"

无忌道："为什么？"

连大姑娘道："因为……因为……"她急得直跺脚，道："你明明知道我是个女人。"

无忌道："女人是不是人？"

连一莲道："当然是。"

无忌道："那么女人既然可以打男人，男人也一样可以打女人。"

连一莲又急，又气，偏偏又说不过别人。

女人说不过别人时，通常都会用一种法子——撒野。

她忽然跳起来，恨声说道："你摸我，抱我，还要打我，我不想活，我死给你看！"

她忽然冲出去，"噗通"一声，跳下了水。

莲花有刺

水流很急！

她一跳下去，就没有再浮上来过。

无忌忍不住问道："这里的水，深不深？"

渔翁道："也不算太深，只不过，要淹死几个像她那样的大姑娘，还不成问题。"

无忌冷笑，道："又不是我推她下去的，她是死是活跟我有什么关系？"

渔翁道："没有关系，一点关系都没有。"

无忌道："何况，像她这种不讲理的女人，死了反倒好。"

渔翁说道："好，好极了，好得不得了。"

他的话还没有说完，无忌也"噗通"一声，跳下了水。

水很清，而且不太冷。

在这样的天气里，能够在小河里游游水，也是件乐事。

可惜无忌一点都不乐。

他一跳下来，就发现有人在拉他的腿，他一下子就喝了好几口水。

河水虽然又清又凉,这么样喝下去,还是不太好受的。

尤其是喝到嘴里之后,又从鼻子里冒出来的时候,那种滋味更要命。

连他自己也不知道喝了多少,有多少灌进肚子,有多少从鼻子里冒了出来。

现在他才知道,不管多冷静沉着的人,只要一掉下河,被灌了一口水,立刻就会变晕了,晕头转向,不辨东西南北。

好不容易他手里总算抓到一样东西,好像是一根竹篙,他的头也总算冒出了水面。

那位大姑娘却已经在岸上了,他好像听见她在笑,在骂!

"在地上,我打不过你,只有在水里给你点小教训,看你以后还敢乱打女人?"

等他完全清醒时,大姑娘已不见了,那渔翁却在看着他直笑。

"原来你也是个倒霉鬼,我若是个倒霉赌鬼,你就是个倒霉色鬼,看样子你比我还倒霉。"

这个倒霉的赌鬼,当然就是轩辕一光了。

无忌承认倒霉。

可是他并不生气。

人生本来就是这样子的,有时候倒霉,有时候幸运。

幸运的时候他从来不会太得意,倒霉的时候也绝不会太生气。

轩辕一光笑嘻嘻的看着他,道:"一个人的霉运,通常都是自己找来的。"

无忌道:"我的不是。"

轩辕一光道:"人家一个大姑娘,难道还会无缘无故的找上你?"

事实就是这样子的,那位大姑娘硬是无缘无故就找上了他。

可是无忌不想再讨论这问题:"你为什么不问我,我怎么会认出你的?"

轩辕一光道:"我正想问。"

他把那顶戴得很低的笠帽摘下来,无忌才看出他的脸也完全变了样子,变得阴惨惨的,死眉死眼。

无忌道:"你这副尊容看起来也不怎么样,不如还是戴上帽子的好。"

轩辕一光道:"但是我这副尊容却比原来那副尊容值钱得多。"

无忌道:"哦?"

轩辕一光道:"难道你看不出我脸上戴着人皮面具?"

他笑笑又道:"这只怕是天下最贵的面具了,据说还是昔年七巧童子亲手炮制的,你看怎么样?"

无忌道:"很好。"

这张面具的确很精巧,如果他自己不说,纵然是在日光下,别人也很难看得出来。

轩辕一光道:"但是你还没有上船,就已经认出了我。"

无忌道:"我用不着看到你的人。"

轩辕一光说道:"你能听得出我的声音?"

无忌道:"对了。"

轩辕一光道:"我们已经快一年不见了,刚才我只说了一句话,你就能听出我是谁?"

无忌道:"就算十年不见,我也一样能听得出。"

轩辕一光叹了口气,道:"看来你的本事非但很不小,而且花样也很不少。"

无忌道:"我的样子,是不是也变了?"

轩辕一光道:"变得很多。"

无忌说道:"是你叫那辆马车去接我的?"

轩辕一光道:"不错。"

无忌道:"你怎么知道我在哪里?难道有人能认出我是赵无忌?"

轩辕一光道:"别的地方我不知道,这附近好像只有一个人。"

无忌道:"谁?"

轩辕一光道:"我。"他笑道:"你的样子虽然变了,可是你脸上这个疤的样子却没有变,这是我亲手留下的记号,我怎么会认不出?"

无忌脸上被毒砂刮破,的确是他亲手为无忌割下那一片有毒的血肉,留下这一条仿佛笑靥般的疤痕。

这一点无忌当然永生不会忘记。

轩辕一光又道:"你既然记得我输钱的本事天下第一,就不应该忘记我找人的本事也是天下第一,连萧东楼我都能找得到,怎么会找不到你!"

无忌道:"今年你又去找过他?"

轩辕一光道:"今年没有。"

无忌道:"为什么?"

轩辕一光道:"因为我不想把麻烦带到他那里去,他的麻烦已够多了。"

无忌道:"所以你也没有到梅夫人那里去?"

轩辕一光道:"我更不能替她惹来麻烦。"

无忌道:"究竟是什么麻烦?"

轩辕一光先不回答,却从身上拿出个油纸小包。

他打开外面的油纸,里面还包着两层粗布,再打开这两层布,才露出一枚闪闪发光的暗器,赫然正是蜀中唐家那名震天下的毒蒺藜。

日色西沉。

在夕阳下看来,这枚毒蒺藜竟是用十三枚细小的铁片组合成的,不但手工精细奇巧,而且每一枚铁片上闪动的光彩都不同,看来就像是一朵魔花,虽然很美,却美得妖异而可怕。

这枚暗器轩辕一光也不知看了多少遍,可是现在他看着它时,还是不禁看得出神。

这种暗器的本身,就仿佛带着可以慑人魂魄的魔力。

他伸出手,仿佛想去摸它一下,可是他的指尖还没有触及那些细小的花瓣,就忽然触电般缩了回去。

他终于叹了口气,苦笑道:"这就是我的麻烦。"

无忌道:"唐家也有人找上你了?"

轩辕一光道:"不是他们要找我,是我去找他们的。"

无忌道:"你到唐家去过?"

轩辕一光说道:"我去过,他们也来了。"

无忌动容道:"唐家有人来了?"

轩辕一光道:"这一路上最少有三个人在钉着我,从蜀中一直钉到这里。"

夕阳仍未消沉,他手里的毒蒺藜仍在闪闪发光。

十三片花瓣,十三种光彩,仿佛每一瞬间都在流动变幻。

轩辕一光道:"这是唐门暗器中的精品,只有唐家直系子弟中的高手,才能分配到这种暗器。"

他叹了口气:"在西蜀边境的一家小客栈里,这东西几乎要了我的命。"

无忌道:"这么说来,钉着你的那三个人之中,至少有一个是唐家直系子弟中的高手。"

轩辕一光道:"说不定三个都是。"

无忌道:"你没有看见他们?"

轩辕一光道:"那三个小王八蛋不但都有两条兔子一样的快腿,猎狗一样的鼻子,居然还懂得一点易容术,这一路上三个人最少变了四十六种样子,有一次甚至扮成一个挺着大肚子的孕妇。"

他大笑又道:"幸好我恰巧正是这一行的老祖宗,不管他们怎么样变,我都能看得出他们的狐狸尾巴来。"

其实这一路上他自己也改扮过十八次,有一次甚至扮成了一个大脚村姑。

可是不管他怎么变,人家也一样能看得出他的狐狸尾巴来。

易容术本就不是魔法,绝对没法子把一个人变成另外一个人的。

无忌道:"唐家的直系子弟,人丁一向不旺,这一辈的祖孙三代,成年的一共只有三十多个人,男的好像只有二十个左右。"

对于蜀中唐家,他也了解得不少。

对于任何一个能给大风堂一点威胁的门户和家族,他都了解得不少。

轩辕一光道:"他们的人丁虽然不旺,可是十个人中,至少有七个高手。"

无忌目光闪动,道:"你看他们这次来的三个人之中,会不会有唐傲和唐玉在内?"

听见"唐傲"这名字,轩辕一光好像吓了一跳:"你也知道唐家有这么样两个人?"

无忌道:"我听说过。"

轩辕一光道:"这次他们没有来。"

无忌道:"怎么知道?"

轩辕一光道:"如果他们来了,我还能活到现在?"

无忌眼睛里又闪出了光,道:"他们真的有这么厉害?"

轩辕一光的回答很干脆:"真的。"

无忌沉思着,过了很久,才缓缓道:"如果他们真的是这么厉害,你认为他没有来的时候,他说不定就已经来了。"

——你能够活到现在,也许只因为他们的目标并不是你。

这句话无忌没有说出来。

他忽然冷笑,道:"不管他们来的是哪三个,既然到了这里,我总不能让他们空手而回。"

轩辕一光道:"你想要他们怎么回去?"

无忌道:"要他们提着脑袋回去。"

轩辕一光道:"提着谁的脑袋?"

无忌道:"他们自己的!"

轩辕一光吃惊的看着他,忽然用力地拍一巴掌,大笑道:"好,好小子,有志气!"

无忌道:"现在他们三个人呢?"

轩辕一光道:"昨天我总算把他们甩掉了。"

无忌道:"可是,他们一定还留在附近。"

轩辕一光道:"很可能。"

无忌道:"只要你一露面,他们就会找来的。"

轩辕一光好像又吃了一惊:"你是不是想用我来钓鱼?"

无忌回答很干脆:"是的。"

轩辕一光道:"以前我有个朋友也喜欢钓鱼,有一次他钓到了一条大鱼。"他瞪着无忌:"结果你猜怎么样?"

无忌道:"结果他反而被那条大鱼吞了下去。"

轩辕一光道:"一点也不错。"

他叹着气:"我们要钓的那三条鱼不但是大,而且有毒,毒得要命。"

无忌道:"你害怕?"

轩辕一光道:"我当然害怕。"

无忌道:"你不敢去?"

轩辕一光又叹了口气:"怕虽然怕,去还是要去的。"

无忌精神一振,道:"现在我还有两件事要问你。"

轩辕一光道:"你问。"

无忌道:"刚才赶车的那老头子,是你的什么人?"

轩辕一光道:"是我的好朋友。"

无忌道:"他是不是可靠?"

轩辕一光没有直接回答这句话,只说出了那老头子的名字。

"他姓乔,叫乔稳。"

"大风堂的乔稳?"

"是的!"

无忌追问:"你没有告诉他我是什么人?"

轩辕一光道:"我只告诉他,你是我的朋友,也是我的债主。"

无忌道:"所以除了你之外,这里没有人知道我就是赵无忌?"

轩辕一光道:"大概没有。"

无忌长长吐出口气,眼睛盯着轩辕一光。

现在他只剩下最后的一件事要问了,最后一件事,通常也是最重要的。

他终于问:"你到唐家去,是不是为了找上官刃? 他是不是躲在那里?"

这条巷子很深,很长。

根据衙门最近的统计,这条巷子里一共住了一百三十九户人家。

这一百三十九户人家,有一个共同的特点——这里每家人都喜爱吃辣椒。

所以这条巷子就叫做辣椒巷。

有人说:

贫苦的人家都喜欢吃辣椒,因为他们买不起别的菜,只有用辣椒下饭,这条巷子里的人们,都喜欢吃辣椒,因为他们都很穷。

有人说:

滇、桂、蜀一带的人都喜欢吃辣椒,因为那一带的湿气和瘴气太重,这条巷子的人喜欢吃辣椒,因为他们都是从那一带迁移过来的。

这条巷子里的人究竟为什么喜欢吃辣椒,已经没有人知道了。

可是大家都知道这条巷子叫辣椒巷。

傍晚的时候,胡跛子一跛一跛的走进了辣椒巷。

丁刚和屠强一跛一跛的跟着他走,甚至比他跛得还厉害。

因为他们腿上都受了伤,伤在两边膝盖内侧的软筋上。

他们跟着胡跛子到这里来,并不是因为他们想吃辣椒,而是因为他们想出这口气,他们认为只有胡跛子才能替他出这口气。

因为他们亲眼看见过胡跛子的功夫。

那天晚上,他们把他叫出去"谈谈"的时候,胡跛子虽然没有给他们吃苦,却露了手很厉害的功夫给他们看。

他们相信胡跛子的功夫绝不在那个连掷十四把三个六的痨病鬼之下。

他宁愿退还十万两银子也不肯出手,一定是另有用意。

所以他们一直跟着他。

开始的时候,胡跛子还在装糊涂,到最后终于答应。

"好,我可以替你们报仇,我甚至可以替你们打断那小子的两条腿,但是我有个条件。"

他的条件是:

"不管我要你们做什么,你们都得闭上嘴去做。"

闭上嘴的意思,就是不准发问。

这条件听来有点苛刻,但他们还是答应了,他们绝不能让一个无名小卒在他们腿上刺了两剑之后就扬长而去。

胡跛子脸上露出满意之色,道:"现在你们应该先请我吃顿饭,我想吃豆瓣鲤鱼,和辣子鸡丁。"

他又问他们:"你们俩喜不喜欢吃辣的?"

丁刚抢着道:"我们喜欢。"

胡跛子笑道:"那就好极了,我知道有个地方炒的辣子鸡丁,可以把你辣得满脸眼泪,满身冷汗。"

所以他们就到了辣椒巷。

辣椒店

傍晚的时候,正是晚饭的时候,辣椒巷里充满了辣椒的香气,家家户户菜锅里都在炒着辣椒。

在这些人眼中看来,吃饭时候如果没有辣椒,简直就好像走到路上不穿裤子,一样不可思议。

如果你从来不吃辣椒,最好就不要走进这条巷子,否则你的眼泪立刻就会被辣出来。

屠强正在偷偷的擦眼泪。

他猜不出胡跛子要带他们到什么地方去吃饭,因为他们根本不相信这条巷子里会有饭馆。

他简直不能想像有人会到这种地方的饭馆子里来吃饭。

但是这时候他已经看见了一家饭馆。

一家很小的饭馆,门口挂着十来串鲜红的辣椒,当做招牌。

所以这家饭馆就叫做"辣椒店"。

辣椒店的掌柜,是个矮小臃肿的胖子,姓朱,天生的好脾气。

就算有人当着他的面前叫他"猪八戒",他也不会生气。

如果你一年前曾经到过城里最贵的那家大酒楼"寿尔康"去过,你一定会觉得很奇怪。

因为这家辣椒店的掌柜,正是当年"寿尔康"的大老板。

据他自己说,他垮得这么快,就是因为去年四月间发生的那件惨案。

三个专程从蜀中赶来替他"帮忙"的老乡,忽然同时惨死在他们楼上的雅座里。

自从那次之后,客人就很少上门了,"寿尔康"也就关门大吉。

所以他只好到这里来开一家小小的辣椒店。

这辣椒店生意居然还不坏,七八张桌子,居然有一半上了座。

丁刚觉得最奇怪的是,那位一向讲究饮食的赌场大老板贾六居然也来了。

他们刚坐下还没有多久,贾六就来了,是一个瘦小枯干,长得像猴子一样的年轻人陪他来的。

他和胡跛子都见过这位贾老板,贾六却装作不认得他们。

那个瘦猴子一样的年轻人也叫了一样豆瓣鲤鱼,一样辣子鸡丁。

贾六正低着头吃,辣得他满脸眼泪,满身大汗。

丁刚被辣得更惨。

他实在想不通,这些人为什么一定要把自己辣成这样子才觉得过瘾,更想不到胡跛子为什么一定要把他们带到这种地方来。

可是他不敢问。

因为这是他们和胡跛子早已约定好的条件。

胡跛子真不怕辣,不但每样菜都是特别"加重红"的,而且还吃生辣椒,喝烧刀子,脸上连一粒汗珠子都没有。

可是丁刚却发现店里居然另外还有个人比他更不怕辣。

这人是个老头子,腰身特别长,腰板挺着笔直,穿着件已经洗得发白的蓝布长衫,腰带上插着根很长的旱烟袋。

跟他同桌的一个小伙子,却连一口辣椒都不吃,只吃了碗用清汤煮的阳春面。

他们就坐在丁刚旁边的一张桌子上,丁刚的座位,正面对着这个小伙子。

他年纪看起来最多也只有二十左右,长得眉清目秀,皮肤白里透红,简直就像是个大姑娘,而且比大姑娘还害羞。

别人只要看他两眼,他的脸就红了,若不是因为丁刚早已注意到他的胸膛很平坦,也没有用布条缠紧,几乎要认为他是女扮男装的。

现在他们已经吃完了,那老头子已经在抽他的旱烟。

客人也都在陆陆续续的结账,店里已经只剩下三桌人。

除了他们这两桌外,贾六和那瘦猴子一样的年轻人也没有走。

和气生财的朱老板,当然也没有催他们,却将门板上了起来。

店已经打烊了,客人为什么还不走呢?

丁刚又在奇怪。

店里忽然变得很静,只有那老头子在慢慢的,一口一口的抽着旱烟。

贾六还是在不停的流汗,擦汗。

丁刚忽然有了种很奇怪的感觉,只觉得这又小又破的辣椒店,忽然变得说不出的阴森诡秘,仿佛很快就要有大祸临头似的。

就在这时候,那瘦猴子一样的年轻人忽然轻轻叫了声:"贾老板。"

贾六好像吓了一跳,立刻站了起来,赔笑道:"有何吩咐?"

这位平日眼睛总是在长在头顶上的赌场大亨,对这瘦猴子一样的年轻人居然特别客气。

瘦猴子一样年轻人道:"我把你请到这里来,只想问你几句话。"

贾六道:"请问。"

这年轻人道:"去年的四月,你是不是和赵无忌一起到寿尔康去的?"

贾六脸色变了,道:"可是我……"

这年轻人冷冷道:"我只问你是不是,别的你都用不着解释。"

贾六道:"是。"

这年轻人道:"那天你是和赵无忌一起走的?"

贾六道:"是。"

这年轻人道:"你是不是亲眼看见他杀死那三个人的?"

贾六道:"是。"

这年轻人道:"事后他自己有没有受伤?"

贾六道:"好像没有。"

这年轻人道:"你真能确定他没有受伤?"

贾六道:"我……我不能确定。"

这年轻人道:"你们就站在那里,看着他扬长而去,因为他就算受了伤,你们也不敢出手对付他?"

贾六道:"我们那时……"

这年轻人沉下了脸,厉声道:"我只问你是不是?"

贾六道:"是。"

这年轻人看着他,脸上一点表情都没有,缓缓道:"本来是你们想杀他的,可是,你们看着他走了,却连屁都不敢放一个。"

他忽然叹了口气,挥手道:"我的话已问完了,你走吧。"

贾六好像想不到自己这么容易就能脱身似的,显得又惊又喜,站起来就走。

朱掌柜笑眯眯的看着他,忽然道:"贾老板是不是还忘了一件事?"

贾六道:"什么事?"

朱掌柜道:"你是不是忘了付钱?"

贾六赔笑道:"是是是,我付,一共是多少?"

朱掌柜缓缓道:"今天这一笔账,再加上去年的那一笔,一共是两钱银子,加一条命。"

贾六脸色又变了,道:"一条命,谁的命?"

朱掌柜道:"你的。"

他笑眯眯的伸出手:"两钱银子请先付。"

贾六脸发青,立刻掏出锭银子,用力往朱掌柜脸上掷过去,大喝道:"不必找了。"

喝声中,他的身形已扑起,想从旁边的一扇窗子冲出去。

可是,本来坐在柜台后那矮小臃肿的朱掌柜,忽然间就已挡住了窗口,笑眯眯的看着他,道:"剩下的银子是不是都算小账?"

贾六道:"是。"

朱掌柜笑着道:"小账九两八钱,谢了。"

贾六一步步向后退,忽然间仰天倒了下去,无缘无故的就倒了下去。

倒下去后,身子还在地上弹了弹,就不动了。

再看他的脸,已经变得乌黑,舌头伸出,眼珠凸起,就好像被一根看不见的绳索勒断了脖子。

小店里又变得很静。

又矮又胖的朱掌柜,已坐回柜台,老头子还在一口一口的抽着旱烟。

丁刚和屠强也没有动,两个人都已吓得连腿都软了。

他们一直都张大了眼睛在看,却看不出贾六是怎么死的。

那瘦猴子一样的年轻人慢慢的站起来,手里拿着双筷子,走到贾六面前,忽然伸出筷子,往贾六咽喉上一夹,夹起了一根针。

一根比绣花针还小的针,针尖上带着一点血丝。

贾六的咽喉上也沁出了一滴血珠。

一根针,一滴血,一条命!

好厉害的毒针,好快的出手!

瘦猴子一样的年轻人看着筷子里夹着的毒针,摇了摇头,叹了口气,喃喃道:"可惜,可惜……"

他慢慢的走回去,把这根针在酒杯里洗了洗,掏出一块雪白的手巾来擦干净,再用这块布把这根针包起来,放进怀里。

他连看都没有再看贾六一眼。

他可惜的是这根针,不是贾六的这条命。

丁刚和屠强手心一直在冒冷汗,实在很想赶快离开这里。

胡跛子却偏偏连一点要走的意思都没有,神态居然还好像很悠闲。

抽旱烟的老头子,忽然把烟管交给了他。

胡跛子也不说话,接过来抽了一口,又递了回去。

老头子接过来,抽了一口,又再交给了他。

两个人你一口,我一口,默默的抽着这杆旱烟,烟斗里的火光明灭,吐出来的烟雾越来越浓,两个人好像都在等着对方开口。

胡跛子终于道:"我等的人已经出现了。"

老头子道:"很好。"

胡跛子道:"今年他又一连掷出了十四把三个六。"

老头子道:"想不到今年他的手气还是和去年一样好。"

胡跛子道:"是的。"

老头子道:"只可惜他永远不会再有这么好的手气了。"

他接着旱烟,抽了一口,又递给胡跛子:"因为现在他当然已经是个死人,死人当然绝不会再有好手气。"

胡跛子道:"他还没有死!"

老头子道:"你没有杀他?"

胡跛子道:"我没有。"

老头子道:"为什么?"

胡跛子道:"因为我没有把握确定他是不是去年那个人。"

老头子道:"你没有把握?"

胡趼子道:"他的样子已变了,连廖八都已认不出他。"

老头子道:"一个人的样子,本来就时常会改变的。"

胡趼子道:"他的武功也变了。"

老头子道:"你怎么知道他的武功变了?"

胡趼子道:"我去看过唐洪他们的尸身,从他们致命的伤口上,就可以看得出那个人的出手虽然狠,力量却不够足,力量不足,当然就不会太快。"

老头子道:"今年这个人呢?"

胡趼子不回答,却转向丁刚、屠强:"你们站起来,让这位老人家看看你们的伤口。"

伤口并不深,所以他们很快就能够起来走动,而且走到了这里。可是在当时那一瞬间他们却非倒下去不可,因为那一剑正好刺在要他们非倒下不可的地方,非但分毫不差,力量也用得恰恰是要他们非倒下去不可的程度,一分也不轻,一分也不重。

旱烟袋却已灭了。老头子凝视着他们的伤口,脸上还是一点表情都没有。

他慢慢的打出火,燃起一根纸煤,点着了旱烟,才慢慢的问道:"当时你们是不是空着手的?"

丁刚道:"不是。"

屠强道:"我带着丧门剑,他带着雁翎刀。"

老头子道:"你们没有出手?"

丁苦笑着道:"我们根本来不及出手。"

老头子道:"先中剑的是谁?"

丁刚看看屠强,两个人同时摇头,道:"我们已记不清了。"

老头子道:"是记不清,还是根本分不出?"

屠强看看丁刚,两个人都只有承认。

他们并不是记不清,而是根本分不出,那一剑实在太快,他们就像是同时中剑的。

他们甚至哪条腿先中剑都分不出。

老头子忽然长长吐出口气,道:"好,好剑法!"

他又把旱烟递给了胡趼子:"你看出了他用的是什么剑法?"

胡跛子摇摇头，道："我只看出他用的既不是赵简的回风舞柳剑，也不是司空晓风的十字慧剑。"

老头子道："所以你就断定他不是赵无忌？"

胡跛子沉默着，过了很久，才回答："我不能断定。"

老头子没有再说话。

旱烟袋在他们之间默默的传递着，吐出来的烟雾更浓。

在一阵阵闪动明灭的火光中，胡跛子额上仿佛已有了汗珠。

又过了很久，老头子才缓缓道："廖八你好像也没有带来？"

胡跛子道："我不能带他来。"

老头子道："为什么？"

胡跛子道："因为他已经被一个朋友带走了。"

老头子道："他那朋友是谁？"

胡跛子道："是南海张七兄弟中的'玉面小孟尝'张有雄张二哥。"

老头子脸上虽然还是全无表情，可是听见这名字时，眼角却在跳动。

南海七兄弟的侠踪虽然很少出现江湖，可是他们的侠义、富贵、权势和武功，江湖中却很少有人不知道。

尤其是这位张二哥，仗义疏财，千金一诺，无论谁，都会认为他是个值得交的朋友。

没有人愿意得罪这位朋友。

老头子缓缓道："你到这里已经快一年了，应该做的事，连一件都没有做。"

胡跛子道："我不能做。"

老头子又闭上了嘴。

旱烟袋已经传到他手里很久，可是这一次他并没有再交给胡跛子。

丁刚手里已经在为胡跛子捏着一把冷汗。

他看过这胡跛子的武功，他相信胡跛子绝对可以算一等一的高手。

可是辣椒店里的这些人，每个人都仿佛有一种神秘而邪恶的力量，可以随他们的意思来主宰别人的生死。

他们好像随时都可以要一个人倒下去似的。

夜已很深了。

朱掌柜忽然站起来,清了清喉咙,道:"我不知道跛哥今天看见的那个人是不是赵无忌,可是,我知道那天他一定受了伤。"

抽旱烟的老头子不开口。

瘦猴一样的年轻人也不开口。

那个很害羞的漂亮少侠当然更不会开口了。

胡跛子看看他们,再看看朱掌柜,问道:"你有把握?"

朱掌柜道:"有。"

胡跛子道:"可是,当时你并不在楼上。"

朱掌柜道:"当然我虽然没有亲眼看见,可是我有把握断定他一定受了伤!"

胡跛子道:"你凭哪一点断定?"

朱掌柜道:"唐洪来的时候,我查过他的票布,他出门的前一天,才领到二十三枚毒蒺藜,和十两三钱断魂砂。"

他又补充道:"他领到的两种都是第九品的,是缺哥发给他的票布。"

胡跛子道:"不错。"

朱掌柜道:"他跟上官刃到了和风山庄后,为了杀一个赵家的家丁灭口,已经用了一枚毒蒺藜。"

胡跛子道:"他没有把那枚毒蒺藜拔出来带走?"

朱掌柜道:"据他说,那时时间紧迫,他已没有机会。"

胡跛子道:"他杀的只不过是个家丁而已,为什么要动用本门暗器?"

朱掌柜道:"所以我已按家规处理过他,他在床上足足躺了半个月。"

胡跛子道:"好,说下去。"

朱掌柜道:"除了那一枚之外,他身上只剩下二十二枚毒蒺藜,十两三钱毒砂还是原封不动。"

胡跛子道:"不错。"

朱掌柜道:"事发前一天晚上,他要我们找人去赶制两个鹿皮手套,给老奶妈那一房的两个兄弟用。"

胡跛子道:"你答应了他?"

朱掌柜点点头,道:"因为他说他要对付的人,是赵简的儿子赵无忌。"

胡跛子道:"老奶妈那一房的人,怎会有本门暗器?"

朱掌柜道："他把自己的毒蒺藜,分了十六枚给他们,要他们跟他前后夹击,一下子就把赵无忌置之于死地。"

胡跛子道："后来呢?"

朱掌柜道："他们失手之后,我立刻封闭了那地方,一共找回了十五枚毒蒺藜。"

胡跛子道："他们发出的一共是十六枚?"

朱掌柜道："不错。"

胡跛子道："贾六和廖八当时也在场,是不是他们带走的?"

朱掌柜道："绝对不是,他们根本连碰都不敢去碰。"

胡跛子道："所以你们判定少掉的那一枚毒蒺藜,一定打在赵无忌身上了?"

朱掌柜道："而且他走得也很匆忙,有人看见他一走出去后,脚步就走不稳了,还有人说他眼睛已发直。"

他想了想,又道："奇怪的是,几天之后,又有人在九华山下的太白居看见了他,后来力哥和猛哥到那里去找,竟然一去就没有再回来。"

胡跛子道："他既然已中了本门暗器,为什么还没有死?"

朱掌柜道："这一点我也想不通。"

现在丁刚和屠强当然都已明白,这辣椒店里的人,除了他们两个人,都是一家的。

胡跛子既不姓胡,朱掌柜也不姓朱,显然都是蜀中唐家的人。

蜀中唐家的毒药暗器,他们当然是早就知道的,但是他们却想不到唐家的组织也如此严密,派出来的每个人好像都很不简单,所有的行动都能配合一致。

那瘦猴子般年轻人的出手,已令他们吃惊,这位朱掌柜的仔细,更加使他们佩服。

一直在抽旱烟的那个老头子,一直安坐不动,稳如泰山,就凭这一点稳定的功夫,已经可以看出这个人一定更不简单。

除了那个害羞的漂亮小伙子外,现在每个人都已把自己的任务交代清楚。

胡跛子的任务是监视廖八,等那行运豹子再次出现。

瘦猴年轻人的任务是对付贾六。

朱掌柜的任务,是潜伏在这里留守联络。

他们有的能达成使命,有的却失败了,不论是成是败,都要作一个报告总结。

作结论的人,应该就是那位一直在抽旱烟的老头子,但是他也没有开口。

难道他也在等人?

他等的是谁?

丁刚忽然有了种奇怪的感觉,觉得这老头子并不是真正的主宰。

真正的主宰一定是另外一个人,一个他们看不见的人。

只有这个人,才是真正能决定别人生死命运的人!

从一开始,这个人就在控制着这里所有的一切。

每个人都要把自己的行动报告给这个人,再等他裁决。

——这个人是谁?为什么他们一直都看不见他?

丁刚的心在跳。他已隐隐感觉到,这个人现在就要出现了。

夜更深,外面忽然刮起了风,风吹着破旧的窗纸,"噗落噗落"的响。

老头子还在一口一口的抽着旱烟,一闪一闪的火光,照着他棺材板一样的脸。

风吹不进窗户,烟也散不出去。

辣椒店里的烟雾更浓了。

高　手

烟雾迷漫。

丁刚看见那个害羞的漂亮小伙子,好像已经有点忍受不了的样子,忍不住要哼哼。

他不抽烟,不喝酒,不吃辣椒。

难道他也不是唐家的人?奇怪的是,他刚刚一开始咳嗽,这个烟瘾奇大的老头子立刻就放下了旱烟，而且用大拇指蘸了点口水，把烟斗里的火也冲灭了。

漂亮的小伙子看着他一笑，道："谢谢。"

他说话也是轻言细语，而且一口纯粹的京片子，丝毫不带川音。

他掏出块雪白的丝巾，擦了擦手。

他的手修长柔软，动作更是温柔如处子。

丁刚看着他，几乎看呆了。

丁刚并不是那种对男人也有兴趣的男人。

可是看见这么样一个美男子，连他都有点心动。

这漂亮小伙子居然也看着他笑了笑，道："我看得出你也不吃辣的，刚才一定没有吃饱。"

丁刚既不敢承认，又不能否认。

漂亮的小伙子道："我请朱掌柜炒几样不辣的菜来，你们先在这里慢慢的吃，等我先跟他们说几句话，再来陪你们好不好？"

他的声音是那么温柔，态度是那么诚恳，对一个陌生的人，也这么体贴。

丁刚怎么能拒绝？

掌柜已经叫人去准备不辣的菜了，但这漂亮的小伙子忽然轻轻叹了口气，道："我真不懂，为什么我们每天都有人做错事呢？"

这句话他说得还是同样的温柔，可是朱掌柜听了，脸上立刻有了恐惧之色。

胡跛子额上的汗珠也更大更多了。

这漂亮小伙子看着朱掌柜，道："那天赵无忌出门之后，是往哪边走的？"

朱掌柜道："往右边走的。"

漂亮小伙子道："你右边一共还有几家店面？"

朱掌柜怔了怔，道："这个我没有算过。"

漂亮小伙子道："我算过。"

他连想都没有想："你右首第一家是杂货店，第二家是当铺，第三家是卖古玩字画的……"

他一路说下去，一直说到："最后一家是棺材店，大小一共是一百二十六家店面。"

朱掌柜面上也冒汗了。

他到本地,已经有一年多了,这小伙子才来两天,对本地的事,却已比他更清楚。

漂亮小伙子又道:"那天赵无忌走出寿尔康的时候,午时才过,每一家店面都是开着的,每一家店里都有人,你有没有问过他们?"

朱掌柜用袖子擦着额上的汗,道:"没有。"

漂亮小伙了道:"我问过。"

他慢慢的接着道:"赵无忌走到第十八家胭脂铺的时候,已经快要倒下去了,那胭脂铺老板娘亲眼看见的,她常常坐在柜台后面看外面的男人,因为她的丈夫另外还有三个小老婆。"

连这种事他居然也调查得很清楚,朱掌柜又吃惊,又佩服。

漂亮小伙子又道:"那时候正是春天,好像每个人都不愿死在春天里,所以那一阵子棺材店的生意很不好,伙计和木匠都在店里玩纸牌,有个小木匠输光了,正站在门口生闷气,正好看见赵无忌从门口走过去。"

——那个小木匠姓于,那天一共输了三钱五分银子。

——那天他们的店东正好出门,所以他们一吃过饭就开始玩牌。

——据那姓于的小木匠说,赵无忌一转过街角,就撞在一个人的身上。

那个人身材很高大,长得很凶猛,不但认得赵无忌,而且好像还是特地来找他的,立刻叫了一辆马车,把赵无忌带走了。

每一个细节,他都调查得很清楚,最后还下了两点结论:

——赵无忌确实中了我们一枚毒蒺藜,一走出寿尔康毒性就已发作。

——把他救走了的人,就是我们从川中一路盯下来的那个人。

现在惟一的问题是:

——中了唐家暗器的人,一个对时内必死无疑,赵无忌为什么还能到九华山去?为什么还没有死?

说完了这些话,这漂亮小伙子就看着朱掌柜,等着他表示意见。

朱掌柜却已听得满身冷汗,连丁刚和屠强都听呆了。

他们本来一直觉得朱掌柜已经是个做事很仔细的人,但是现在和这漂亮小伙子一比,朱掌柜就真的像是个猪八戒了。

不辣的菜已经摆了出来,这家辣椒店里,不辣的菜居然也炒得不错。

可惜,丁刚和屠强已经吃不下去,就是吃下去,也吃不出一点味道来。

因为这时候朱掌柜已经躲在一个角落里,偷偷的去呕吐。

他实在太害怕,怕得连苦水都已吐出来。

抽旱烟的老头子迟疑着,终于道:"他的子女很多,家累很重,还有一个老母亲。"

漂亮小伙子道:"我知道。"

老头子道:"他虽然笨了一点,办事总算也已尽了心。"

漂亮小伙子道:"我知道。"

老头子叹了口气,不说话了。

漂亮小伙子忽然说道:"小猴,你过来。"

那瘦猴般的年轻人立刻走来,毕恭毕敬的站在他面前。

漂亮小伙子道:"贾六是不是这里的名人?"

唐猴道:"是。"

漂亮小伙子道:"如果他忽然失踪了,是不是有很多人要找他?"

唐猴道:"是。"

漂亮小伙子道:"你带他到这里来的时候,路上有没有被人看见?"

当然有。

贾六既然是名人,认得他的人当然不少。

漂亮小伙子道:"除了用暗器外,你还能不能用别的法子杀他?"

唐猴道:"能。"

漂亮小伙子道:"那么你为什么一定要用本门的暗器? 你是不是要让别人知道,本门已经有人到了这里? 而且就在辣椒巷?"

唐猴说不出话来了,一张瘦猴般的脸已因恐惧而扭曲。

这漂亮小伙子根本没有说要对他们怎么样,他和朱掌柜已经怕得这么厉害。

现在丁刚和屠强当然已知道,谁是这里真正的主宰了。

他们本来连作梦都想不到是这漂亮小伙子。

丁刚那颗本来已经在"动"的心,现在当然早已死了。

漂亮小伙子却又对他笑了笑,忽然问道:"你知不知道他们为什么害怕?"

丁刚摇头。

漂亮小伙子道:"因为他们知道自己做错了事,也知道我是个什么样的人。"

他微笑着又道:"我想你一定看不出我是个什么样的人。"

丁刚承认。

漂亮小伙子道:"以前有人曾经送了我十二个字评语:心狠手辣,翻脸无情,六亲不认。"

他笑得居然很愉快,接道:"那个人实在很了解我,用这十二个字来形容我,真是好极了。"

丁刚吃惊的看着他,怎么看都看不出这个人有他自己说的那么可怕。

漂亮小伙子道:"你不信?"

丁刚摇头。

漂亮小伙子笑道:"有时候连我自己都不信。"

他忽然改变话题:"这些菜都不辣,两位为什么不多吃一点?"

屠强道:"我们都吃饱了。"

漂亮小伙子道:"真的吃饱了?"

屠强道:"真的。"

漂亮小伙子叹了口气,道:"那我就放心了,我总认为让一个人饿着肚子去死,是件很残忍的事,而且很失礼。"

他轻轻的叹息着,忽然伸出三根手指,用指尖在屠强喉结上一点。

丁刚立刻听见一声很清脆的骨碎裂声,同时也看见屠强的眼珠突然弹出,呼吸突然停顿,整个人突然僵硬。

然后,他就嗅到一阵令人作呕的臭气。

漂亮小伙子又在看着他微笑,道:"现在你信不信?"

丁刚仿佛也已僵硬。

他终于明白朱掌柜刚才为什么会呕吐,现在他也想吐。

恐惧就像是双看不见的大手,把他的肠子和胃都揉成了一团。

漂亮小伙子那三根修长柔软的手指,也已到了他的咽喉。

他忽然用尽了全身力气，大声吼叫道："你是谁？"

一个人明知自己免不了一死时，总希望知道自己是死在谁的手里。

这是种很可笑的心理，愚蠢而可笑，可以让人笑得把胆汁、苦水、眼泪一起流出来。

漂亮小伙子道："我就是唐玉。"

唐玉！

听见了这两个字，丁刚就从碎裂的咽喉中吐出了最后一口气，好像觉得自己死得并不冤枉。

一个人遇见了唐玉，当然要死在唐玉的手里，那本是天经地义，理所当然的事。

唐玉又在用那块雪白的丝巾擦手，就好像一个谨慎的收藏家在擦拭一件精致的瓷器。

他的手看来的确就像是件精致的瓷器，光润、柔软、脆弱。

可是谁也猜不到他这双手在下一瞬间会戳断哪个人的咽喉。

唐猴忽然道："你快动手吧，是我自己做错了事，我不怪你。"

唐玉道："你做错了什么事？我怎么连一点也想不起来？"

唐猴吃惊的看着他，道："你……"

唐玉微笑道："有些事我很快就会忘记，如果没有人提醒我，我一辈子都不会想起来。"

唐猴的惊讶立刻就变作了欢喜。

唐玉又问朱掌柜："你记不记得你刚才做了什么事？"

朱掌柜立刻摇头，道："我不记得，连一点都不记得。"

唐玉拍了拍胡跛子的肩，道："至于你，你根本就没有错，我若是你，也会这么做的，因为我也不愿得罪张二公子，更不愿死在别人的剑下。"

胡跛子看着他，眼中充满了感激和尊敬。

他杀的虽然是别人，却同样让朱掌柜和唐猴得到了永生难忘的教训。

现在他正需要人手，他们都是他的兄弟，随时都会为他去拼命。

他做事的方法虽然很邪异奇特，却同样能达到目的，而且比任何别的方法都有效。

唐玉对这些人表现出的尊敬显然很满意。

尊敬的意思，通常就是服从和忠心。

他需要别人对他忠心，因为他知道，如果他想取代他垂老的父亲成为唐家的宗主，还得从很多对他忠心的人头上爬过去。

他最大的阻碍并不是唐傲。

唐傲太骄傲，骄傲得连争都不会跟他争。

他真正担心的是另外一个人，想到了那个人，连他心里都会觉得有点发冷。

可是他偏偏又忍不住要去想！

"如果唐缺在这里，他会怎么样处理这件事？怎么样对付赵无忌？"

抽旱烟的老头子看着他，眼睛里好像又出现了另外一个人的影子。

这老人一向不喜欢唐玉，却不能不赞同他做事的方法。

因为唐玉做事的方法，几乎和唐缺是完全一样的。

他记得有人说过：

"唐玉的样子，就好像是个缩小了的唐缺，这两个人之间的关系，正如唐紫檀和他的二哥一样。"

唐紫檀就是这抽旱烟的老头，他的二哥就是名满江湖的唐二先生。

老人心里在苦笑。

他的确一直都在模仿他的二哥，可是他知道自己永远也比不上他二哥的。

如果唐二先生在这里，唐玉就绝不敢这么样跋扈嚣张。

老人心里虽然觉得自怜而悲伤，脸上却一点都没有露出来。

他的脸永远都像棺材板一样，所以他才叫做唐紫檀。

做棺材用的木头，最好的一种就是紫檀。

他不知道自己死了之后，是不是能有一口用紫檀木做的棺材。

这问题他已在心里想过很多遍。

如果是唐二先生在抽旱烟，唐玉绝不会咳嗽的，就算真的咳嗽，也会忍住。

唐紫檀又点起了他的旱烟。

他不愿得罪唐玉。

一个六亲不认,翻脸无情的人,谁也不愿意得罪的。

可是他也不愿让唐玉认为他真的是个完全不值得尊敬的老头子。

一个垂暮的老人,在唐玉这种光芒四射的年轻人面前,心里总难免充满着矛盾和悲哀。

这次唐玉非但没有咳嗽,反而替他拿着纸煤,点着了烟。

唐紫檀心里总算比较舒服一点。

于是唐玉才开口:"现在我们是不是已经能确定赵无忌那天的确中了本门的暗器?"

为了表示对这老人的尊重,这句话当然是问他的。

唐紫檀道:"是的。"

唐玉道:"可是我们也已经能确定,赵无忌没有死。"

唐紫檀道:"不错。"

唐玉道:"我们从川中一路盯下来的人,轻功极高,而且精通易容术,有时连身材的高矮都能改变,显然还精通软骨中最难的缩骨功。"

唐紫檀道:"不错。"

唐玉道:"这个人一定很好赌,虽然明知道我们在盯着他,还是要偷偷的溜去赌,而且是每赌必输,输得连盘缠都要去偷。"

唐紫檀道:"像他这样的赌鬼的确少得很。"

唐玉道:"能完全具备他这些条件的赌鬼,好像只有一个。"

唐紫檀眼睛亮了:"你说的是轩辕一光?"

唐玉道:"不错,我说的就是他。"

唐紫檀道:"这个人和我们有没有什么过节?"

唐玉道:"没有过节,他到唐家堡去,只不过为了要替赵无忌找一个人。"

唐紫檀道:"他要找的人是不是上官刃?"

唐玉道:"是的。"

唐紫檀道:"所以你认为那天救了赵无忌的人也是他?"

唐玉道:"绝对是他。"

现在他们已经把第一个扣子扣紧了,扣上一个扣子的时候,也解开了一个结。

现在他们准备解第二个结。

唐玉提出了问题的关键:"这里既没有轩辕一光的朋友,也没有可以让他躲避的地方,他为什么要逃到这里来?"

这问题看来简单,其实却很费解。

唐紫檀毕竟不愧是经验丰富的老江湖,立刻就说出了答案!

"因为赵无忌在这里等他。"

他又解释:"他是替赵无忌打听消息去的,当然要回来把结果告诉赵无忌,说不定他们本来就约好在这里见面。"

唐玉眼中露出了赞赏之色:"完全正确。"

唐紫檀道:"反过来说,他既然到这里来了,赵无忌就一定在这里。"

唐玉道:"完全正确。"

唐紫檀道:"跛子今天遇见的那个人,样子虽然变了,但是也没有人能断定他并不是赵无忌!"

胡跛子同意这一点。

唐紫檀道:"如果他是赵无忌,就一定会想法子去和轩辕一光见面。"

他想了想,又道:"反过来说,如果他们已经见面了,他就一定是赵无忌。"

唐玉道:"完全正确。"

唐紫檀道:"所以……"

所以怎么样,他已接不下去。

这是种非常精密的分析和推理,他日渐衰老的头脑,已不足应付这些问题。

唐玉替他说下去:"所以我们只要能找到他,就能找到赵无忌。"

唐紫檀道:"我们还能找得到他?"

唐玉笑了笑,道:"就算我们找不到,他也会让我们找到的。"

这一点唐紫檀就不懂了。

唐玉道:"我故意让他把我们甩脱,就是为了要查出他到唐家堡去的真正目的,让他和赵无忌见面。"

唐紫檀还是不懂:"为什么?"

唐玉道:"因为他们见面后,赵无忌就会知道唐家已经有三个人盯着他到了这里。"

唐紫檀道:"不错。"

唐玉道:"你若是赵无忌,知道唐家已经有三个人到了大风堂的地盘里,你会不会再让这三个人活着回去?"

唐紫檀道:"不会。"

唐玉道:"他也不会,可是他如果想杀我们,就一定要先找到我们。"

唐紫檀道:"他也未必一定能找到我们。"

唐玉道:"所以他一定会用轩辕一光做鱼饵,来钓我们这三条大鱼。"

唐紫檀恍然道:"所以我们就算找不到轩辕一光,他也会让我们找到的!"

唐玉微笑道:"所以我们只要找到轩辕一光,就可以找到赵无忌!"

现在第二个结也已解开了,第二个扣子也扣紧。

唐玉道:"在这种情况下,赵无忌一定会安排一个陷阱,让我们上钩的!"

唐紫檀道:"不错。"

唐玉道:"他一定会躲在黑暗中,等轩辕一光把我们引出来后,他就在暗中突击,只要能一击命中,先杀了我们一个人,剩下的两个,以他们的武功就可以应付裕如了。何况他们还可以找这里大风堂分舵的人做帮手。"

唐紫檀冷笑,道:"这是他的如意算盘?"

唐玉道:"对他来说,这算盘并没有打错,因为他绝不会想到我们已算出他在这里。"

唐紫檀道:"这一点很重要。"

唐玉道:"更重要的一点是,他完全不知道我们的虚实。"

唐紫檀道:"他至少知道我们有三个人来了。"

唐玉道:"但他却不知道这三个人是谁,也算不出我们的实力。"

唐紫檀淡淡道:"他们当然更想不到唐玉也来了。"

唐玉好像根本听不出他话中的讥讽,道:"我在川西那小客栈里,故意出手不中,非但让他逃走,还让他带走一枚毒蒺藜,就是为了要让他低估我们的实力,让他以为那种毒蒺藜已经是我们最厉害的暗器。"

他微笑,慢慢的接着道:"知己知彼,才能百战百胜,他若低估了我们,就是自找死路!"

唐紫檀轻轻吐出口气,道:"所以这一战他们必败无疑?"

唐玉道:"但是他们也并不是没有对他们有利的条件。"

唐紫檀道:"什么条件?"

唐玉道:"这里是大风堂的地盘,他们至少已占了地利。"

唐紫檀承认。

唐玉道:"他们对唐家的暗器,当然还有点顾虑,所以他们一定会找个对他们最有利的地方,来布下这个陷阱。"

唐紫檀道:"什么样的地方对他们最有利?"

唐玉道:"第一,那地方一定要很空阔,让他们可以有闪避的余地。"

唐紫檀道:"不错。"

唐玉道:"第二,那地方一定要有很多可以让他们躲避的掩护。"

他接着又解释道:"树木,就是种很好的掩护,如果树木浓密,暗器就很难命中。"

唐紫檀道:"不错。"

唐玉道:"第三,那地方一定要在他们的地盘里,他们就可以把那地方全都埋伏下他们自己的人,譬如说,那地方如果是个酒店,他们就可以把店里的掌柜和伙计全都换上大风堂的子弟。"

唐紫檀道:"不错。"

唐玉道:"可是凡事有其利必有其弊,他们这样做也有坏处。"

唐紫檀又不懂了:"什么坏处?"

唐玉道:"像这样的地方一定不会太多,如果我们能猜到他们选中的地方是哪里,正好以其人之道,还治其人之身,也在那里布下埋伏。"

朱掌柜忽然道:"我知道这么样一个地方。"

唐玉微笑道:"我正在等着你说。"

朱掌柜道:"城南有个狮子林,地方很空阔,树木很多,有个露天的酒馆,那地方的老板,正好是乔稳的老朋友。"

他又说明:"乔稳就是大风堂留驻在这里的分舵主。"

唐玉笑道:"对他们来说,这地方真是再好也没有的了。"

朱掌柜好像很想戴罪立功,有所表现,所以显得很热心,很卖力,抢着问道:"现在我们应该怎么样布置人手?"

唐玉道:"我要先到那里去看看才能决定。"

朱掌柜道:"什么时候去看?"

唐玉道:"我想他们一定会选在明天黄昏前后发动这件事,所以我们也用不着太急。"

他笑了笑又道:"从现在到明天黄昏,还有差不多十个时辰,十个时辰已经可以做很多事了。"

十个时辰的确已经可以做很多事,他们准备做些什么事?

唐玉道:"这是我们第一次在大风堂的心腹地区里正式行动,所以我们不动则已,一动就要惊人,要杀尽他们的锋芒锐气。"

他那双本来很温柔妩媚的眼里,已变得刀锋般锐利。

他淡淡的接着道:"这一次我们不但杀轩辕一光,杀赵无忌,杀乔稳,还要杀尽大风堂留驻在这里的人……"

他一连说了四个"杀"字,脸上却又露出了温柔的微笑。

这时候风更大了,夜空中忽然响起了一声惊天动地的霹雳。

唐玉声色不动,微笑着道:"这一次我们要把大风堂从这里连根拔掉!"

这时候轩辕一光已经给了赵无忌一个很明确的回答。

"不错,上官刃是在唐家堡。"

针锋相对

霹雳一声,大雨倾盆。

无忌还是动也不动的坐在船头,倾盆的大雨,很快就打得他全身湿透。

他从小讨厌下雨,下雨天就要被关在房里,读那些直到现在还不能完全了解的经书。

可是现在他并不讨厌这场雨,雨水至少可以让他头脑冷静。

"上官刃是在唐家堡。"

现在他已知道了仇人的下落,他应该怎么样去复仇?

"唐家堡的范围很大,我不能确定他究竟在哪里,只不过听说他已经和堡主一个孀居的妹妹订了亲,而且成了唐家内部几个很重要部门的主管之一。"

上官刃早年丧妻。

唐家对外的政策,又正好和汉朝一样,很喜欢用"和亲"来做结交的手段。上官刃的这段婚姻,正好作为他和唐家之间的保证。

"近年来唐家人丁旺盛,高手辈出,和霹雳堂联盟后,势力更大,唐二先生和唐傲、唐玉兄弟,在江湖中的名气虽然比较大,可是唐家堡还有些无名的高手,说不定比他们更可怕。"

其实这些事根本用不着轩辕一光说出来,无忌也早已了解。

经过了这一年艰苦的磨练后,他已比任何人想像中都成熟得多。

轩辕一光已躲到船篷里,他不想淋雨,可是他也不反对别人淋雨。

无忌终于抬起头,看着他,忽然笑了笑,道:"我知道你心里在想什么!"

轩辕一光道:"哦?"

无忌笑着道:"你怕我到唐家堡去送死!"

轩辕一光承认。

无忌道:"可是你放心,我已经不是那种两眼发直,楞头楞脑,一心只想去找仇人拼命的小伙子了,我绝不会痛哭流涕,红着眼睛,就这么样冲到唐家堡去找上官刃的。"

他的态度沉着冷静,"因为现在我已经知道,痛苦和冲动根本不能解决任何事,你越痛苦,你的仇人越愉快,你越冲动,你的仇人越高兴。"

轩辕一光笑了。"我早就看得出你不是那种故作孝子状的小王八蛋。"

无忌道:"你刚才看到我又上了当,可是我保证那绝对是最后一次。"

轩辕一光微笑道:"希望那是最后一次。"

无忌道:"我也可以保证我绝不会平白去送死,只要上官刃活着,我就不会死。"

他并没有咬牙切齿,锥心泣血的发誓,这种冷静的态度,反而更显出了他的决心。

无忌道:"一路盯着你到这里来的那三个人,我也绝不会让他们活着回去。"

轩辕一光道:"你准备怎么做?"

无忌沉思着,没有回答。

轩辕一光道:"要钓鱼也得选个好地方,我知道有个狮子林,地方很大,在很多树……"

无忌打断了他的话,道:"我知道那地方,我去过。"

轩辕一光道:"空阔的地方,容易闪避暗器,树多的地方,容易找到掩护。"

无忌道:"可是空阔的地方,也容易被他们逃脱,而且他们又在暗处,我们的人手却不够。"

轩辕一光说道:"你认为那个地方不好?"

无忌道:"不好。"

轩辕一光道:"那么你——"

无忌又打断了他的话,忽然问道:"你是怎么混进唐家堡的?"

轩辕一光道:"从表面上看来,唐家堡就像是个繁荣的市镇一样,里面有几条街,几十家店铺,只要你说得出来的,那里都有。"

无忌道:"既然有店铺,当然就难免要和外面的生意人来往。"

轩辕一光笑道:"一点都不错,所以我就扮成了一个从辽东来的大商人,带了一大批长白参和一大批皮货,大摇大摆的进了唐家堡。"

无忌道:"后来他们怎么看出了你这位大老板是冒充的?"

轩辕一光道:"唐家有个小王八蛋,赌钱的时候跟我做手脚,被我痛打了一顿,后来——"

他没有说下去。

在那种时候还要赌钱,还要揍人,他自己也觉得有点不好意思。

无忌微笑道:"我记得赌徒们有句老话。"

轩辕一光道:"老话通常都是好话,多少总有点道理。"

无忌道:"有时候,道理还不止一点。"

轩辕一光道:"你那句老话是怎么说的?"

无忌道:"从赌上输出去的,只有从赌上才能捞得回来。"

轩辕一光笑道:"有道理,实在有道理。"

无忌道:"上次他们从赌上抓住了你的尾巴,这次你不妨再让他们抓一次。"

轩辕一光道:"只要有得赌,我总是赞成的。"

无忌道:"树木虽然是种很好的掩护,可是还有种掩护比树更好。"

轩辕一光道:"那是什么?"

无忌道:"人。"

有赌的地方,当然有人,只要赌得热闹,人就绝不会少。

有轩辕一光在,当然不会不热闹。

轩辕一光忽然摇头,道:"这法子不好。"

无忌道:"为什么不好?"

轩辕一光道:"唐家的暗器又没有长眼睛,若是打在别人身上,那些人岂非死得冤枉?"

无忌道:"唐家堡不是乌合之众,他们也是武林世家,也有他们的家规,他们的暗器更珍贵,绝不会乱放暗器,伤及无辜的。"

他笑了笑,又道:"所以人越多,越乱,他们越不敢随意发暗器。"

轩辕一光道:"可是在混乱之中,我们岂非也一样找不到他们?"

无忌道:"我们可以找得到。"

轩辕一光道:"为什么?"

无忌道:"因为大风堂在这里有个分舵,分舵里至少总有几十个兄弟。"

轩辕一光总算明白了:"所以跟我赌钱的,都是大风堂的兄弟?"

无忌道:"每一个都是。"

轩辕一光道:"你要我先把他们每个人的样子都看清楚?"

无忌道:"我们甚至可以在他们身上做一点我们自己能看得出,别人看不出的标记,唐家的人若是来了,那就⋯⋯"

轩辕一光抢着道:"就好像三粒老鼠屎掉进了白米堆里,连瞎子都能把它们摸出来!"

无忌笑道:"一点也不错。"

轩辕一光忽又摇头道："这法子不好，至少有一点不好。"

无忌道："哪一点？"

轩辕一光大笑道："跟我赌钱的，既然都是自己兄弟，我就不好意思赢他们的钱了。"

霹雳一声，大雨倾盆。

乔稳站在窗口，看见窗外珠帘般的大雨，他本来想关起窗子的，却不知不觉看出了神。

这里是个干燥的地方，已经很久没有下过这么大的雨了。

他还记得上一次暴雨来临时，是在去年的九月底。

他记得这么清楚，因为那天晚上来了两位稀客，一位是曲平，一位是赵家的大小姐赵千千。

那天正是个标准的秋老虎天气，白天热得要命，晚上这场暴雨，正好洗清了白天的燥热，他准备了一点酒菜瓜果，正想喝两杯。

就在那时候，曲平和千千来了，样子看来好像是很狼狈。

后来他才知道，他们已经在九华山上住了两个月，为的是要去找无忌，谁知非但没有找到无忌，凤娘反而失踪了。

那位大小姐的脾气很坏，对曲平总是呼来叱去，很不留面子。

曲平却一点都不生气。

凤娘失踪了之后，他们孤男寡女在深山里，发生了些什么事？

乔稳当然没有问，也不敢问。他一向是一个很稳重，很本分的人，虽然没有做过什么大事，却也没有犯过大错。

他虽然觉得曲平未免有点势利，可是也不讨厌这个肯上进的年轻人，如果曲平能够娶到这位大小姐，他也很高兴。

所以，他又叫人加酒，加菜，准备客房。

赵大小姐却坚持当天晚上就要走，他们到这里来，只不过是为了找他要盘缠路费，要三千两。

三千两银子不是小数目，可以走很远的路了，这位大小姐准备到哪里去？

乔稳也没有问。

多做多错，多言贾祸，知道的事越多，烦恼也就越多。

这是他做人做事的原则。

就因为他一直把握这原则，所以他能在这职位上一待二十年，过了二十年太平日子。

去年，"行运豹子"那件事，他并不是没有听到风声，也并不是完全不知道那个"行运豹子"就是赵二爷的大公子。

可是无忌既然没有找上他，他就不妨装糊涂。

今天轩辕一光叫他去接的人是谁？他心里多少也有点数。

可是人家既然不说，他又何必多事？

多做多错，少做少错，不做不错。

一个六十多岁的人，难道还想出什么大风头？难道还想往上爬，去做堂主？

现在他已经有了点积蓄，在城外有了几亩田，分租给几个老实的佃户，每年按时收租。

自从他的妻子得了喘病后，他们就分了房，可是他从来没有再娶小老婆的意思，家里的丫头们，他更连碰都不碰。

大风堂的规矩很严，他不能让人说闲话。

可是城里"留春院"如果来了新鲜干净的小姑娘，总会派人来通知他，他偶尔也会安排一个稳秘的地方，去享受半个晚上。

那是银货两讫，彼此都不吃亏的交易，他既不必为此羞愧，也不怕惹上无谓的麻烦。

何况，在他这种年纪，居然还能有"余勇"来做这种事，他心里多少总有点沾沾自喜，每次事后，都会觉得精神特别振奋，活力特别充沛。

对于这种生活，他已经觉得很满足。

天气又开始有点凉了，他想叫保福去准备点酒菜，下大雨的晚上，他总是喜欢喝两杯。

保福是他的忠仆，已经跟了他二十多年，平时总是不离他左右。

可是，今天他叫了两声，居然没有回应。

保福的年纪也不小，耳朵也没有以前那么灵了。再过一阵，也该让他享几年清福。

保福，保福，一个人要知道怎么保住自己的福气，才真正的有福气。

乔稳心里叹息着，慢慢的走到门口，又大声叫了两遍。

外面果然有了回应。

"来了。"

他刚听见这两个字，就有个人飞了起来。

不是走进来，也不是跑进来，是飞进来的，就像是根木头一样，斜斜的飞了起来，然后又像一根木头般"叭哒"一声，落在地上。

这个人的确是保福，只不过已经没有气了，因为他的脖子已经被人扭断。

乔稳全身冰冷，就好像一下子掉进冰窖里。

又是一声霹雳，闪电一击。

他看见了一个人，手里撑着把油纸伞，站在对面的屋檐下。

可是等到第二声霹雳响起时，这个人忽然就已到了他面前。

一个很年轻的人，生得眉清目秀，皮肤白里透红，看起来就像是个女孩子。

他当然不知道这个人就是唐家子弟之中，心最狠、手最辣的唐玉。

可是以他多年来的经验，他已感觉到这个人一来，他平静的生活就要结束。

他看着这个人慢慢的收起油纸伞，放在门后，他一直在尽力控制着自己，尽量保持镇定。

唐玉终于抬起头，看着他笑了笑，道："保福已经来了，你还要找谁?"

他笑得很愉快："你分舵里四十三位兄弟都已经来了，都在外面院子里等着，你一叫就到，只不过他们当然都不会自己走进来了。"

乔稳的心沉了下去。

这个人虽然笑容满面，轻言细语，却带着种刺骨的杀气。

这种人如果说他已经杀了四十三个人，就绝对有四十三个人的尸体躺在院子里，绝不会少一个。

乔稳知道自己全身都在冒着冷汗，甚至连脸上肌肉都无法控制。

四十三个人，四十三条命，都是和他朝夕相处的兄弟。

这个人是谁? 为什么要对他们下这种毒手?

唐玉微笑道:"你看不出我是什么人的,因为我手上没有戴那种又笨又重的鹿皮手套,我的暗器也不会放在那种该死的皮囊里,我不想让人一眼就看得出我的来历。"

乔稳道:"你是唐家的人?"

唐玉道:"我就是唐玉。"

乔稳听过这个名字,听过不止一次。

据说这个人曾经创下过一夜间杀人最多的记录——盘踞在川东多年的"斧头帮"中一百零三个兄弟,一夜间全都死在他手里。

乔稳忽然问道:"你真的在一夜间杀过一百零三个人?"

唐玉道:"那是假话。"

他淡淡的接着道:"我只杀了九十九个,还有四个是自己吓死的。"

乔稳叹了口气,道:"看来我好像也不是你的对手。"

唐玉道:"你绝不是。"

乔稳道:"你准备什么时候杀我?"

唐玉道:"我并不一定要杀你。"

乔稳道:"我这个人是不是对你还有点用?"

唐玉道:"有一点。"

乔稳道:"我要替你做什么,你才会饶我这条命?"

唐玉道:"你能为我做什么?"

乔稳道:"大风堂的人都很信任我,现在我的兄弟虽然都死了,可是我只要编个故事,他们还是不会怀疑我的,所以我还是可以在这里做这个分舵的舵主,可以把大风堂机密供应给你们,你们有人来了,我也可以想法子照应。"

唐玉道:"太好了。"

乔稳道:"我甚至可以替你们把赵无忌诱到这里来,我知道你们一定很想杀了他,斩草除根。"

唐玉道:"完全正确。"

乔稳道:"我虽然已经是个老人,可是越老的人越怕死。"

唐玉道:"我了解。"

乔稳道:"我很喜欢过现在这种日子,实在舍不得死,所以,闲时我就常常在想,如果我遇到今天这种情况,应该怎么办?"

唐玉道："你说呢?"

乔稳道："我的武功久已荒废,就算跟你动手,也是自取其辱。"

唐玉道："你很有自知之明。"

乔稳道："所以我早就决定,如果遇见这种情况,我只有出卖大风堂,保全自己的性命。"

他慢慢的接着道："一个人只有一条性命,无论什么事,都不如自己的性命珍贵。"

唐玉道："完全正确。"

乔稳道："所以,一个人如果为了别的事连自己的命都不要了,这人一定是个笨蛋。"

唐玉微笑道："你当然不是笨蛋。"

乔稳道："我是的。"

唐玉显然很意外:"你是笨蛋?"

乔稳道："直到今天,我真的遇见了这种情况时,我才知道一个人的死并不是最重要的,有时活着还不如死了的好。"

唐玉道："难道你情愿做个笨蛋?"

乔稳道："我情愿。"

乔稳已扑上去,用尽全身的力量扑上去,挥拳痛击唐玉的脸。

能够独当一面,主持大风堂的分舵,当然绝不是太无用的人。

他也曾苦练过武功,他的"大洪拳"练得很不错,近年虽然已很少出手,可是出手仍然很快,这一拳他用尽全力,拳势更猛烈。

他是在拼命!

只可惜他的对手是唐玉。

他的拳头挥出时,唐玉的手指戳断他的喉结。

他慢慢的向后退了两步,慢慢的倒了下去,就好像一个疲倦的人睡到床上去一样,显得出奇的平静。

在临死前的这一瞬间,这个怕死的人竟完全没有一点恐惧。

因为他求仁得仁,现在,终于如愿以偿。

他自觉已对得起大风堂,对得起院子里那四十三个兄弟。

他也已对得起自己。

看着这个自己情愿做笨蛋的人倒下去,唐玉心里怎么想?

他杀人时总是带着微笑,可是这一次他的笑容消失了。

他杀人后总觉得有种残酷的满足和兴奋。

这次他却觉得很空虚。

他甚至觉得自己很无趣。

现在他才明白,一个人是不是真的有勇气,平时是看不出来的。

平时懦弱无用的人,面临生死关头时,往往会显出过人的勇气来,慷慨赴死。

平时总是拍着胸脯说不怕死的人,到了这种时候,反而会临阵脱逃了。

唐玉忍不住问自己,"如果我是乔稳,在今天这种情况下,我会怎么做?"

他不想知道答案。

他很快的大步走了出去。

如果乔稳真的不惜出卖朋友来保全自己的性命,唐玉还是一样会杀了他的。

那时唐玉杀人后的心情就不同了。

他会觉得很愉快,因为他又把"人性"玩弄了一次。

可是现在他已明白,人性中也有尊严的一面,任何人都不能轻侮否认。

这使得他对"人"也生出了一点尊敬——至少在他走出去的时候,他的感觉是这样子的。

阴 劲

四月初三,晴。

唐紫檀一夜都没有睡好,醒来时只觉得腰麻骨痛,心情烦躁,很后悔这次跟唐玉一起出来,做这件他并不喜欢做的事。

他出门时一向都住在最高昂舒服的客栈里，这次唐玉却坚决反对。

所以他们只好在这又脏又破的辣椒店后面，那间已被烟熏黑的小木屋里，搭了三张床铺。

唐玉的床好像一夜都是空着的，长得像猴子一样的唐猴，睡着时却会像猪一样打鼾。

隔壁房里的朱掌柜和胡跛子，也一直都在翻来覆去，显然也没有睡好。

直到快天亮时，他才迷迷糊糊睡了一下，起来时唐玉已经在吃早点了。

一大锅油油的蛋炒饭，已经被他吃了一大半。

他的食欲好像经常都很旺盛，总是吃得很多，却从不选择食物。

一向讲究饮食的唐缺，曾经说过："你就算把一块木头煮熟，他也一样能吃得下去。"

唐傲的说法有点不同。

"就算没有煮熟，他也吃得下去。"

唐家并不是暴发户，唐家的子弟，对衣着饮食都很考究。

惟一的例外就是唐玉。

唐紫檀常常觉得奇怪，这个人是为什么活着的？难道就为了要杀人？

他知道唐玉昨天晚上一定又杀人了，杀人后他的胃口总是特别好。

唐猴和胡跛子他们进来的时候，他已经吃完第七碗。

他总算放下了筷子，看着他们微笑道："这锅饭是我自己炒的，用了半斤猪油，十个鸡蛋，味道还不坏，你们有没有兴趣吃两碗？"

一大早起来，谁吃得下这么油腻的蛋炒饭？唐紫檀忽然问道："昨天晚上你杀的是什么人？"

唐玉笑了："你看得出我杀过人？"

唐紫檀道："但是我却想不出这地方有什么人值得你连夜去杀的？"

唐玉道："这地方该杀的人并不少，可惜我只杀了四十四个。"

朱掌柜刚喝了一口茶，听见这句话，吓得一口茶都从鼻子里呛了出来。

唐紫檀却好像已司空见惯，只问了句："哪四十四个？"

唐玉道："乔稳和他那分舵里的四十三个兄弟。"

唐紫檀脸色也变了："你不能等到杀了赵无忌之后再杀他们？"

唐玉道："不能。"

唐紫檀道："你不怕打草惊蛇？"

唐玉道："不怕。"

唐紫檀不说话了，也已无话可说。唐玉自己倒了杯热茶，慢慢的喝下去，才微笑着说道："昨天晚上，我本来已决定要好好睡一觉的，我也不想冒着那么大的雨去杀人。"

唐紫檀忍不住问道："后来你为什么改变了主意？"

唐玉道："因为，我忽然想到了一件事。"

唐紫檀道："什么事？"

唐玉道："我忽然想到，树木并不是最好的掩饰，还有一种更好的。"

唐紫檀道："哪一种？"

唐玉道："人。"

唐紫檀显然还没有听懂。

唐玉道："如果赵无忌够聪明，就一定会想到我们绝不会把比黄金还珍贵的本门暗器，浪费在一些不相干的人身上。"

唐紫檀道："本门的暗器，不到必要时，本来就不能随意出手。"

唐玉道："如果赵无忌够聪明，就会叫大风堂的子弟，扮成些不相干的人，他和轩辕一光就可以混在那些人里面，让我们不敢发暗器。"

唐紫檀嘴里虽然没有说话，心里也不能不承认他的确想得很周到。

唐玉道："那些人，都是他们的自己人，我们一去就好像三条黄鼠狼走进了一群老母鸡里去，他们一眼就看得出来。"

他叹了口气，又道."那时候我们非但不能用暗器打他们，反而要变成他们的箭靶子。"

唐紫檀也叹了口气，终于承认："如果赵无忌够聪明，一定会这么做的。"

唐玉道："看起来他不像是一个笨人。"

唐紫檀道："的确不像。"

唐玉道："所以我只好冒着大雨，连夜赶去杀人了。"

唐紫檀想了想，又忍不住要问："现在他们岂非还是一样可以混在人丛里?"

唐玉道:"不一样。"

唐紫檀道:"为什么?"

唐玉道:"因为这些人只要不是他们的自己人,他们可以混进去,我们也一样可以混进去,他们认不出我们,我们却认得出他们。"

他笑了笑,又道:"如果赵无忌够聪明,是绝对不会做这种事的。"

想到要这么做的人,当然就不够聪明了。

唐紫檀并不是听不懂他的意思,棺材板一样的脸上却是全无表情,只淡淡的问道:"你想他会怎么做?"

唐玉道:"我们杀了乔稳后,他一定更想杀我们!"

唐紫檀道:"当然。"

唐玉道:"所以最迟今天晚上,轩辕一光就会露面的。"

唐紫檀道:"他会在哪里露面?"

唐玉道:"狮子林。"

唐紫檀道:"还是狮子林?"

唐玉道:"说不定他也认为这地方不理想,可是他绝对找不到更好的地方。"

朱掌柜忍不住插口,道:"狮子林的地方很大……"

唐玉不给他说话的机会,立刻道:"今天早上我去过,现在刚回来。"

朱掌柜闭上了嘴。

唐玉道:"狮子林一共有三个门,我想他一定经过最热闹的几条街,从人最多的一道门走进去,因为他本来就是要我们发现他。"

唐紫檀道:"进去之后呢?"

唐玉道:"我想他一定会在'花月轩'的茶座里找个位子坐下。"

唐紫檀道:"为什么?"

唐玉道:"因为那里背面临水,左右两面都是花圃,所以虽然是个四面敞开的竹栅,却只有正面可以出入,我们一走进去,他就可以看见。"

他又道:"这个人有个最大的本事,不管我们怎么改扮,他总是一眼就能够看穿。"

唐紫檀道:"多年前我就听说过他这个人,据说他是花五姑的门下,暗器、易容、和软功都是一流好手。"

唐玉道:"那时候赵无忌很可能已躲在附近,说不定已经在茶座里。"

胡跛子也忍不住要插口,道:"我可以认得出他来。"

唐玉道:"如果赵无忌不是你昨天见到的那个人呢?"

胡跛子也闭上了嘴。

唐玉道:"就算他是的,经过易容改扮后,你也未必认得出。"

胡跛子不敢辩驳。

唐玉道:"那地方的人很杂,经常有各式各样的小贩走动,要饭的乞丐也不少,每个人都可能是赵无忌,所以我们一定要让他先出手。"

他笑了笑又道:"只要他一出手,他的真面目就要当场现形了。"

唐紫檀沉吟着,道:"从那两个人的伤口上看来,他的剑法不但极快,而且极准,如果让他先出手,岂非太危险?"

唐玉又淡淡的笑了笑,道:"连切肉都有危险,何况是去杀人。"

唐紫檀拿出了火镰火石,准备点他的旱烟了。

唐玉道:"他知道我们有三个人,我们就要让他看见三个人。"

这句话,谁都听不懂,但是谁也没有问。

唐玉又道:"轩辕一光坐下,檀叔,小猴,和老朱就去把他围住,甚至可以把身份亮出来,让他知道,是唐家的人来了。"

朱掌柜又忍不住问道:"我也去?"

唐玉道:"赵无忌见过跛哥,所以只有你去。"

朱掌柜道:"可是我……"

唐玉道:"我知道你是临时被拉去充数的,赵无忌却不知道,他只知道唐家来三个人,现在既然看见有三个人露了面,而且随时都可能要轩辕一光的命,他当然就会出手。"

他笑了笑,又道:"那时候我当然早已到了那里,只要赵无忌一出手,他就死定了!"

这计划的确很周密,每一个细节,每一个步骤,他都算得极准,而且说得很详细。

只有一件事,一个细节,他没有说出来。

——唐紫檀、唐猴、朱掌柜这三个中,很可能有一个人要死在赵无忌剑下。

以赵无忌的剑法和速度,这种可能性很大。

对他来说,这只是个不足轻重的细节而已,只要他能手刃赵无忌,别的事都无关紧要,别人的死活他更不会放在心上。

他知道唐紫檀他们很可能也想到了这一点,只可惜他们根本别无选择的余地。

因为他们绝对想不出更好的计划来。

因为他比他们都聪明。

知道自己比别人聪明,无疑是件很令人愉快的事。

唐玉愉快的舒了口气,道:"吃过饭之后,你们就可以开始准备行动了。"

唐紫檀道:"你呢?"

唐玉道:"现在,我要去睡一觉,可是,你们到花月轩的时候,我一定已经在那里。"

他又笑了笑,道:"可是你们如果看不见我,也不必担心。"

唐紫檀道:"为什么?"

唐玉道:"因为我一定会尽量扮得让你们认不出来。"

唐紫檀又问:"为什么?"

唐玉道:"你们如果认得出我,看到我的时候,神色总难免会有点不同,说不定就会被赵无忌看出破绽来。"

他微笑着又道:"赵无忌是个聪明人,很可能比我们都聪明。"

他嘴里虽然这么样说,心里当然不是这么样想的。

他当然比赵无忌聪明,比任何人都聪明。

他对自己绝对有信心。

看到乔稳的尸体时,赵无忌既没有流泪,也没有呕吐。

悲伤使人流泪,恐惧使人呕吐。

他心里只有愤怒。

他并不是不知道愤怒最容易使人造成错误,可是每个人都有无法控制自己的时候。

轩辕一光轻轻抚着乔稳破碎的喉结,忽然问道:"你知不知道,内力中有种阴劲?"

无忌知道。

阴劲是内力中最难练的一种,也是最可怕的一种。

轩辕一光道:"杀乔稳的这个人,用的就是阴劲。"

无忌道:"我看得出来。"

轩辕一光道:"这种功夫虽然厉害,可是谁都不愿意练它。"

无忌道:"为什么?"

轩辕一光道:"因为,练阴劲的人,通常会把自己练得阴阳怪气,不男不女的。"

无忌道:"你是不是想到了这么样一个人?"

轩辕一光道:"我听说过。"

无忌道:"谁?"

轩辕一光道:"唐玉。"

无忌的双掌握紧,道:"我倒希望他也来了。"

轩辕一光道:"你是不是还想要我把他钓出来?"

无忌道:"是的。"

轩辕一光道:"什么时候?"

无忌道:"今天。"

轩辕一光道:"什么地方?"

无忌道:"狮子林。"

轩辕一光道:"还是狮子林?"

无忌道:"我想不出更好的地方。"

他笑着,慢慢的接着道:"我记得那里有座茶座,叫花月轩。"

轩辕一光道:"那是个好地方。"

无忌道:"今天下午,你先在大街上兜两下圈子,然后就到那里去等鱼上钩,我不露面,他们绝不会出手的。"

轩辕一光道:"你呢?"

无忌道:"我先到那里去等。"

乔稳的房里挂着一柄剑,虽然是装饰避邪用的,剑锋还是很利。

无忌解下来,轻抚着冷涩的剑锋。

鲜花需要水露的滋润,剑也一样,要饮过血之后,才会变得更有光泽,更为锋利。

无忌缓缓道:"今日我借你一用,一定让你痛饮仇人的鲜血,你也不要辜负了我。"

他以指弹剑,剑作龙吟。

只可惜纵然剑能通灵,也不能作人语,否则就一定会告诉他:

"我虽然不会辜负你,怎奈你的计划每一步都落入别人计算中,你已死定了!"

日落之前,正是阳光最灿烂的时候。

阳光把唐紫檀,朱掌柜,和唐猴三个人的影子长长的拖至地上,长而弯曲,就像三条鬼魂。

胡跛子看着他们三个人走出去,那眼色也像是看着三个死人一样。

他相信赵无忌这次死定了,可是这三个人也未必能活着回来。

幸好他不必为自己担心,他的任务很轻松,唐玉只不过要他在附近照顾一下而已,而且距离花月轩越远越好。

这种任务是绝不会有危险的。

于是他微笑着,一跛一跛的走出了这条辣椒巷。

第六回　步步杀机

狮子林

四月初三,黄昏。

黄昏的天气,还是和晨午同样晴朗,太阳刚刚开始西沉。一碧如洗的晴空,多彩多姿的夕阳总是令人心情愉快的。

轩辕一光的心情却不太愉快。

他在那两条据说是"附近三百里内最繁华"的街道上,像呆子一样闲逛了半个多时辰,看着一些偷偷从家里溜出来的大姑娘、小媳妇,为了买点便宜货,和花粉店里年轻的伙计们抛着媚眼,吃吃的傻笑。

因为,除此之外,别的事便引不起他的兴趣。

然后他又在一家古玩字画店里逗留了很久,尽力装出很有鉴赏力的样子。

他甚至还去买了一包粽子糖,然后又偷偷的丢进阴沟里。

他自己也不知道为什么会做这种事。

赵无忌和唐家之间的恩怨,本来跟他完全没有一点关系。

可是他喜欢赵无忌。

每个人都常常会为一些自己喜欢的人,去做一些自己并不喜欢做的事。

现在他总算已坐下来,叫了壶他喜欢喝的香片。

小河里的流水很清,花圃里的鲜花芬芳而美丽,他背后靠着根很大的柱子,用不着担心唐家的毒药暗器,会从后面打过来。

他的手距离桌子很近,随时都可把桌子掀起来当盾牌。

他总算觉得舒服了一点。

——唐家的那三个人是不是已看见了他？会不会跟到这里来？

各式各样的小贩，在茶座里走来走去，手里提着的篮子里，装着各式各样的新鲜瓜果，甜咸茶食，蜜饯精饼。

八九个瘦弱衰老的乞丐，默默的坐在栏杆旁，等着别人施舍。

他们并没有装出那种令人憎恶的卑贱谄媚的表情，却显得说不出的疲倦，一种已深入骨髓，对自己完全绝望的疲倦。

——在这些人里面，会不会有唐家的人？

三十多个茶座，只有十多个客人。

一个弯腰驼背的老太婆，正在用一块山楂饼哄着她一个哭闹不停的小孙子。

三个肥肥胖胖的生意人，正在为了价目争得面红耳赤。

两个老头子在下棋。

一对年轻的夫妇，远远的坐在一个角落里，喁喁细语。

另外一对中年夫妻，却好像陌生人一样坐在那里，连一句话都没有说，丈夫正在专心对付一个肉包子，妻子却在看着那对年轻的夫妻痴痴的出神。

她想到他们曾经有过恩爱的时候，可是春去秋来，花开花谢，那种时候早已过去，她的丈夫还可以到外面寻花问柳，她却只有在脏衣服和油腻的锅中度过枯燥的下半生。

还有个身材高大，衣着华丽的男人，背负着双手，站在后面的栏杆外，面对着那弯小河，仿佛正在欣赏着这暮春黄昏。

——这些人里面不会有唐家的人，也没有赵无忌。

他一直没有看见无忌，他也不想认真的去找，反正无忌一定会在附近的。

一壶茶已经快喝完了，走了那么多路，总难免会口渴的。

他正想叫人来加水。

就在这时候，他看见三个人从外面那条碎石小径上走了过来。

三个人都穿着青衣衫，白布裤，一个肥胖臃肿，一个猴头猴脑。

另外一个高瘦老人，手里托着管烟杆，腰身很长，腰杆挺得笔直，走起路来上半身纹风不动,冷峻严肃的脸上,全无表情。

看见这三个人,轩辕一光的瞳孔立刻收缩。

他已看出这三个人中,至少有两个是从川中一路盯着他下来的。

尤其那猴头猴脑的年轻人,就算扮成个大肚子孕妇,他也能一眼认得出来。

现在他们果然来了。

这年轻人和那胖子都不足虑,最难对付的无疑是那抽旱烟的老头子。

轩辕一光甚至有点担心。

因为他怀疑这个老头子很可能就是名震江湖的唐二先生。

这老头子当然不是唐二先生,而是唐紫檀。

他心里正在冷笑。

因为唐玉虽然决心不让他们认出来,他还是一眼认出他来。

他一眼就看出了两点破绽。

——那个一直在哭的小孩,只穿了袜子,没有穿鞋。

——这小孩哭得太厉害。

一个跟着老祖母出来的小孩,本来绝不应该哭得这么凶。

一个慈祥细心的老祖母,带着小孙子出来玩,也不该忘了替他穿鞋。

唐紫檀立刻断定这老祖母就是唐玉。

——这个小孩是在熟睡中,被唐玉"借"来用的。

唐紫檀很想走过去,给这年轻人一点教训,教给他一点礼貌,让他知道老年人还是应该受到尊敬的。

这种事当然不会真的做出来,他们毕竟都是唐家的人。

唐家内部虽然也像其他的家庭一样,难免会有些争执。

但是他们在对付外人时,却绝对联合一致。

现在他们要对付的是赵无忌。

不管怎么样,能够想到"借用"别人家的一个小孩,来掩护自己,总是件很聪明的事。

唐紫檀相信赵无忌和轩辕一光都绝对不会想到这一点。

所以他对这次行动更有信心。

但是他看不出谁是赵无忌。

谈生意的三个人太肥胖,下棋的两个老头子太衰老。

这些都不是可以伪装的。

那两对夫妻也不像。

两个妻子的确都是女人,两个丈夫,年轻的一个眼神虚弱,显然是因新婚房事过度,年长的一个目光迟钝呆板,都绝不是有武功的人。

剩下的就是两个卖零食的小贩,和一个提着大水壶的堂倌。

这三个人一个缺了半边耳朵,一个满脸麻子,正准备替轩辕一光去加水冲茶的那个堂倌,粗手大脚,显然是劳苦出身。

赵无忌并不是劳苦出身,也没有缺半边耳朵,更不是麻子。

究竟谁是赵无忌?

唐紫檀很想把这些人,再仔细观察一遍,可惜,这时候他们已经走到轩辕一光面前。

如果他知道事实的真相,一定会大吃一惊。

这时候赵无忌根本不在花月轩。

轩辕一光一直在注意唐紫檀。

这老人脚步轻健,两边太阳穴微微凸起,走路时双肩纹风不动。

这些都是武功高手的特征。

一个有经验的武林高手,准备要对付一个人时,当然会把全部精神都集中在这个人身上。

现在他的目标是轩辕一光,但是他没有太注意轩辕一光,反而对那个一直在逗着孙子的老太婆显得很有兴趣。

不管多老的老头子,都不会对一个老太婆感兴趣的。

能够让老头子感兴趣的,通常也是年轻的小女孩。

难道这老太婆有什么特别的地方?

轩辕一光也来不及仔细观察了,因为这时候唐紫檀他们已经到了他面前。

正在往茶壶冲水的堂倌,仿佛也感觉到这三个人的来意不善,吃惊的向后退了出去。

轩辕一光却很沉得住气,居然对他们笑了笑,道:"请坐。"

他们当然不会坐下去。

唐紫檀冷冷道:"你知道我们是来干什么的?"

轩辕一光道:"不知道!"

他笑了笑,又道:"如果你是个小姑娘,我一定会以为你看上了我,所以才一直盯着我,只可惜你比我还老还丑。"

唐紫檀棺材板一样的脸上,还是丝毫无表情,他不是容易被激怒的人,也不想斗嘴。

唐猴却忍不住道:"我们的确看上了你一样东西,准备把它带回去。"

轩辕一光道:"你们是不是看上了我的脑袋?"

唐猴道:"对了。"

轩辕一光大笑:"这颗脑袋我早就不想要了,你们赶快拿去,越快越好!"

可是他们并没有动手。

三个人忽然解开了外面的青布衫,露出了腰边的一个革囊。

革囊旁边还挂着一只鹿皮手套,唐紫檀的一只已磨得发光。

这正是唐门子弟的标布,江湖中大多数人只要一看见,就已魂飞魄散。

轩辕一光却笑了。

无忌的判断一点都没有错,他们的目标并不是他,而是赵无忌。

现在他们跟他一样,也在故意拖延,等着赵无忌露面。

——无忌为什么还不出手,他还在等什么?

轩辕一光笑道:"你们这个袋里装的是啥子? 是不是……"

他没有说下去,他的心却沉了下来。

他终于看到了赵无忌。

赵无忌居然不在这花月轩里,居然还远远的站在一座假山上,好像准备隔岸观火。

他想不通无忌这是什么意思? 他只知道这三个人迟早总是会出手的。

只要他们一出手,他就死定了!

夕阳满天。

小河里水波闪动,花园里有个女孩子偷偷的摘下了一朵红牡丹。

这时胡跛子也在附近,在一个很奇怪,很特别,绝对没有人想得到的地方。

他相信绝对没有人能看得见他,但是他却可以看到别人。

每个人他都能看得很清楚。

他看见唐紫檀他们三个人走进花月轩,看到唐紫檀对老太婆的那种奇怪眼神。

他心里觉得很好笑。

惟一让他想不通的是,赵无忌为什么直到现在还没有露面?

现在唐紫檀他们都已把鹿皮手套戴上,已经不能再拖下去了。

不管赵无忌是不是出手,他们都要出手了。

就在这时候,忽然又有件奇怪的事发生了,一件胡跛子做梦都想不到的事。

他这一生中,从来也没有像现在这么样吃惊过。

他几乎忍不住想逃走。

但是他绝对不能动,绝不能露出一点吃惊的样子来。

否则他也死定了。

唐紫檀慢慢的戴上了他的鹿皮手套。陈旧的皮革,温暖而柔软。

这是只小鹿的皮。

他十七岁的时候,捕杀了这只小鹿,一个辫子上总喜欢扎着个红蝴蝶的小姑娘,亲手为他缝成了这只手套。

他和他二哥都很喜欢她。

后来他虽然得到了她,他的二哥却得到了江湖的声名和荣耀。

现在那个辫子上扎红蝴蝶的小姑娘已在地下,唐二先生的声名和荣耀却仍如日中天。

当时那个小姑娘如果嫁给了他的二哥,情形会变得怎么样?

人生就是这样子的,你得到某些东西时,往往就会失去另外一些。

所以他从不后悔。

每当他戴起这只手套时,他心里就会泛起种异样的感觉,总会想起那些难忘的事,想起那辫子上扎红蝴蝶的小姑娘,在灯下为他缝手套的样子。

在这种情况下,他本没有杀人的心情。

可是每当他戴起这只手套时,总是非杀人不可!

就在这个时候,惊人的变化,忽然发生了!

那个粗手大脚的堂倌,忽然将手里提着的一大壶滚水,往朱掌柜的头上淋了下去。

卖瓜菜的麻子,忽然从篮子抽出把尖刀,一刀刺入了朱掌柜的腰。

缺耳朵的人把一篮子芝麻糖往唐猴脸上洒过去,芝麻糖下面竟是藏着石灰。

唐猴大吼,冲天拔起,手里已抓了把毒砂。

他的毒砂还未发出,那三个肥肥胖胖的生意人已扑过来。

三个人身手居然都极矫健,行动配合得更好,一个人以桌子作盾牌,一个人撒出个绳圈,套住了唐猴的腿,另外一个人吐气开声,"砰"的一拳打在唐猴背脊上,力量猛烈惊人。

唐猴的背脊立刻被拍断,落在地上时,整个人都已软瘫如泥。

就在这同一刹那间,下棋的两个老头子也已出手,竟以江湖少见的打穴手法,用三十二枚棋子打唐紫檀的穴道,手法又快、又重、又准、又狠,竟是一流的暗器高手!

唐紫檀一个肘拳打倒麻子,骨头碎裂声响起。

他的身子已箭一般地窜出,一片黑蒙蒙的毒砂,夹带着四枚毒蒺藜,也同时洒了出去。

这一击是否能得手,他已顾不得了,他的目的并不是伤人,而是自救。

老人的筋骨,虽然已经硬化,可是历久不懈的锻炼,使得他的身手仍然保持敏捷。

他的腰在空中鱼尾般一掠,身子已飞鸟般掠出栏杆外。

他早已算准，只有后面的这条小河，是他惟一的退路。

他相信他在水里的功夫，也仍然和他的轻功提纵术一样，绝不比任何年轻人差，只要他能跃入水里，就绝对安全了。

想不到就在这时候，他忽然听到一声轻叱！

"回去！"

那一直背负着双手，临河远眺的华衣人，忽然转身，挥手，宽大的袍袖卷起一股劲风。

他的气力本已将竭，整个人都被这股劲风带动，身不由主，退了回去，落下地时连脚步都已拿不稳。

被他打断肋骨的麻子还倒在那里，痛得满脸都是黄豆般大的冷汗，这时忽然咬了咬牙，就地一滚，手里的尖刀毒蛇般刺出，刺入了他的腰。

冰冷的刀锋，就像是情人的舌尖般轻轻滑入了他的肌肉。

他甚至完全没有感觉到痛苦。

可是他的心已冷了。

以他多年的经验，当然知道什么地方是致命的要害，这一刀实在比毒蛇还毒。

这麻子的出手好狠。

麻子一击命中，刀已撒手，原地滚了出去。

他知道这老人绝不会放过他的，却没有想到暗器来得这么快，光芒一闪间，两枚毒蒺藜已打在他的左颈后。

他没有感觉到痛苦，可是他的心也已冷了。

中了这种毒药暗器的人，会有多么悲惨的结果，他也听说过。

他的身子突然扑起，夺过那缺耳人手里的刀，一刀就割刺了自己的咽喉。

他不但对别人狠，对自己也狠！

唐紫檀还是标枪般站在那里，只要不拔出这把刀，他就不会倒。

他只要还能够站着，他就绝不肯倒下去。

没有人再出手。

骨头硬的人，无论成败死活，都同样会受到别人的尊敬。

那高大的华衣人忽然叹息，道："你是条硬汉，不管你是死是活，我的人都绝不会再动你。"

唐紫檀盯着他，道："你是谁？"

这人道："我姓张，张有雄。"

唐紫檀哑声道："南海七兄弟的张有雄？"

张有雄道："是的。"

唐紫檀道："我们有仇？"

张有雄道："没有。"

唐紫檀道："你是为了赵无忌？"

张有雄道："是的。"

唐紫檀道："你为什么要替他做这种事？你不怕唐家报仇？"

张有雄道："因为他拿我当朋友，为了朋友，我什么事都做。"

对江湖男儿来说，这理由已足够。

唐紫檀忽然长长叹息："只可惜我没有交到你这种朋友。"

他已将死在这个人手里，奇怪的是，他对这个人并没有怨恨。

他恨的是另外一个人，一个临阵退缩，出卖了他的人。

那小孙子早已吓得连哭都不敢哭了，"老祖母"仿佛也吓得缩成了一团。

唐紫檀本来连看都不想看他的，刚才他如果出手，他们并不是绝对没有机会。

唐紫檀本来还对他抱着希望，想不到他竟是这种懦夫。

现在唐紫檀已完全绝望了，却还是不想出卖他。

他们毕竟都是唐家的人，既然他这么怕死，为什么不索性成全他？

但是，他看见他们因他而惨死，心里有什么感觉？以后他活着是否能问心无愧？

唐紫檀终于还是忍不住看了他一眼，这一眼中包含了气愤和怨恨，也包含着惋惜和怜悯。

这时候他已感觉到内部在大量出血，血并没有从他刀口里流出来，却从他嘴里流了出来。

他忽然笑了。

因为有个他一直无法回答自己的问题，现在终于找到了答案——

他绝不会有一口用紫檀木做的棺材。

于是他拔出腰上的刀！

刀锋拔起，刀口里射出来的鲜血，几乎溅到无忌衣服上。

轩辕一光看着他进来的，虽然他并没有解释为什么直到现在才来的理由，可是轩辕一光知道他一定有很好的理由。

现在唐家的三个人都已倒下去，这件可怕的事终于已结束。

年轻的妻子缩在她丈夫怀里，苍白的脸忽然红了起来。

她又怕、又羞、又急，简直不知道应该怎么办才好。

她绝不能让别人知道，她的裤裆已湿透。

年纪比较大的那个丈夫情况更糟，几乎每个人都能嗅到他屁股下发出的恶臭。

他的妻子反而比他镇静得多，正在想法子，应该用什么法子，让她的丈夫站起来。

那个老祖母已抱起她的孙子，一拐一拐的往外走。

无忌忽然道："请等一等。"

老祖母好像根本没听见他在说什么，无忌却已挡住了她的去路。

她吃惊的抬起头，看着无忌。

无忌却笑了笑，道："老太太，你贵姓？"

老祖母的嘴，一直在动，却发不出声音。

无忌又问："这孩子是你的孙子？"

老祖母点点头，把孩子抱得更紧。

无忌道："晚上天气已渐渐凉了，你为什么不替他穿上鞋子？"

老祖母好像吃了一惊，好像直到现在才发现她的孙子没有穿鞋。

孩子又在她怀里哭起来，无忌脸上虽然在笑，眼睛却冷如刀锋。

老祖母弯下腰，忽然把这孩子拎起，用力往无忌脸上砸过去。

无忌只有伸手接住，这个弯腰驼背的老祖母，却已箭一般窜出了栏杆。

孩子在无忌的手里又哭又叫，又踢又打。

老祖母身形展动，竟施展出"蜻蜓三抄水"的轻功身法，在花圃间接连三个起落，已掠出六七丈外。

就在这时,忽然有人轻叱:

"漏网之鱼,你想往哪里逃?"

叱声中,一条人影从花圃间飞起,迎上这个老祖母,一拳击出。

看见了这个人,老祖母竟似已吓得完全没有招架闪避之力,一声惊呼还没有发出,咽喉下的软骨和喉结已经被打碎了。

无论他知道什么秘密,都已永远没法子说出来。

他倒下去时,眼泪也已涌出。

因为他做梦也想不到这个人竟会对他下这种毒手!

谁也想不到这个人的出手这么狠!他看起来实在不像是个心狠手辣的人。

他不但年轻,斯文,秀气,而且脸上总是带着温柔动人的微笑。

那个刚才偷偷摘了朵玫瑰的小姑娘,一直在偷偷的看着他,仿佛已看得痴了。

他也看着她,笑了笑,才向无忌这边招呼,叫道:"你们谁过来,把这位老祖母抬走。"

秘 密

现在老祖母已经被抬进来了,斯文秀气的年轻人也跟着走了进来。

一走进来,他就介绍自己:"我姓李,叫李玉堂。"

这是个陌生的名字,他也是个陌生人,可是每个人都对他很友善。

因为他替他们抓到了一条漏网之鱼。

李玉堂道:"这位老祖母其实并不太老,当然也不是真的祖母。"

他看着无忌微笑:"各位一定也早就看出来了,老祖母绝不会忘记替自己孙子穿鞋的,可是就凭这一点,当然还不够,所以各位还不能出手。"

无忌一旁忍不住问道:"你还看出了什么?"

李玉堂道:"其实我什么都没有看出来,我只不过碰巧知道这孩子真正的祖母是谁。"

无忌道:"你认得她?"

李玉堂点头道:"不但认得,而且很熟。"

他笑得更愉快："这孩子的祖母刚好是我的阿姨。"

无忌立刻松了口气："这真是巧极了，而且好极了。"

孩子虽然已经哭累了，暂时安静下来，无忌抱在手里，却还是好像抱着一大包随时都可能爆炸的火药一样。

他平生最受不了的两件事，就是男人多嘴，女人好哭。

现在他才发现，一个好哭的孩子，远比十个好哭的女人还难对付。

女人哭起来，他还有法子让她们闭上嘴，孩子一哭，他的头立刻就变得其大如斗。

所以，李玉堂从他手里把孩子抱过去时，他好像已感激得连话都不知道怎么说了："有句话，我说出来，你千万不能生气。"

李玉堂道："我看起来像不像是个很会生气的人？"

他的确不像。

无忌道："我们实在不知道该怎么样谢你，你能不能告诉我们应该用什么法子？"

李玉堂道："如果你们一定要谢我，只有一个法子。"

无忌道："你说。"

李玉堂道："把我当做个朋友。"

他的笑容温暖而诚恳："我喜欢交朋友，也很需要朋友。"

无忌立刻伸出了手。

李玉堂这么样一个人，有谁会拒绝跟他交朋友？

李玉堂终于带着孩子走了，他急着要把这孩子送回他的阿姨那里去，因为"阿姨现在一定担心得要命"。

不等他走出那条碎石小径，轩辕一光就忍不住问无忌："你真的相信这孩子是他的外甥？你真的相信，天下有这么巧的事？"

无忌道："我相信。"

轩辕一光道："你真的愿意交他这个朋友？"

无忌道："我愿意。"

他的回答虽然明确肯定，轩辕一光却好像还是觉得有点怀疑。

可是就连他自己也想不出李玉堂有什么理由要欺骗他们。

就算他真的骗了他们，骗走的也只不过是个好哭的孩子而已。

老祖母居然还没有死,破碎的咽喉间,不时会发出一阵阵"丝丝"作响的声音,就像是条垂死的响尾蛇。

把他抬回来的人,从他的贴身衣服里,搜出了个革囊,里面装的,果然都是唐家的独门暗器,数量虽不多,品质都不差。

想到唐紫檀临死时看着他的那种眼神,这个人无疑就是唐玉。

轩辕一光又问无忌:"你是不是算准唐玉一定已来了?"

无忌道:"是的。"

轩辕一光道:"你也算准他一定想法子先把你诱出来,才会出手,因为他的目标并不是我,是你。"

无忌道:"是的。"

轩辕一光道:"你也想等到他先露面才出手,因你的目标也是他。"

无忌点头道:"所以,我只有去找张二哥。"

张有雄一直都很沉默。

一个从十几岁就开始掌握大权的人,当然不是会是个多嘴的人。

他从来不用言语来表现他对别人的友谊,"少说多做",才是他做人的原则。

直到现在他才开口:"一个人有困难的时候找朋友,绝不是件丢人的事。"

他走过来,紧握无忌的手:"你能够想到来找我,我很高兴。"

说完了这句话,他就走了,带着他的属下一起走了。

那三个肥胖的生意人又恢复了本来的臃肿和迟钝,粗手大脚的堂倌,和缺耳朵的小贩也变得和以前一样平凡质朴。

他们默默的把他们同伴的尸体抬了出去。

在刚才那生死一发,惊心动魄的一瞬间,他们所表现出的那种凌厉的锋芒,现在都已看不见。

对他们来说,这种事既不值得夸耀骄傲,也用不着悲伤惋惜。

他们随时随地都愿意为他们的主人做任何事,就正如他们的主人也随时都愿意为朋友做任何事一样。

无忌也没有再说什么!

既然他们是朋友,无论再说什么都是多余的。

　　轩辕一光却忍不住叹息,道:"能够交到这样的朋友,真是你的运气。"

　　无忌凝视着他,道:"能够交到你这样的朋友,也是我的运气。"

　　轩辕一光道:"可是那李玉堂……"

　　无忌道:"他是不是好朋友,我很快就会知道的。"

　　轩辕一光道:"你很快就能够再见到他?"

　　无忌道:"一定能见到。"

　　轩辕一光道:"你有把握?"

　　无忌道:"有。"

　　轩辕一光盯着他看了很久,又叹了口气,道:"你知不知道你是个怪人?"

　　无忌道:"不知道。"

　　轩辕一光道:"你最怪的一点,就是你好像总会知道一些别人不知道的事,连我都看不出你怎么会有这种本事。"

　　无忌笑了,道:"如果连你都看得出来,那么,一定是因为我根本就没有这种本事。"

　　轩辕一光大笑,道:"不管你怎么说,我至少总算看出了一点。"

　　无忌道:"哪一点?"

　　轩辕一光道:"以后如果还有人想要你上当,绝不是件容易事。"

　　他笑着站起来,忽然又坐下:"还有件事我也想不通。"

　　无忌道:"什么事?"

　　轩辕一光说道:"你一直对唐玉很有兴趣,现在,他就在这里,你为什么不理他?"

　　无忌道:"因为他根本不是唐玉。"

　　轩辕一光又吃了一惊:"他不是? 你怎么知道他不是?"

　　无忌道:"因为我碰巧知道他是谁。"

　　轩辕一光道:"他是谁?"

　　无忌道:"他是个跛子,别人都叫他胡跛子。"

　　花月轩里发生的每件事,胡跛子都看得很清楚,因为他一直都在这里。

唐紫檀他们还没有来的时候,他就已经来了,带着一个从别人家里"借"来的孩子来了。

一个慈祥的老祖母,带着自己的小孙子来游春,走得累了,就进来喝杯茶,吃点零食点心,本来是绝不会引人注意的。

他能够想到用这种法子来作掩护,连他自己都觉得很得意。

他相信别人绝不会看见他的,他却可以看得见别人。

惟一的遗憾是,这孩子太喜欢哭,哭得他心慌意乱。

唐紫檀看见他时那种眼色,也让他觉得很不舒服。

幸好轩辕一光并没有注意到这些,所以,一直到那时候,他还是认为自己很安全。

想不到事情竟有了他完全无法预料的变化,更想不到赵无忌居然看出了他的破绽。

幸好他遇事临危不乱,随机应变,用这个好哭的孩子挡住了赵无忌。

眼看着他已经可以安全而退,远走高飞了,想不到,半路上又杀出了一个李玉堂来。

他做梦也想不到这个李玉堂会对他下毒手。

看到赵无忌伸出手,表示愿意和李玉堂交朋友的时候,他几乎忍不住要大笑,又几乎忍不住要大哭。

因为只有他知道跟这个人交朋友是件多么可怕的事。

因为他们本来不但是朋友,而且远比朋友更亲密得多。

只有他才知道,这个李玉堂,就是唐玉!

可惜现在他就算想把这个秘密告诉赵无忌,也已经说不出来了。

他相信赵无忌迟早总会知道这秘密的——等到快死的时候就会知道。

胡跛子咽下了最后一口气的时候,那声音听起来就好像一块石头掉进泥淖里。

轩辕一光忽然站起来,走出去。

他受不了这种事,但是他偏偏又忍不住要回过头来问:"你算准唐玉一定已来了?"

无忌承认。

轩辕一光道:"现在唐玉的人呢?"

无忌道:"不知道!"

轩辕一光道:"你好像根本就不想去找他。"

无忌也承认:"因为我根本就找不到他。"

轩辕一光道:"你准备怎么办?"

无忌道:"我想找一个人却找不到的时候,通常只有一个办法。"

轩辕一光道:"什么办法?"

无忌道:"等着他来找我。"

鬼　影

四月初六,阴。

赵无忌悄悄的回到了和风山庄。

他本来并不准备回来的,可是考虑了很久之后,他的想法改变了。

他想念凤娘,想念千千,想念那些对他们永远忠心耿耿的老家人。

这种刻骨铭心的思念就像是一盆温水,虽然能使人暂时忘记现实的痛苦,但也能使人松弛软弱。

所以他一直在控制着自己,尽量不去想他们。

可是在夜深梦回,疲倦失意时,这种思念却往往会像蛛丝一样突然把他缠住,缠得好紧。

只不过这并不是让他决定回来的主要原因。

他并没有听到凤娘和千千的消息,但是他已隐约感觉到,她们都已不在这里。

那天"地藏"带着凤娘到那密室里去的时候,他没有看见她。

他不敢回头去看。

因为他已隐约感觉到"地藏"带来的这个人,一定是他的亲人。

他生怕当时会变得无法控制自己,他不能让"地藏"对他有一点戒心。

现在他终于回来了,悄悄的回来,没有惊动任何人。

这时正是黄昏。

和风山庄本身就是个值得怀念的地方,尤其是在黄昏,更美如图画。

和风山庄和上官堡完全不同,也和云飞扬驻节的"飞云庄大风堂"不一样。

大风堂的建筑鹰扬飞发,庄严雄健,鲜活的反映出云飞扬那种不可一世的雄心伟抱。

上官堡险峻孤拔,在简朴中隐藏着一种森冷的杀气。

和风山庄却是个幽雅而宁静的地方,看不到一丝雄刚的霸气,只适于在云淡风轻的午后,夕阳初斜的傍晚,静静欣赏。

所以一直独身的司空晓风,除了留守在大风堂的时候之外,总喜欢抽暇到这里来作几天客,享受几天从容宁静的幽趣。

可是自从赵二爷去世,无忌出走,千千和凤娘也离开了之后,这地方也变了。

就像是一个人一样,一座庄院也会有变得衰老憔悴、寂寞、疲倦的时候。

尤其是在这种阴天的黄昏。

每当阴雨的天气,老姜关节里的风湿就会变得像是个恶毒和善妒的妻子一样,开始用各种别人无法想像的痛苦折磨他。

他虽然受不了,却又偏偏甩不脱。

今天他痛得更厉害,两条腿的膝盖里就像有几千根尖针在刺,痛得几乎连一步路都不能走。

他想早点睡,偏偏又睡不着。

就在这时候,无忌轻轻推开了那扇虚掩着的门,走进了他的小屋。

老姜立刻跳起来,用力握紧他的手:"想不到你真的回来了。"

看到老姜满眶热泪,无忌的眼泪几乎也忍不住要夺眶而出。

以前他总觉得老姜太迟钝,太顽固,太啰嗦,甚至有点讨厌。

可是现在他看见这个讨厌的人时,心里却只有愉快和感动。

"你走了之后,凤姑娘和大小姐也走了,直到现在,连一点消息都没有,自从那天司空大爷找了一个叫曲平的人来,她们……"

听着老姜正喃喃的诉说,无忌心里也觉得一阵刺痛。

——她们到哪里去了,为什么至今消息全无?

——那天"地藏"带入秘室的人,难道真的是风娘?

老姜仿佛也已感觉到他的悲痛,立刻展颜而笑,道:"不管怎么样,你总算回来了,我本来还不信,想不到你真的回来了。"

这句话他已经说了两遍。

无忌忍不住问:"有人告诉你,我会回来?"

老姜道:"你那位师妹和那位朋友都是这么说的,说你最迟今天晚上一定会到家。"

无忌没有师妹,也想不出这个朋友是谁。

可是他不想让老姜担心,只淡淡的问:"他们是几时来的?"

老姜道:"一位昨天下午就到了,你那位师妹来得迟些。"

无忌道:"他们是不是还在这里?"

老姜道:"你那位师妹好像身子不大舒服,一来就把自己关在屋里,整整睡了一天,还不许我们打扰。"

他又补充着道:"我把司空大爷常住的那间客房让给她睡了。"

无忌道:"我那位朋友呢?"

老姜道:"那位公子好像片刻都静不下来,不停的到处走来走去,现在……"

这句话他没有说完,脸上忽然现出种很奇怪的表情,就好像有人用一块干泥塞住了他的嘴。

无忌双眼盯住他,再问:"现在他到哪里去了?"

老姜还在犹豫,仿佛很不想把这句话说出来,却又不能不说:"我本来不让他去的,可是他一定要去,非去不可。"

无忌道:"去干什么?"

老姜道:"去打鬼。"

无忌尽量不让自己露出一点会让老姜羞愧难受的样子。

他看得出老姜的表情不但很认真,而且真的很害怕。

可是这种事实太荒谬,他不能不问清楚:"你是说,他去打鬼?"

老姜叹了口气,苦笑着说道:"我也知道,你绝不会相信的,可是这地方真的有鬼。"

无忌道:"这个鬼在哪里?"

老姜道:"不是一个鬼,是好多个,就在凤姑娘以前住的那座院子里。"

无忌问道:"这些鬼,是什么时候来的?"

老姜道:"凤姑娘走了没多久,就有人听见那地方夜里时常发出一些奇怪的声音,有时甚至看得见灯火和人影。"

无忌道:"有没有人去看过?"

老姜道:"很多人都进去看过,不管是谁,只要一走进那院子,就会无缘无故的晕过去,醒来时候不是被吊在树上,就是躺在院外的阴沟里,不是衣服被剥得精光,就是被塞了一嘴烂泥。"

他说的是真话,是真的在害怕,因为他也有过这种可怕的经验。

无忌已经可以想像得到,刚才他脸上为什么会有那种奇怪的表情。

老姜道:"他们对我总算客气些,既没有把我吊在树上,也没有剥光我的衣服。"

——可是,他嘴里一定也被塞了一嘴泥。

他跳过一段可怕的经历,接着道:"我醒来的时候,就看到了这张纸条。"

纸条是一种少见的黄裱纸,上面写的字歪斜扭曲而古怪,意思很明显:

"人不犯我,

我不犯人,

互不侵犯,

家宅安宁。"

每个人都希望家宅安宁,就算与鬼为邻,也可以忍受的。

这些鬼倒的确很了解人类的心理。

无忌道:"鬼也有很多种,这些鬼看来不是恶鬼。"

老姜道:"不管是哪类鬼,都有种好处。"

无忌道:"什么好处?"

老姜道:"鬼不会骗人,只有人才会骗鬼。"

无忌苦笑。

这也是真的,任何人都不能否认。

老姜道:"只要我们不到那院子里去,他们也绝不出来,从来都没有惊动过别地方的一草一木。"

所以他们也从来没有再到那院子里去过。

无忌了解这一点,他绝不怪他们,如果他是老姜,他也绝不会再去的。

可是他不是老姜,所以他一定要去看看,不但要去看看那些鬼,也要去看看他那个朋友。

阴雨的天气,黄昏总是特别短,忽然间天就黑了,冷飕飕的风吹在身上,令人觉得春天仿佛还很遥远。

无忌避开了有灯光的地方,绕过一条幽静的回廊,从偏门走入后园。

他不想惊动别人,而且坚持不让老姜陪他来。

有很多事都不能让别人陪你去做,有很多问题都必须你一个人单独去解决。

他不信世上真的有鬼,可是他相信世上绝对有比鬼更可怕的人。

有时候一个朋友远比一群鬼还危险。

他一向不愿别人陪他冒险。

庭园深深,冷清而黑暗,昔日的安详和宁静,现在已变成了阴森寂寞。

自从他父亲死了之后,连这地方都似乎已被死亡的阴影所笼罩。

但这里毕竟是他生长的地方,有太多令他永难忘怀的往事。

夏日的蟋蟀,秋日的蝉,春天的花香,冬天的雪,所有欢乐的回忆,现在想起来都只有使人悲伤。

他尽量不去想这些事——就算一定要想,也不妨等到明天再想。

他不愿意让任何一个活着的人,看见他的软弱和悲伤,也不愿让任何一个鬼看见。

凤娘住的那院子,在一个很偏僻的角落里,几乎是完全独立的,无论从哪里走过去都很远。

她父母的丧期一过,赵二爷就把她接到这里来了,在他们还没有成婚之前,她当然要和无忌住的地方保持一段距离。

可是无忌当然不会没有来过。

以前他来的时候,只要一走过桃花林旁的那座小桥,就可以看见她窗口里的灯光,灯光下的人影。

那窗口在小楼上,小楼在几百竿修竹,几十株梅花间。

那人影总是在等着他。

现在他又走过了小桥,桃花已开了,桃花林中,忽然传出一声冷笑。

在一个黑暗凄凉的阴天晚上,在一个阴森宽阔的庭院里,在一个人人都说有鬼的地方,忽然听见这么样一声冷笑,谁都会吃一惊的。

无忌却好像没有听见。

冷笑声是从桃花林里发出的,要到那有鬼的院子里去,就得穿过这片桃花林。

无忌就走入了这片桃花林。

冷笑的声音若断若续,忽然在东,忽然在西,忽然在左,忽然在一株桃花树上的枝叶间,忽然又到了右边一棵桃花树下草丛里。

无忌还是听不见。

忽然间,一个黑黝黝的影子从树枝上吊下来,在他脖子后面吹了一口气。

无忌好像是一点感觉都没有,非但没有被吓得晕过去,也没有回头去看一眼。

这个黑影子反而沉不住气了,身子在树上一荡,从无忌头上飞了过去。凌空一个细腰巧翻云,轻飘飘的落在无忌面前,手叉着腰,用一双大眼睛狠狠的瞪着无忌,虽然是在生气的时候,还是可以看得见脸上那两个深深的酒涡。

无忌根本连看都不必看,就已经猜出她是谁了。他本来以为这个朋友是李玉堂,想不到,连一莲居然阴魂不散,还不肯放过他。

他实在不想再跟这个非但蛮不讲理,而且花样奇多的大姑娘啰嗦。

可惜这位大姑娘却要跟他啰嗦,忽然问道:"你真的一点都不怕?"

无忌道:"怕什么?"

连一莲道:"怕鬼。"

无忌道:"你又不是鬼,我为什么要怕你,你应该怕我才对。"

连一莲道:"我为什么要怕你,难道你是个鬼?"

无忌道:"难道,你还看不出我是个鬼?"

连一莲想笑,又忍住板着脸,道:"你是个什么鬼? 色鬼? 赌鬼? 酒鬼?"

无忌道:"我是个倒霉鬼。"

连一莲终于笑了,道:"我本来还以为你是个人的,怎会变成了个倒霉鬼?"

无忌道:"因为我碰到了你。"

他往她背后看了看,又说道:"你既然带了一位朋友来,为什么不替我介绍介绍?"

连一莲上上下下看了他两眼,道:"你是不是喝醉了?"

无忌道:"我连一滴酒都没有喝。"

连一莲道:"我明明是一个人来的,哪里来的朋友?"

无忌道:"你后面那个人,不是你的朋友?"

连一莲已经开始笑不出来了,道:"我后面哪有什么人?"

无忌道:"明明有个人,你为什么说没有?"

他忽然一伸手往她后面一指:"难道那不是人?"

连一莲脸色变了,冷笑道:"你是不是想吓唬我? 你以为我会害怕?"

无忌看着她,显得很吃惊,道:"难道你不相信你后面有个人?"

连一莲还在冷笑,笑的声音已经开始有点发抖。

无忌道:"你为什么不回头看看?"

连一莲其实早就想回头去看看的,也不知为了什么,脖子却好像有点发硬,忽然冲过来,指着无忌的鼻子道:"你……你说老实话,我后面是不是真的有人?"

她的指尖好冷。

无忌叹了口气,道:"我早就说过了,你不相信我也没法子。"

连一莲咬了咬牙,忽然跳起来,凌空翻身,身法已远不及刚才那么优美灵活。

黑黝黝的桃花林里,哪里看得见半个人影?

她狠狠的瞪着无忌,又想笑,又想发脾气。

无忌道:"现在你总看见了吧。"

连一莲道:"看见了什么?"

无忌显得更吃惊,道:"难道你还是没有看见? 你的眼睛是不是有毛病?"

连一莲的眼睛一点毛病都没有,可惜她的胆子实在不能算很大。

如果她现在还要说"不怕",就连她自己都知道别人绝不肯相信的。

无忌摇着头,叹着气,好像已准备走了。

连一莲忽然又冲过来,拉住他的手,道:"你……你不能走。"

无忌道:"我为什么不能走?"

连一莲道:"因为……因为……"

无忌道:"是不是因为你知道这地方有鬼,所以有点害怕?"

连一莲居然承认了。

无忌道:"可是现在明明已经有个人陪你,你还怕什么?"

连一莲的脸色发白,好像又要晕过去的样子。

无忌怕她这一着。

现在他才知道,一个随时都会晕过去的女人,实在比一百个好哭的女人还难对付。

连一莲道:"你一定要老实告诉我,你是不是在吓我?"

无忌道:"是的。"

连一莲道:"我后面有没有人?"

无忌道:"没有。"

连一莲松了口气,好像整个人都软了,整个人都要倒在无忌身上。

幸好,无忌早已猜到她下一步要干什么。

他果然没有猜错。

连一莲的身子并没有倒在他身上,却有个大耳光往他脸上掴了过来。

这一次她当然没打着。

无忌一下子就抓住她的手,笑道:"这法子已不灵了,你为什么不换个花样?"

连一莲道:"君子动口不动手,你抓住我的手干什么?"

无忌道:"因为我本来就不是君子,你也不是。"

他并没有忘记她另外还有一只手,索性把那只手也抓住。

可是他忘了她还有张嘴。

她忽然张开嘴,狠狠的往他鼻子上咬了过来。

这一着倒真的大出他意料之外,他实在想不到一个大姑娘居然会张开嘴来咬男人的鼻子。

他只有赶快放开她的手往后退,若不是退得快,那鼻子说不定真会被她咬掉半个。

连一莲笑了,吃吃的笑道:"你不是君子,我是君子,你既然动手,我只有动口。"

她笑得开心极了。

她的眼睛本来很大,一笑起来,就眯成了一条线,两个酒涡却更圆更深。

像这么样一个女孩子,你对她能有什么办法?

无忌只有一个办法。

连一莲也知道他这个办法:"现在你是不是想溜了?"

无忌道:"是的。"

连一莲道:"可是你溜不掉的。"

她也有个法子对付无忌:"你走到哪里,我就跟到哪里。"

无忌道:"你知不知道,我要到哪里去?"

连一莲道:"我用不着知道!"

无忌道:"可是我一定要告诉你,我要到那个有鬼的屋子去。"

连一莲道:"我也去,我本来就准备去的。"

无忌道:"我劝你最好不要去。"

连一莲道:"为什么?我就不信那里真的有鬼。"

无忌道:"信不信由你,可是——"

他忽然闭上嘴,吃惊的看着她的背后,好像她后面忽然又出现了一个人。

连一莲摇头:"这一次你吓不倒我了,你这法子不灵,也请换个花样才对。"

她吃吃的笑着,转过了头。

虽然她明知后面绝不会有人的,可是,为了表示她绝不会再害怕,她故意要回过头去看看。她的头刚转过去,就已经笑不出来。

连一莲非但笑不出,连头都已转不回来,因为她的脖子又硬了,两条腿却开始发软。

这次她真的看见了一个人。

穿红裙的姑娘

这个人实在并不太像一个人。

就连她自己都不知道自己看见的究竟是不是人? 她只不过看见了一条灰白色的影子。

好长好长的一条影子,谁都分不清那究竟是人? 还是鬼?

影子忽然又不见了。

连一莲的脖子终于又慢慢的开始软了,渐渐的开始可以移动。

为了表示她刚才其实并不害怕,这位胆子奇小,花样却奇多的大姑娘,又准备要想法子来修理修理赵无忌。

除了她自己外,谁也不知道她为什么会对赵无忌特别有兴趣。

只可惜她转回头来的时候,赵无忌已不见了。

阴森森的晚上,黑黝黝的园林,倏来忽去的鬼影——

她几乎忍不住要大叫起来。

可是她就算真的能把赵无忌叫回来,也未免太没面子。

她用力咬紧嘴唇。

你以为我不敢跟你到那鬼地方去? 我偏偏就去给你看。

反正到处都有鬼,到哪里去还不都是一样?

远远的看过去,那个鬼地方不知道在什么时候已亮起了灯光。

她在心里安慰自己!

——鬼不会点灯的。

——有灯光的地方,绝不会有鬼。

可惜这些理论很快又被她自己推翻。

她本来是往前面走的,推翻了第一点,她的脚步就停了下来,推翻了第二点,她就开始往后退,退了几步,忽然撞到一样软软的东西。

这里是个桃树林,只有一棵棵桃花树,桃花树绝不是软的。

她又几乎要叫出来。

这次她没有叫,只因为她撞到的这样软软的东西先叫了起来。

这样软软的东西原来也是个人,而且是个女人。

一个穿着条红裙子,梳着条大辫子,长得很标致的大姑娘。

看到对方也是个大姑娘,连一莲已经松了口气,看到大姑娘比她怕得还厉害,她的心更定。

穿红裙的姑娘却吓得整个人都缩成了一团,吃惊的看着她,道:"你……你是人是鬼?"

连一莲说道:"你看我像人? 还是像鬼?"

穿红裙的姑娘道:"你不像鬼。"

连一莲轻笑道:"你是从哪点看出来的?"

穿红裙的姑娘垂下头,轻轻道:"鬼不会像你这么好看。"

连一莲笑了。

穿红裙的姑娘道:"可是我听说这地方有鬼。"

连一莲道:"有我在这里,你怕什么,就算真的有鬼来了,我也把他打走!"

现在她又变得神气了起来,因为她总算发现了,还有人的胆子比她更小。

穿红裙的姑娘好像也真的觉得她很神气,垂着头笑了笑,又问道:"你是不是我师哥的朋友?"

连一莲道:"你师哥是谁?"

穿红裙的姑娘道:"他叫赵无忌。"

连一莲盯着她看了半天,忽然叹了口气,道:"想不到赵无忌居然有你这么样一个漂亮的小师妹。"

穿红裙的姑娘脸红了。

看来她不但胆子很小,而且很怕羞。

连一莲心里暗暗好笑,这个大姑娘好像对她很有点意思,简直好像看上她了。

穿红裙的姑娘垂着头道:"公子你……你贵姓?"

连一莲道:"我姓连。"

穿红裙的姑娘低声说道："连公子,你……"

连一莲道："不许叫我连公子,要叫我连大哥。"

看见这个大姑娘的脸更红,头垂得更低,她心里也就更得意,故意拉起了她的手,道："你是他的师妹,当然也练过功夫。"

穿红裙的姑娘道："嗯。"

连一莲轻抚着她的手心,道："看你这双手,真不像练过功夫的样子,你的手好嫩。"

穿红裙的姑娘好像很想甩掉她的手,又好像有点舍不得。

连一莲几乎已经忍不住要笑出来了,心里在想:

——如果这小丫头发现我也是个女人,不知道会怎么样?

如果她知道赵无忌根本没有师妹,她还会不会拉住这"小丫头"的手?

穿红裙的姑娘终于又开口,道："你有没有看见我师哥? 我听说他一回来就到这里来了。"

连一莲道："你是来找他的?"

穿红裙的姑娘道："嗯。"

连一莲道："他刚才是来过的,可是一听说这里有鬼,就吓跑了。"

穿红裙的姑娘道："你难道一点都不怕?"

连一莲道："怕什么?"

穿红裙的姑娘道："怕鬼!"

连一莲道："鬼有什么好怕的,我刚才遇见了一个。"

穿红裙的姑娘道："后来怎么样?"

连一莲笑道："我本来想把他抓住,叫他做几个鬼脸给我看看的,想不到我不怕他,他反倒有点怕我……"

她吹牛吹得正得意,脸色忽然变了,笑容也已僵硬。

她又看见了那个鬼影子。

好长好长的一个鬼影子,摇摇晃晃的吊在一根树枝上,阴森森的冷笑。

穿红裙的姑娘也看见了,也不知道是因为太害怕,还是因为太兴奋,全身都在发抖,大声道："快过去把他抓住,叫他做几个鬼脸给我们看。"

连一莲道："好……好……"

她嘴里虽然说"好",可是你就算拿把刀架在她脖子上,她也绝不敢过去的。

鬼影子忽然阴森森的笑道："我不会做鬼脸,我没有脸。"

他真的没有脸!鼻子,嘴巴,耳朵,眉毛什么都没有。

除了一个平平板板,死灰色的脑袋之外,只有双闪闪发光的眼睛。

他头上戴着顶三尺多高,用白麻布做成的尖帽子,在风中不停的摇来摇去。

穿红裙的姑娘忽然道："鬼也应该有脸的,你的脸呢?"

鬼影子道："我的脸还给别人了。"

穿红裙的姑娘道："你连脸都不要,还有什么好神气的,快滚,滚远一点。"

这两句话居然很有效,这个鬼影子居然好像还有点羞耻之心,用两只又宽又大的衣袖蒙住了那张没有脸的脸,忽然就闪入了黑暗中,看不见了。

连一莲总算松了口气,道："你的胆子怎么忽然变得大了起来?"

穿红裙的姑娘嫣然一笑,道："你说过,只要有你在旁边,我什么都用不着害怕的。"

她对她还是这么佩服,这么信任,还是把她当作一个了不起的人。

连一莲却实在没有办法再像刚才那么神气了,连一个没有脸的鬼影子都知道难为情,何况她?

她的脸已经有点红。

穿红裙的姑娘笑道："原来这些鬼并没有我以前想像中那么可怕。"

连一莲道："可是……可是有些鬼也很凶恶的。"

穿红裙的姑娘道："有你在旁边,再凶的鬼我也不怕。"

她又拉住连一莲的手,道："走,我们走。"

连一莲道："你想到哪里去?"

穿红裙的姑娘道："抓鬼去。"

连一莲吓了一跳,道："你……你说什么?"

穿红裙的姑娘道："我们去抓个有脸的鬼,叫他做鬼脸给我们看。"

连一莲简直吓呆了,两只脚就好像已经钉在地上,八匹马都拉不动。

穿红裙的姑娘道："难道现在你害怕了?"

连一莲道："我害怕?我怎么会害怕?"

她想笑,又笑不出,轻咳了两声,道:"只不过,有脸的鬼并不多,很难找得到。"

黑暗中,忽然又响起了阴森森的笑声:"你用不着去找,我已经替你带了一个来了。"

那个没有脸的鬼影子居然阴魂不散,不但自己又回来了,而且,还真的带了一个来。

他带来的这个鬼影头发又黑又长,几乎快拖到地上了,还把大半边脸都遮住。

穿红裙的姑娘道:"你真的有脸?"

长头发的鬼影子说道:"你想不想看看?"

穿红裙的姑娘道:"想。"

连一莲想掩住她的嘴都来不及了,长头发的鬼影子已经伸出一只惨白的手,把盖在脸上的长头发挑了起来。

这个鬼是个女鬼,非但真的有脸,而且还很漂亮,惟一可惜的是,她的脸只有半边。

她左面的半边脸就像是一片被烧焦了的肉,又像是一团被砸烂了的泥,衬着右面那半边娟秀好看的脸,显得更加诡秘可怖。

连一莲只觉得心肝五脏都翻来滚去,差一点就要吐出来。

长头发的女鬼格格的笑着道:"我虽然只有半边脸,总比没有脸的好。"

那鬼影子道:"你们若嫌她的脸太少,我再去找个脸多的来。"

黑暗中立刻又传出一声怪异的诡笑,道:"我已经来了。"

这次来的这个鬼不但有脸,而且眼睛,鼻子,耳朵,嘴巴,都长得很全。

这个鬼实在比另外两个好看多了。

长头发的女鬼怪笑道:"你看他怎么样?"

穿红裙的姑娘道:"还不错!"

长头发的女鬼桀桀笑道:"其实,他这张脸还不算怎么样,他另外还有一张更好看的脸。"

这个鬼咧开嘴对她一笑,慢慢的转了个身,后面居然跟前面一样。

他后面居然还有一张脸。

只见他身子不停的打转,究竟哪一面是前,哪一面是后,谁也分不清了。

这个有脸的鬼,实在比没有脸的鬼更可怕。

穿红裙的姑娘忽然转过身,拉住连一莲,道:"我们快跑。"

连一莲虽然已吓呆了,这个"跑"字,却是她最想听的。

她早就想跑了。

穿红裙的姑娘非但轻功很不弱,力气居然也不小,拉着连一莲奔跑如风,好像总算把后面三个鬼甩脱了。

那一阵阵阴森诡异的笑声,现在总算已距离她们很远。

两个人却还是不敢停下来。

这地方她们根本不熟,黑暗中也辨不出方向,跑着跑着,她们忽然发觉,迷了路。

到处都是黑黝黝的花草树木,看起来好像完全都是一样的。

再这样跑下去,说不定又会跑回原来的地方去,那才冤枉。

两个人都想到了这一点,这两位大姑娘胆子也许小一点,却一点都不笨。

连一莲停下来,喘着气,道:"现在我们怎么办?"

穿红裙的姑娘道:"你说怎么办?"

连一莲道:"我不是真的怕鬼,只不过……只不过……"

现在鬼已看不见了,她又想找点面子回来,却又偏偏想不出应该说什么。

穿红裙的姑娘道:"我知道你不怕鬼,连我都不怕。"

连一莲又想笑了,原来这位大姑娘也跟她一样,喜欢吹大气。

她忍不住道:"你既然不怕,刚才为什么要拉着我跑?"

穿红裙的姑娘道:"因为我已看出他们不是鬼,是人。"

连一莲怔了怔,道:"刚才三个都是人?"

穿红裙的姑娘道:"三个都是。"

连一莲道:"既然都是人,你还怕什么?"

穿红裙的姑娘道:"那三个人无论哪一个都比鬼可怕得多,三个凑在一起,更不得了,若不是我们刚才跑得快,现在我们恐怕已变成鬼了。"

她叹了口气,又道:"鬼最多只会吓吓我们,那三个人却会要我们的命。"

连一莲道:"你知道他们是谁?"

穿红裙的姑娘道:"如果我说出他们的名字来,你一定也知道。"

连一莲道:"你说。"

穿红裙的姑娘道:"你有没有听说过,南边有个姓公孙的武林世家?"

连一莲道:"我听说过,那家人以八卦剑成名,武功都很不弱。"

她想了想,又道:"听说那家人现在已经全部死光了。"

穿红裙的姑娘道:"你知不知道他们是怎么死的?"

连一莲道:"不太清楚。"

穿红裙的姑娘道:"就是死在那个只有半边脸的女人手里的,她先把他们一家大小几十口人全都捉住,削掉他们的半边脸,再把他们送到一个没有人的深山里去等死。"

连一莲道:"难道她杀人之前,都要先削掉别人的半边脸?"

穿红裙的姑娘道:"通常都是这样子的。"

连一莲叹了口气,道:"这个女人好狠。"

穿红裙的姑娘道:"如果她不狠,怎么会被人称半面罗刹!"

连一莲道:"她就是半面罗刹? 有两张脸的那个人难道就是双面人魔?"

穿红裙的姑娘轻声道:"我想一定是的。"

这一个罗刹,一个人魔,的确都比鬼可怕。

连一莲也知道他们的可怕,却想不通他们怎么会在这里出现。

穿红裙的姑娘显然也想不通:"赵家跟他们好像并没有仇恨,他们虽然凶恶,也绝不敢无故来找大风堂的麻烦。"

她叹了口气,又道:"除非是我那师哥又在外面惹了祸,得罪了这几个杀人不眨眼的怪物。"

她显得很担心。

所以连一莲就故意装作一点都不关心的样子,冷笑道:"现在他的半边脸说不定已被削掉了,不知道那个女罗刹准备把他送到什么地方去等死。"

她本来是想吓吓这个大姑娘的,她自己反而先被吓住了。

因为她忽然想到这些事的确有可能会发生的。

现在赵无忌说不定真的已经被人削掉了半边脸,躺在一个没有人能找到的地方等死。

穿红裙的姑娘看着她,忽然说道:"我看得出,你一定是我师哥很好很好的朋友。"

连一莲在发愣。

穿红裙的姑娘又道:"因为我看得出,你嘴里虽然说得凶,其实心里却对他很关心。"

连一莲道:"你真的看得出我对他很关心?"

穿红裙的姑娘道:"真的。"

连一莲嫣然笑了。

她笑的时候,眼睛又眯成一条线,又露出了那两个又圆又深的酒涡。

可是谁也不知道为了什么,这次她笑的样子,却不太好看,简直就有点像是在哭。

穿红裙的姑娘道:"如果我师哥知道你这么关心他,一定会把你当作最好的朋友。"

连一莲道:"如果我告诉你一件事,你一定会觉得很奇怪。"

穿红裙的姑娘道:"什么事?"

连一莲道:"他从来也没有把我当作朋友,以后也不会跟我交朋友。"

穿红裙的姑娘的确奇怪,道:"为什么?"

连一莲不说话了。

看起来她本来应该是个很开朗的人,却又偏偏好像有很多秘密。

很多绝不能对任何人说出来的秘密。

刚才本来已经听不见的笑声,现在又隐隐约约的传了过来。

那三个比鬼还可怕的人好像还不肯放过她们。

连一莲道:"你看我们两个人能不能对付他们三个?"

穿红裙的姑娘道:"不能。"

连一莲道："你的功夫并不坏,为什么要怕他们?"

穿红裙的姑娘道："因为我从来不敢跟别人打架,只要一看见血,我就会晕过去。"

原来她也是个随时都会晕过去的人。

惟一比一个随时都会晕过去的女人更坏的,就是两个随时都会晕过去的女人。

幸好她们现在还没有晕过去,所以她们都嗅到了一阵香气。

火爆腰花的香气。

惟一能发出火爆腰花这种香气来的,只有火爆腰花。

要火爆腰花,不但要有腰花,还得要有油,有盐,有火炉,有锅子。

这些情形通常都只有在厨房里。

厨房通常是个让人觉得很安全温暖的地方。

一个正要炒火爆腰花的人,通常都不会想到要去杀人的。

一个想要杀人的人,通常都不会到厨房去。

所以她们决定到厨房去。

蚝油牛肉

厨房在一道用红砖砌成的矮墙后,一个小小的院子里。

厨房并不小,门窗却很少。

厨房里灯火明亮,院子里却很黑暗,只有一点点从那两扇小小的门窗中漏出来的灯光,刚好照在一个坐在门外一张竹椅的人身上。

厨房里的人好像不少,院子里却只有坐在竹椅上的这个人。

连一莲和穿红裙的姑娘从矮墙外溜到院子里来时,火爆腰花的香气已经嗅不到了。

因为一盘刚炒好的火爆腰花,已经被人倒进了阴沟里。

刚炒好的火爆腰花,本来是应该倒进人肚子里去的,为什么要倒进阴沟?

因为有个人把这盘腰花端了出来,送到坐在竹椅上的这个人面前,这个人嗅了嗅,叹了口气,就把它倒进了阴沟。

这盘腰花本来炒得并不坏,连一莲和穿红裙的姑娘都认为很香。

可是这个人在嗅着它的时候,脸上的表情却好像在嗅一大盘狗屎。

这个人长得瘦小枯干,看起来总是愁眉苦脸,好像天下每个人都欠了他几千两银子没有还,又好像被厨房里的油烟气熏得随时都会吐出来。

他皱着眉,叹着气,道:"这盘子装着的是什么东西?"

炒菜的大师傅道:"是火爆腰花。"

这个人又叹了口气,道:"这不是火爆腰花,只不过是盘腰花着了火。"

所以一盘刚炒好的火爆腰花就被倒进了阴沟。

这个人叹着气,慢慢的站起来,慢慢的走进了厨房,过了半响厨房里又传出火爆腰花的香气,这次的香气,果然有点不同。

连一莲也说不出究竟是什么地方不同,只不过刚才她嗅到那盘腰花香气的时候,虽觉得很香,却没有想吃的意思。

因为她肚子根本不饿。

可是这次她嗅到火爆腰花香气的时候,虽然不饿,还是流出了口水。

这个瘦小枯干,愁眉苦脸,嗅到厨房里油烟气就会想吐的人,原来是位手艺奇高的名厨。

只听他在厨房里叹着气说:"现在你开始数,从一数到一百二十的时候,就开始炼油,数到一百八十五的时候,就把这碗已经调好味的牛肉片下锅,用铲子炒七下,不多不少,只能炒七下,锅就要离火,你就要赶快把牛肉装到那个已经烤得有点温热的盘子里,叫个快腿的人送上去,这时候那盘火爆腰花已经不够鲜,不够嫩,也不够热了,刚好吃这盘蚝油牛肉。"

他说话的时候,每个人都静静的听,连大气都不敢出。

他停了停,才接着道:"蚝油牛肉并不是样名贵的菜,可是只有在这种普通家常菜里,才能显得出炒菜的人的真功夫,所以你功夫,火候,时间,都一定要拿捏得特别准,半点都差错不得。"

他在厨房里面说话,躲在厨房外面的两位女人都听呆了。

她们都吃过牛肉,可是她们从来没想到炒一盘牛肉还有这么大的学问。

这时候愁眉苦脸的人已经走出了厨房,后面立刻有两个人跟了出来。

他刚走出门,一个人就赶紧送上了一条雪白的热手巾。

等他用这条热手巾擦了把脸,另外一个人就马上送上了一杯热茶。

这个厨子的气派实在不小。

能够用这么样一个厨子来替他做菜的人,那会是个什么样的人物?

连一莲几乎已忘记刚才那三个比鬼还可怕的人了。

她已经完全被这个气派奇大的厨子所吸引,更想看看这个厨子的主人是个什么样的人物。

她不怕厨子。

厨了的手里就算有刀,也只不过是把切菜的刀,不是杀人的刀。

穿红裙的姑娘悄悄道:"怎么样?"

连一莲道:"我先过去,问问那厨子这里是什么地方? 你跟着我。"

穿红裙的姑娘道:"这次应该先让我过去。"

连一莲笑道:"为什么?"

穿红裙的姑娘道:"因为他是个男人,男人对女人总比较客气些。"

连一莲道:"像你这么好看的女孩子去找他说话,你问他两句,他绝不会只说一句。"

她当然不会说出自己也是个很好看的女孩子,能够骗过这个大姑娘,而且能让这个大姑娘对她这么倾倒,她简直得意极了。

两个人一先一后从墙角后面走出来,穿红裙的姑娘远远就向那厨子嫣然一笑,道:"你好。"

看见这么样一个漂亮的姑娘自动过来跟他搭讪,这厨子居然还是一副愁眉苦脸的样子摇头道:"不好。"

穿红裙的姑娘道:"为什么不好?"

厨子叹口气道:"别人请客,又吃又喝,我却像龟孙子一样,在这里替他们做菜,自己连一口都吃不到,这种日子,怎么会好?"

穿红裙的姑娘立刻作出很同情的样子,道:"其实你可以先留一点下来,自己先享受。"

厨子道:"不行。"

穿红裙的姑娘道:"为什么不行?"

厨子愁眉苦脸的叹了口气,道:"我吃不下,一嗅到油烟我就想吐。"

一嗅到油烟就想吐的人,却偏偏要来做厨子,倒也是件怪事。

穿红裙的姑娘又问道："今天是谁在请客？"

厨子道："除了他之外，还有谁能请我来这里做菜？"

连一莲忍不住问道："他是谁？"

厨子瞪了她一眼，冷冷道："你连他是谁都不知道？你在这里是干什么的？"

连一莲不敢开腔了。

穿红裙的姑娘道："今天他请的一定是位贵客，所以你才特地炒些家常菜给他吃。"

这句话显然搔着了这厨子的痒处："一点都不错，整鸭整鸡谁都会做，到处都可以吃得到，要做这种家常菜就得要有点学问了，绝不是时常能够吃得到的。"

穿红裙的姑娘道："有道理。"

厨子叹了口气，道："这么简单的道理，有些人却偏偏不懂！"

穿红裙的姑娘道："却不知今天你们请的那位贵客懂不懂？"

厨子道："他应该懂的，他好歹也算是个世家子弟，总不会一心只想要吃大鱼大肉。"

穿红裙的姑娘道："他是哪一家的少爷？"

厨子道："就是这一家的。"

连一莲又沉不住气了，抢着问道："是不是赵无忌？"

厨子瞪了她一眼，冷冷道："不是他，是谁？"

连一莲总算放心了。

赵无忌并没有躺在那里等死，却坐在那里等着吃肉。

厨子道："你们还有什么事想要问我的？"

穿红裙的姑娘道："没有了。"

厨子道："我倒有件事想要问问你们。"

穿红裙的姑娘道："什么事？"

厨子道："今天晚上你们谁留下来陪我睡觉？"

这个愁眉苦脸的厨子，居然会问出这么样一句话来，实在让人大吃一惊。

连一莲不但吃惊,而且气得脸都红了,怒道:"你在放什么屁?"

厨子道:"难道你们连睡觉是什么都不懂?"

穿红裙的姑娘拦住了连一莲,抢着道:"我懂,可是我不懂你为什么不要我们两个人一起陪你睡觉?"

厨子道:"因为我年纪大了,一天晚上最多只能用一个。"

穿红裙的姑娘问道:"随便哪一个都行?"

厨子道:"不错,好看的小男孩,我也一样喜欢!"

穿红裙的姑娘道:"另外一个呢?"

厨子道:"另外一个我只好用来下酒了。"

穿红裙的姑娘道:"你要用一个人下酒?"

厨子道:"当然不能用整个一个人,最多只能挑几块比较嫩的肉。"

他一双眼睛不停的在她们身上几个最嫩的部分打转,脸上那种表情,就好像在看着两条已经被剥光了的小绵羊。连一莲简直快气疯了,不但气,而且想吐。

穿红裙的姑娘居然还在问:"你准备怎么吃法?"

厨子道:"当然是小炒,人肉一定要用快火小炒,否则肉就老了。"

穿红裙的姑娘道:"想不到你对吃人肉这么有研究。"

厨子道:"我拿手的一样菜就是小炒人肉,正好你们两个都有一身细皮白肉,正好都可以用来小炒。"

他又叹了口气,道:"看来我今天真的有点口福。"

穿红裙的姑娘居然笑了笑,道:"今天不但有口福,艳福也不浅。"

厨子道:"看样子你非但一点都不怕我,而且好像还开心得很。"

穿红裙的姑娘道:"我当然开心,江湖中人人都知道,妙手人厨的眼光,一向很高,我能够被妙手人厨看上,怎么会不开心?"

厨子冷笑,道:"想不到你还有点眼力,居然认出了我。"

穿红裙的姑娘笑得更甜,道:"我不但认出了你,而且还知道用什么法子才能要你的命!"

厨子的脸色忽然变了,瞳孔突然收缩,厉声道:"你……"

只说出这一个字,他的瞳孔忽然又扩散,咽喉上忽然冒出一蓬血丝,呼吸已停顿。

连一莲也吃了一惊。

她自己没有动手,这个穿红裙的姑娘好像也没有动手。

她实在想不通这个人怎么会忽然死了的。

穿红裙的姑娘已扭转过头来,用手掩着脸,道:"你去看看他是不是死了?"

连一莲道:"你为什么自己不去看看?"

穿红裙的姑娘道:"我不能看见血,一看见血,我就会晕过去!"

连一莲盯着她看了半天,问道:"你杀人的时候为什么不会晕过去?"

穿红裙的姑娘道:"因为血流出来的时候,我已经转过头来了。"

她说得很自然,一点没有要隐瞒的意思,好像根本就没有把杀人当作件很重要的事。

连一莲却吃了一惊,道:"真是你杀了他的?"

穿红裙的姑娘道:"如果不是你,就一定是我了。"

连一莲看着她,还是看不出这个文文静静的大姑娘会杀人,杀的还是个江湖中有名的凶人。

妙手人厨不但凶恶狠毒,而且又贼又滑,南七省的武林豪杰几次围捕他都没有伤到他的毫发,这位大姑娘却不动声色,随随便便就要了他的命。

连一莲忍不住叹了口气,苦笑道:"你真行,我佩服你!"

穿红裙的姑娘笑了笑,道:"若不是因为他的眼睛老是盯着不该看的地方看,想杀他还是不太容易。"

她接着又问道:"你看他是不是真的死了?"

连一莲道:"当然真的死了,从头到脚都死了。"

穿红裙的姑娘道:"那我们还待在这里干什么?"

连一莲道:"你想到哪里去?"

穿红裙的姑娘道:"去做我师哥的陪客去。"

她接着又笑道:"如果我们的动作快一点,说不定,还可以赶得上去吃那盘蚝油牛肉。"

连一莲道:"你还能吃得下?"

穿红裙的姑娘道:"吃不下也要吃一点,妙手人厨做的菜,以前就不是时常能够吃得到的,以后更吃不到了。"

客厅里的窗子开着的,她们沿着墙角绕过来,刚好可以从一棵梧桐树下的窗户里看到赵无忌,也可以看到那盘蚝油牛肉。

她们很想看看主人是谁,能够让妙手人厨替他做菜的人,总是值得看看的。

主人却不在客厅里。

因为客厅里只有三个人,除了赵无忌外,另外两个人都是站着的。

主人当然不会站着来陪客人吃饭,站在客人旁边的,当然只不过是主人家的奴仆。

一人背对着她们,很高,很瘦,穿着件雪白的长袍,头发已花白。

一个把满头黑发梳成个高髻的妇人,正在为无忌斟酒。

她的身材很苗条,风姿也很美,应该是个很好看的女人。

只可惜她脸上偏偏蒙着块乌纱,让人看不见她的真面目。

穿红裙的姑娘忽然悄悄的问道:"你看这个女人是谁?"

连一莲道:"我看不到她的脸。"

穿红裙的姑娘道:"你看看她的头发,再看看她的手。"

这妇人的头发又长又黑又多,一双手纤秀柔美,却白得可怕。

连一莲忽然想起来:"难道她就是那个半面罗刹?"

穿红裙的姑娘道:"就是她。"

连一莲苦笑道:"我们到处躲她,想不到现在反而送上她的门来了。"

穿红裙的姑娘道:"这里的主人,实在很了不起,居然能够叫妙手人厨替他做菜,还能叫半面罗刹替他为客人倒酒。"

连一莲道:"这里说不定就是那个有鬼的院子。"

穿红裙的姑娘道:"一定是的。"

连一莲道:"听说这里本来是你未来的师嫂卫凤娘的地方。"

穿红裙的姑娘道:"我也听人这么说过。"

连一莲冷笑道:"这位卫小姐的气派真不小。"

这客厅的气派的确不小。

只要是一个客厅里应该有的东西,这里都有,而且每样东西都是精挑细选过的,每样东西的价值说出来都一定会让人吓一跳。

客厅里不该有的东西,这里也有,珍奇的古董,精巧的摆设,名贵的字画……这些东西的价值简直连说都没法子说出来。

穿红裙的姑娘叹了口气,道:"如果这些东西都是我师哥给她的,我师哥一定发过笔横财。"

连一莲道:"如果这些东西不是你师哥给她的,你师哥不气死才怪。"

其实这地方已经变得和凤娘住在这里的时候完全不同了。

这些东西凤娘连看都没有看过。

惟一没有变的是凤娘的那间卧房,里面每样东西都没有被人动过。

凤娘临走的时候,掉了根发簪在地上,现在这根发簪还在原来的地方。

凤娘临走的时候,曾经在床上躺了一下,现在枕头上那个印子还在,其实,连她落在枕头上的那根头发也都还在原来的地方。

连一莲道:"你是不是真的想吃那盘蚝油牛肉?"

穿红裙的姑娘又叹了口气,道:"现在,我就算想不吃都不行了。"

连一莲道:"为什么?"

穿红裙的姑娘道:"你回头看看!"

连一莲用不着回头去看,只看她脸上的表情,就知道那个没有脸的的鬼影子,和那个有两张面的鬼影子已经在她们后面。

她忽然大喊:"赵无忌,你筷下留情,留一点牛肉让我尝尝。"

如意大帝

无忌根本没有师妹,一直都猜不出谁会冒充他的师妹。

现在他知道了。

连一莲和他这个穿红裙的师妹出院子时,他笑了,笑得很愉快,好像自己能够有这么样一个师妹,是非常愉快的事。

她们就是从梧桐树下那个窗口掠过来的,连一莲在前,穿红裙的姑娘在后,两人的身子还没有落地,就有股劲风迎面卷来。

一个人用嘶哑干裂的声音,轻叱道:"出去……"

她们都没有出去。

连一莲凌空翻身,整个人已像壁虎般贴在墙上。

穿红裙的姑娘本来好像已被震出窗外,脚尖忽然在窗框上一勾,又轻飘飘的飞了进来。

风声犹劲,一直背对着窗口的白衣人,宽大的衣袖仍在猎猎飞舞。

穿红裙的姑娘娇笑道:"好厉害的气功。"

连一莲道:"只可惜他练的不是大气功,是小气功。"

穿红裙的姑娘道:"气功也有分大小的?"

连一莲道:"如果他练的不是小气功,怎么会这么小器,多两个人吃饭,多摆两双筷子,也没有什么了不起,如果他不是小器,为什么一定要把我们赶出去?"

穿红裙的姑娘笑了,可是等到这个人回过头,她们就再也笑不出来。

这个人脸上竟长着比头还大的肉瘤,几乎将面目全都挡住。

他的人一动,这肉瘤便跟着动,看来又像是个很大的气泡。

连一莲全身的鸡皮疙瘩都起来了。

你就算用刀逼着她,她也绝不敢跟这个人动手的,如果一拳打在这个肉瘤上,她自己一定会先晕过去。

她已经在叫:"你千万不能跟我们打架,我是你们这位贵客的好朋友。"

穿红裙的姑娘道:"我是他的师妹,你更不能找上我。"

无忌微笑道:"两个孩子胡闹,丁先生就饶他们这一次吧。"

这位丁先生用一只从肉瘤旁边露出来的眼睛盯着她们,忽然道:"请坐。"

连一莲坐下很久之后,心还在跳。

她实在不敢去看这个吓人的瘤子,却偏偏忍不住要偷偷的去看。

这么大的肉瘤,的确不是时常能够看得到的。

穿红裙的姑娘忽然说道:"我知道青城门下有位丁先生,他的混元一气功天下无双……"

这位丁先生冷冷的打断了她的话,道:"我就是丁瘤子,我的混元一气功练得不好,所以,才会练出这么样的一个肉瘤来。"

据说他这肉瘤真是练气功练出来的。

这瘤子本来只是小小的一点,他气功越来越高,这瘤子就越来越大。

现在他的气功虽然不是天下第一,这瘤子却绝对是天下第一了。

丁瘤子又道:"我也不是青城门下,我是如意教的弟子,跟青城派已完全没有半点关系。"

穿红裙的姑娘道:"如意教?我怎么从来没有听说过。"

无忌道:"因为你根本就孤陋寡闻,你没有听见过的事太多。"

穿红裙的姑娘其实绝不孤陋,也不寡闻,她知道的事远比别人多得多。

可是师哥要教训师妹的时候,师妹就算不服气,也只有听着。

连一莲不是他的师妹,所以她还是忍不住要问:"你的教主是谁?"

丁瘤子道:"镇三山,辖五巅,上天入地鬼见愁,如意大帝。"

连一莲几乎听呆了:"你说的就是你们教主的名字?"

丁瘤子道:"是的。"

连一莲几乎忍不住要笑出来。

这名字听来虽然威风,却也有点滑稽。

但是丁瘤子的口气却很严肃,而且充满了畏惧和尊敬。

能够让丁瘤子,半面罗刹,妙手人厨这些人对他这么畏惧尊敬,这位如意大帝当然绝不会是个很滑稽的人。

连一莲总算没有笑出来,只轻轻的说了句:"这名字好长。"

穿红裙的姑娘道:"我想他一定是个很了不起的人。"

丁瘤子道:"他是的。"

穿红裙的姑娘道:"我能不能够看到他?"

丁瘤子道:"能。"

穿红裙的姑娘叹了口气道:"我只希望他不要讨厌我,把我赶出去。"

那个脸上蒙着黑纱,一直都没有开口的半面罗刹忽然道:"他不会讨厌你,他很喜欢你。"

穿红裙的姑娘道:"真的?"

半面罗刹道:"他说你很像一个人,尤其睡着了的时候更像。"

穿红裙的姑娘笑了,道:"他怎么知道我睡着了的时候是什么样子?"

半面罗刹道:"昨天晚上你是不是连衣服都没有脱就睡着了?"

穿红裙的姑娘点点头。

半面罗刹道："昨天晚上你一定是很累,可是又不想睡得太沉,所以你特地找了一根木柴做枕头,还用茶壶顶住了窗户,用凳子顶住了门。"

穿红裙的姑娘道："他……他怎么会知道的?"

半面罗刹笑了笑,道："他亲眼看见的,怎么会不知道?"

穿红裙的姑娘笑不出了。

半面罗刹道："你们虽然没有看见他,他却早就看见过你们。"

连一莲笑道："他也看见过我?"

半面罗刹道："你昨天晚上是不是一直都没有睡着?"

连一莲点点头。

半面罗刹道："你是不是一直都在哭? 哭得很伤心?"

连一莲身上的鸡皮疙瘩又冒了出来。

如果你的一举一动都被人看得清清楚楚,你却连他的影子都没有看见,你也会害怕的。

半面罗刹道："他也听见你们说过赵无忌公子今天一定会回来,所以今天一早就准备好要请赵公子来吃顿饭。"

穿红裙的姑娘道："现在客人是不是已经来齐了?"

半面罗刹笑道："该来的都已经来了,连不该来的都来了。"

穿红裙的姑娘道："主人呢?"

半面罗刹道："主人刚巧不在家。"

穿红裙的姑娘道："主人怎么会不在家?"

半面罗刹道："因为他刚巧有事要出去。"

穿红裙的姑娘又笑了,道："这倒真是巧得很,他明明知道有客人来,却刚巧要出去。"

半面罗刹道："因为有个人刚巧到了附近,他刚巧要去看看这个人。"

她叹了口气,又道："天下就有这么巧的事,你有什么法子?"

穿红裙的姑娘道："我一点法子都没有。"

半面罗刹道："所以你们只好坐在这里等。"

连一莲又忍不住道："想不到如意大帝要看一个人的时候,也要劳动自己的大驾。"

半面罗刹道："他知道那个人绝对不会来的,只好自己去了。"

连一莲道："那个人为什么自己不会来?"

半面罗刹道:"因为那个人并不想看见他。"

连一莲道:"他为什么不要你们去把那个人请到这里来?"

半面罗刹道:"因为他知道我们一定请不动那个人的。"

连一莲道:"连你们都请不动?"

半面罗刹又叹了口气道:"能请得动他的人,南七北六十三省加起来只怕也没有几个。"

连一莲咋舌道:"原来他的派头也不小。"

半面罗刹道:"他的派头本来就大极了。"

连一莲道:"像他派头那么大,南七北六十三省加起来也没有几个。"

半面罗刹道:"一点都不错。"

连一莲道:"这位派头奇大的人究竟是谁?"

半面罗刹道:"其实这人也没什么了不起,也只有两个眼睛,一个鼻子,一张嘴,只不过比别人多练几天剑法而已。"

连一莲道:"听你的口气,这人的剑法好像还不错。"

半面罗刹道:"勉强还说得过去。"

连一莲道:"他也算是个剑客?"

半面罗刹笑了笑,道:"如果他还不能算是个剑客,能够算是剑客的人只怕就很少了。"

连一莲道:"他是什么剑客?"

半面罗刹道:"是个潇湘剑客。"

连一莲道:"衡山的潇湘剑客?"

半面罗刹道:"是的。"

连一莲不说话了。

她实在没法子再说什么,一个人如果为了要去看潇湘剑客而让别人久等,无论等多久别人都没有话说的。

潇湘剑客这名字并不特别。

江湖中每一代好像都有个学剑的人叫做"潇湘剑客"。

这本来就是个很平凡的名字。

可是有资格叫做"潇湘剑客"的人,却一定不是个很平凡的人。

每一代的潇湘剑客剑法都极高,而且通常都很潇洒,很高雅,很风流,很洒脱,甚至还会有点骄傲。

因为他们的确都有值得骄傲之处。

尤其是这一代的潇湘剑客,人如玉树,剑如游龙,不但是衡山剑派数一数二的高手,还是江湖中有名的美男子。

穿红裙的姑娘忽然叹了口气,道:"甚至我也早就想见他了。"

忽然间,窗外有样东西飞了进来,一个人道:"你看吧!"

一样东西"噗哧"落在地上,却是个用小牛皮做成的袋子。

丁瘤子和半面罗刹都已恭恭敬敬的退到一边,躬身肃立。

"教主回来了。"

潇湘剑客虽然没有来,能够看到如意大帝,也一样是件非常令人兴奋的事。

每个人都张大了眼睛在看——

这位镇三山,辖五巅,上天入地鬼见愁的如意大帝究竟是个什么样的人?

她们只看见了一个脸色苍白,身上穿着件雪白的袍子,看来显得有点瘦弱的小孩。

连一莲忍不住问:"你们教主呢?"

这小孩年纪虽小,派头却奇大,背负着双手,施施然走进来,根本不理她。

无忌已霍然站起,吃惊的看着他,失声道:"是你?"

这小孩道:"是我。"

无忌叹了口气,道:"当然是你,我早就该想到的。"

连一莲又忍不住问:"他是谁? 难道他就是如意大帝?"

无忌道:"是的。"

这个十二三岁的小孩子,居然就是如意教的教主如意大帝。

连一莲又惊讶,又好笑。

她没有笑出来,只因为除了她之外,谁都没有一点觉得好笑的意思。

丁瘤子和半面罗刹连头都不敢抬起来，无忌的表情也很严肃。

因为他知道这小孩子非但一点都不可笑，甚至还真的有点可怕。

半面罗刹，丁瘤子这些闻名江湖的凶人，会对一个小孩子这么服帖，并不是没有原因的。

无忌很了解这一点，也很了解这个小孩。也只有一个像他这样的孩子，才会替自己起这么一个名字——好长的名字。

他本来的名字只有一个字：雷。

他这个人的确也像是雷一样，谁也没法子捉摸，谁也没法子控制。

那个用小牛皮做的袋子还在地上。

小雷忽然问连一莲道："你是不是很想看看潇湘剑客？"

连一莲道："是。"

小雷道："现在你为什么不看了？"

连一莲道："他在哪里？"

小雷道："就在这里。"

顺着他用手指着的地方看过去，只看得见那皮袋子，看不见潇湘剑客。

连一莲忽然想到了一件可怕的事，失声惊叫道："难道潇湘剑客他……他就在这皮袋子里？"

小雷道："你为什么不自己打开来看看？"

连一莲伸出手，又缩回去。

她不敢看。她已经想到那皮袋子里装的是什么，她全身都在发冷。

小雷道："你是不是以为这袋子里装着的是个人头？"

连一莲道："难道不是……"

小雷忽然笑了，大笑道："看来你的胆子虽然不大，疑心病却不小。"

连一莲道："这袋子里究竟装的是什么？"

小雷忽然转过头，去问那个穿红裙的姑娘："她不敢看，你敢不敢？"

穿红裙的姑娘没有开口，却走过去把那皮袋子从地上捡了起来。

她的手好像也有点抖。

小雷道："看来，你最好还是不要看的好。"

穿红裙的姑娘道:"我要看。"

小雷道:"这里面说不定真有个人头,潇湘剑客的人头。"

穿红裙的姑娘道:"我不怕。"

她虽然说不怕,手却抖得更厉害了,拉了几次,才把系着袋口的那一根皮绳拉开。袋子里就有几样东西掉了出来——半柄断剑,几件衣裳,和一双耳朵。

人的耳朵,上面还带着血。

连一莲总算松了口气,这袋子里总算没有人头。

这双人耳朵看起来虽然也很可怕,至少总比一个血淋淋的人头好看得多。

穿红裙的姑娘道:"这真是潇湘剑客的耳朵?"

小雷道:"衣服也是他的。"

穿红裙的姑娘道:"你把他的衣服拿来干什么?"

小雷道:"因为我高兴。"

穿红裙的姑娘道:"你高兴干什么就干什么?"

小雷道:"你难道不知'如意'两个字是什么意思?"

穿红裙的姑娘叹了口气,拿起那半柄断剑,道:"这也是他的剑?"

小雷道:"这上面有几行字,你念出来给大家听听。"

穿红裙的姑娘就念了出来。

"衡山宝器,

戒之在杀,

剑在人在,

剑亡人亡。"

小雷说道:"你们大家是不是都听见了?"

是的,每个人都听得很清楚。

小雷说道:"你们大家有没有嗅到臭气?"

没有。

穿红裙的姑娘道:"我说话又不是放屁,怎么会臭?"

小雷道:"这些话却都是放屁,怎么会不臭?"

穿红裙的姑娘道:"这些话都很有道理,怎么会是在放屁?"

小雷道:"他杀的人绝不比别人少,我折断了他的剑,剥光了他的衣服,割下了他的耳朵,他还不肯死。"

他冷笑,又道:"这些话不是放屁是什么?"

穿红裙的姑娘叹了口气,道:"好像的确是放屁。"

小雷道:"不但是在放屁,而且放的都是臭屁,他自己却偏偏嗅不到,所以我一气之下,就把他的耳朵割了下来。"

穿红裙的姑娘道:"他的鼻子不灵,所以才嗅不到臭气,你应该割下他的鼻子才对。"

小雷道:"他的鼻子既然不灵,我还割下来干什么?"

穿红裙的姑娘笑了:"有道理。"

小雷道:"我说的话当然有理,每一句都有道理。"

他仰起头,傲然道:"因为我就是天上地下独一无二的如意大帝。"

仙子与罗刹

现在连一莲终于也明白,丁瘤子他们这些人为什么会对这小孩这么害怕了。

能够折断潇湘剑客的佩剑,剥光他的衣服,割下他的耳朵,已经是件很骇人的事,可是真正可怕的还不是这些地方。

小雷忽然问她:"你是不是怕我?"

连一莲没有回答,因为她不能否认,又不想承认。

小雷道:"你为什么怕我?"

连一莲也没有回答,因为她根本不知道,她忽然发现这也许就是他真正可怕的地方,别人虽然怕他,却不知道为什么要怕。

小雷又去问那个穿红裙的姑娘:"你呢? 你怕不怕我?"

穿红裙的姑娘道:"我不怕。"

小雷道:"别人都怕我,你为什么不怕我?"

穿红裙的姑娘道:"因为我根本不知道为什么要怕你。"

小雷笑了。

他看着她笑了半天,忽然问道:"你嫁给我好不好?"

穿红裙的姑娘道:"好。"

小雷忽然问出了这么样一句话,大家已经吃了一惊。

穿红裙的姑娘居然答应得这么痛快,大家更意外。

连小雷自己都觉得有点意外:"你真愿意嫁给我?"

穿红裙的姑娘道:"我当然愿意。"

她忽然又叹了口气:"只可惜我知道你并不是真的喜欢我。"

小雷说道:"那我为什么还要你嫁给我?"

穿红裙的姑娘道:"因为我很像另外一个人,你真正喜欢的是她,所以,如果我真的嫁给了你,以后你也一定会后悔的。"

小雷道:"为什么?"

穿红裙的姑娘道:"因为我毕竟不是她,以后你一定会发现我们有很多地方不一样,那时候你就会开始后悔了,如果万一你再碰到她,说不定就会一脚把我踢出去。"

小雷想了想,道:"你说的好像也有道理。"

穿红裙的姑娘嫣然道:"我虽然不是如意大帝,可是我说的话,多少也有点道理。"

小雷道:"所以你还是不要嫁给我的好。"

穿红裙的姑娘道:"不是我不想嫁给你,只不过你最好还是不要娶我,因为我不想害你。"

小雷又想了想,忽然转过脸去问无忌:"你看不看得出她像谁?"

无忌道:"我看不出。"

小雷道:"你应该看得出的,她像凤娘,你的那个卫凤娘。"

无忌道:"你喜欢凤娘?"

小雷道:"你难道还不明白我为什么要到这里来? 为什么要住在这里?"

他当然是为了凤娘。

因为这地方是凤娘以前住过的,这地方每样东西上面都有凤娘的影子。

现在无忌终于明白了。

他只能苦笑。

小雷那本来应该很孩子气的脸上,忽然露出了一种成人的悲伤,黯然道："可惜，现在她已经不是你的了，也不是我的了。"

他的悲伤忽然又转变为愤恨："因为，那个活死人已经把她从我们这里抢了过去。"

他说的这个活死人当然就是地藏，那天给地藏带去的人果然就是凤娘。

无忌无疑也已被刺痛，一种深入心脏，深入骨髓的刺痛。

也许就因为这种痛苦太深，所以表面上反而一点都看不出。

小雷瞪着他，忽然大声道："你看起来为什么一点都不难受？"

无忌没有开口，那穿红裙的姑娘却叹了口气，道："能够看得出的难受，也许就不是真的难受了。"

小雷道："有道理，你说话好像真的都有点道理。"

穿红裙的姑娘嫣然一笑，刚想找双筷子来吃口蚝油牛肉，小雷忽然叫起来，道："不像了，你一笑起来就不像了，幸好我没有娶你，你也没有嫁给我。"

这时候远处响起了更鼓声，"笃，笃"两响，敲的是二更。

算起来现在正好，差不多是二更。

二更天的时候，听到敲二更的点子，本来是理所应当的事。

小雷的脸色却变了，道："想不到这死瞎子居然能找到这里来。"

只有赵无忌知道他说的这个死瞎子是谁。

敲更的声音来自远处，可是听在耳朵里，敲更的人却仿佛就在耳边。

除了夺命更夫柳三更之外，世上还有哪个更夫手上有这么深的功力？

这位天不怕，地不怕的如意大帝，虽然不怕柳三更，对那活死人还是有点害怕的。

静夜中，只听见一声声竹杖点地的声音，自远而近，越来越响。

穿着青色的裤，担着竹更小锣的柳三更，终于慢慢的从黑暗中出现。

小雷没有动，大家也都没有动，小雷闭着嘴，大家也都闭着嘴。

无忌明白小雷的意思。

江湖中有很多人都不信这个夺命更夫真的瞎了，有时他能看见的确实比不瞎的人都多。

小雷却知道他的瞎一点都不假。

一个瞎子的感觉和耳力无论多么敏锐，只要大家都不出声，他就绝不会知道有些什么人在这里。

大家静静的看着他穿过院子走进来,蜡黄的脸上茫然全无表情,就好像走入了一间连一个人都没有的空屋子。

屋子里有这么多个人的眼睛在盯着他,他却连一点反应都没有,用白色的竹杖点着地,慢慢的走到桌子前面,深深吸了一口气,喃喃道:"想不到这里居然有酒有菜,别人既然不吃,正好让我享受。"

他摸索着,找了张椅子坐下,把手里的竹杖倚在桌边,居然又在桌上摸到了一双筷子,夹了块蚝油牛肉,放进嘴里慢慢咀嚼,又喃喃道:"这牛肉炒得真不错,只可惜已经凉了。"

他自斟自饮,喃喃自语,就好像一个人在唱独脚戏,却不知道自己每吃一口菜,都有一屋子的人在旁边眼睁睁的看着。

连一莲看得几乎连眼泪都要掉了下来。

这种情况在别人看来也许会觉得很滑稽,可是,在她看来,却是世上最悲惨的事。

她几乎忍不住要告诉这个可怕的瞎子,这屋子里并不是只有他一个人。

柳三更忽然放下筷子,长长叹了口气,道:"只可惜小雷不在这里,这样的火爆腰花,和这样的蚝油牛肉正好都是他最爱吃的家常菜,他若在这里,我一定全都留给他吃。"

这几句话也说得正和这两样家常菜一样,虽然平淡无奇,却有一种说不出的滋味。

连一莲几乎又忍不住要告诉他,小雷就坐在他身旁,他只要伸长手就可以摸到。

想不到小雷居然也被感动了,忽然道:"你用不着留给我,你自己吃吧,我知道这两样菜你也喜欢吃的。"

柳三更蜡黄的脸上立刻发出了光,道:"原来你也在这里。"

小雷道:"我早就在这里了,本来不想让你知道的,可是你对我这么好,我怎么忍心再瞒住你。"

柳三更道:"自从你走了之后,不但我天天想你,你师傅也在想你。"

小雷道:"他也会想我?"

柳三更道:"他外表看来虽然冷冰冰,可是他想你比我想得更厉害。"

小雷叹了口气,道:"我本来还以为他只不过想利用我,替他去打败萧东楼教出来的那个徒弟,替他争口气而已。"

柳三更道:"你错了,只要你肯回去,他就已经比什么都高兴。"

小雷道:"可是我还不想回去。"

柳三更道:"为什么?"

小雷道:"我还是个小孩子,总不能像他那样天天躺在棺材里,外面又这么好玩。"

柳三更道:"等你的剑法学好了,再出来玩也不迟。"

小雷道:"难道,你不能留下来陪我多玩几天,我天天都可以叫人炒牛肉给你吃。"

柳三更道:"好,我陪你。"

小雷实在想不到他答应得这么痛快,高兴得几乎跳了起来。

柳三更也很高兴,道:"你先过来,让我摸摸你的脸,这几个月来,你是胖了? 还是瘦了?"

小雷立刻走过来,笑着道:"我胖了好多,我找到个好厨子。"

在这瞎子面前,他已不再是那了不起的如意大帝了。

他毕竟还是个孩子。

两个人真情流露,连一莲几乎又被感动得要掉下眼泪来。

就在她的热泪已开始在眼眶里打滚,柳三更的手忽然一翻,已扣住了小雷的脉门。

连一莲吃了一惊,小雷当然更吃惊,失声道:"你干什么?"

柳三更冷冷道:"你在外面已经玩够了,还不如现在就跟我回去吧。"

小雷道:"你刚才全是骗我的?"

柳三更道:"就算我骗你,也是为你好。"

小雷道:"你早就知道我在这里,所以故意说那些话给我听,让我感动,你才好把我抓回去?"

柳三更不想否认,也不必再否认,忽然道:"赵无忌,你也跟我回去吧,凤娘一直还在等着你。"

连一莲又吃了一惊。

原来这瞎子不但早就知道小雷在这里,也知道无忌在这里。

她本来也是个花样奇多的人。

可是现在她忽然发现自己玩的那些花样,跟这瞎子一比,简直就像小孩子玩的把戏。

无忌居然还沉得住气,道:"你为什么要我也跟你回去?"

柳三更道:"你的剑法还没有学好,在外面是会吃亏的。"

无忌道:"你要我回去,也是为了我好?"

柳三更道:"当然是的。"

小雷本来已吓呆了,忽然又笑了笑,道:"只可惜他就算想跟你回去,也不能了。"

柳三更道:"为什么?"

小雷道:"因为你们两个人都已经没法子活着走出这和风山庄。"

他又笑了笑,道:"你死得可能比他还快,因为你的酒比他喝得还多。"

柳三更冷笑道:"难道这壶酒里有什么花样?"

小雷道:"你知道这壶酒早已摆在桌上,当然想不到酒壶会有什么花样,却不知我这壶不是给自己喝的,是早就准备好给赵无忌喝的。"

柳三更道:"你为什么要害他?"

小雷道:"不管怎么样,他总是凤娘的老公,我不害他,害谁?"

柳三更脸色已经有点变了,用另外一只手抓起酒壶嗅了嗅,忽又冷笑,道:"这壶酒里若是有毒,我柳三更不但瞎了眼,连鼻子都应该割下来。"

小雷道:"夺命更夫纵横江湖数十年,要骗过你当然不大容易。"

柳三更冷笑道:"的确不太容易。"

小雷道:"你知道的事情当然也不会少。"

柳三更道:"的确不少。"

小雷道:"那么你一定知道,江湖中有七位女侠,号称七仙女,都是江湖中有名的美人!"

他忽然改变话题,提起跟这件事完全没有关系的七仙女来,别人虽然觉得奇怪,柳三更却不在乎。如果你已经扣住了一个人的命脉,知道他已经无法逃脱你的掌握,那么不管他说什么,你也会不在乎的。

柳三更道:"我不但知道她们,而且还认得几个。"

小雷道:"那七位仙女之中,是不是有一位也姓柳?"

柳三更道:"不错。"

小雷道:"你也认得她?"

柳三更居然叹了口气,道:"落露仙子人如其名,真的艳光四射,而且温柔娴静,那样的女人,现在已不多了。"

小雷道:"现在她的人呢?"

柳三更道:"夕阳虽好,只可惜已近黄昏。"

小雷道:"难道她已经死了?"

柳三更叹道:"她实在死得太早。"

小雷道:"现在你虽看不见她的人,一定还可以听得出她的声音。"

柳三更道:"余音绕梁,岂止三日,她的音容美貌,无论是谁都很难忘怀得了的。"

小雷也叹了口气,道:"只可惜她死得太早。"

柳三更道:"实在可惜。"

小雷忽然笑了笑,道:"柳落露,你究竟死了没有?"

半面罗刹道:"没有。"

他忽然去问一个已经死了的人"死了没有?"已经让人觉得很奇怪。

想不到居然真的有人回他"没有",更想不到这个人竟然是半面罗刹。

最令人想不到的是,柳三更听见她的声音,脸色立刻大变。

难道这个凶狠毒辣的半面罗刹,就是那个温柔娴静的落露仙子?

小雷又问道:"你就是落露仙子?"

半面罗刹道:"我就是。"

小雷道:"你还没有死?"

半面罗刹道:"我知道人人都以为我已经死了,可惜我还没有死。"

她的声音中充满悲伤,竟好像真的认为自己还没有死是件很可惜的事。

小雷道:"你本来明明是个仙子,为什么会变成了罗刹?"

罗刹是一个极凶,极恶,极丑的鬼。

半面罗刹道:"自从我的脸被毁了之后,我就变成了罗刹。"

连一莲看过她的脸,现在她的脸确实已不再像是个仙子。

小雷道:"你的脸是被谁毁了的?"

半面罗刹道:"公孙兰。"

小雷道:"公孙兰是什么人?"

半面罗刹道:"就是扬州大侠公孙刚正的独生女儿。"

小雷道:"他们是不是江南四大武林世家之一,公孙世家中的人?"

半面罗刹道:"正是。"

小雷道:"公孙兰为什么要毁了你的脸?"

半面罗刹道:"因为她也爱上了林朝英。"

小雷道:"哪个林朝英?"

半面罗刹道:"就是那个说话像放屁一样的潇湘剑客林朝英。"

小雷道:"他是你的什么人?"

半面罗刹道:"是我的丈夫。"

小雷道:"那个公孙兰怎么会认识他的?"

半面罗刹道:"那时候她经常到我家里去。"

小雷道:"你们本来没有仇恨?"

半面罗刹道:"绝没有。"

小雷道:"她本来是你的什么人?"

半面罗刹道:"是我结拜的姐妹。"

她的声音一直都是冷冷淡淡的,说到这里,才有点改变。

可惜她脸上蒙着的乌纱不但颜色深暗,而且很厚,让人根本看不出她脸上的表情。

小雷道:"你跟她的交情怎么样?"

半面罗刹道:"我本来一直拿她当作我的妹妹,什么事我都让着她。"

小雷道:"可是你不能把丈夫也让给她。"

半面罗刹道:"我本来一点都不知道,有一年的中秋节,她请我们到她家去过节,我们去了,她拼命劝我喝酒,我就喝。"

她的声音忽然嘶哑,过了很久,才能接着说下去:"想不到她居然趁我喝醉了的时候,跟我的丈夫上了床。"

小雷道:"你既然喝醉了,怎么会知道的?"

半面罗刹道:"因为他们的胆子也太大了些,就在我隔壁的屋子里做那种事,想不到我半夜忽然惊醒。"

小雷道："你听见了他们的声音?"

半面罗刹道："我没有,可是我却好像被鬼迷住了一样,忽然想到那间屋子里去看看。"

小雷道："女人遇到这种事的时候,都会变得有点怪的。"

半面罗刹道："我看见他们时,真是气疯了,公孙兰吓得跑了出去,我就在后面追,那时候我真的想把她活活扼死。"

小雷道："后来呢?"

半面罗刹道："后来我变成了这样子。"

小雷道："为什么?"

半面罗刹道："因为那是她的家,她的父母兄弟看见我要杀她,就一把把我制住,关进她家的烧砖窑里,想把我活活烧死。"

小雷道："林朝英难道也没有挺身救你?"

半面罗刹道："那时候他早已跑了,连人影都看不见了。"

对一个女人来说,这实在是种很悲惨的遭遇,这件事本身也很曲折,实在可以算是个凄惨哀伤,动人心弦的大悲剧。

可是大家却仍然想不通小雷为什么要引半面罗刹说起这件事。

这件事和刚才发生的事好像连一点关系都没有,只不过使大家的想法有了一点改变而已——那位潇湘剑客,实在有点该死。

小雷道："自从那次事发生之后,江湖中人就认为你已经死了。"

半面罗刹道："因为他们想不到我居然没有死,公孙世家还替我出面,办了个很风光的丧事。"

小雷道："为什么你还没有死?"

半面罗刹道："那是天无绝人之路,也是我命不该绝,他们做梦也想不到,那天晚上恰巧有人想去偷他们的砖头。"

小雷道："是那些偷砖贼把你救了出来的?"

半面罗刹道："可是我不但半边脸被烧焦了,整个人都已被烧得不成样子!"

小雷道："所以你宁愿让别人认为你已经死了,因为你不愿让人看见你已经变成这个样子。"

半面罗刹道："我不但样子变了,连心里的想法都变了!"

小雷道："所以一年之后,江湖中就忽然出现了一个半面罗刹。"

半面罗刹道："因为,那时候我才知道,做人一定要心狠手辣,才不会吃亏上当。"

小雷道："听说你后来把公孙兰一家四十几口都绑了起来,先削掉他们半边脸,再把他们送到一个别人找不到的地方去活活等死。"

半面罗刹道："我在那砖窑里,已经尝过了等死的滋味,我一定要让他们也尝尝,他们那一家没有一个是好东西。"

小雷道："公孙刚正虽然并不刚正,却是八卦门第一把好手,他们一家人的武功都不弱,你怎么把他们一家人都绑起来的?"

这件事连一莲已经听那穿红裙的姑娘说过,那时她也在奇怪,半面罗刹一个人,怎么能把公孙世家的几十口人全都绑起来,听她宰割?

半面罗刹道："他们家喝的是井水,后院里的一口井是那附近有名的甜水井,用来泡茶特别好喝。"

她阴森森的一笑,又道："他们是世家,连仆人都很讲究喝茶。"

小雷道："你在那口井下了药?"

半面罗刹道："只下了一点点。"

小雷道："你下的是什么药?"

半面罗刹道："那种药叫君子散。"

小雷道："那是种什么药?"

半面罗刹道："是种毒药,少则可以令人昏迷无力,多则令人送命!"

小雷道："那种毒药为什么叫做君子散。"

半面罗刹道："因为那种药就像是君子一样,温良平和,害了人之后,人家还一点都不知道。"

小雷大笑,道："好名字!"

他微笑接着道："看来各位以后对君子还是小心提防一点的好。"

半面罗刹身世孤苦,遭遇悲惨,难免愤世嫉俗,他小小年纪,居然也这么偏激,所以做出来的事总是会让人吓一跳。

小雷又问道："刚才你是不是也在那壶酒里下了一点药?"

半面罗刹道："下了一点。"

小雷道："你下的是什么药?"

半面罗刹道："君子散。"

最后这句话,才是"画龙点睛",最后的神来之笔。现在大家才明白,小雷为什么会忽然问起这件事了。

公孙刚正一家人武功都不弱,如果不是因为中了这种君子散的毒,绝不会一个个全都被半面罗刹绑了起来,全无反抗之力。

这种君子散当然是种无色无味,厉害之极的毒药。否则公孙刚正一家人中也有不少老江湖,怎会连一个人都没有发觉?

无忌脸色苍白,忽然用两只手捧住腹道:"不对。"

柳三更脸色也变了,失声道:"什么不对?"

无忌道:"那壶酒……"

柳三更道:"难道……"

他一句话还没有说完,小雷已挥脱了他的掌握,顺手点了他五六处穴道。

穿红裙的姑娘叹了口气,道:"好厉害的人,好厉害的君子散。"

小雷大笑,道:"你也佩服我?"

穿红裙的姑娘道:"我实在是佩服极了。"

连一莲的秘密

无忌坐在那里,两眼发直,好像已经动都不能动了。连一莲跳起来,冲过去,道:"那壶酒里真的有毒?"

无忌道:"假的。"

连一莲怔了怔,道:"那壶酒里没有毒?"

无忌道:"没有。"

连一莲道:"既然没有毒,为什么不对?"

无忌道:"就因为没有毒,所以才不对。"

他叹了口气又道:"他们硬说酒里有毒,说得活灵活现,酒里却偏偏连一点毒都没有,这当然不对!"

小雷大笑,道:"若不是我说得活灵活现,柳三更这老狐狸,又怎么会中我的计?"

连一莲居然还不懂,又问无忌:"酒里既然没有毒,你怎么会变成这样子?"

无忌道:"我变成了什么样子?"

连一莲道:"好像中了毒的样子。"

无忌笑了笑,说道:"好像中了毒,并不是真的中了毒,这其中的分别是很大的。"

小雷道:"若不是他帮着我来做这出戏,我要得手只怕还没有这么容易。"

连一莲道:"你怎么知道他会帮你做这出戏?"

小雷道:"因为我知道他也不想让柳三更把他带回去。"

连一莲又问无忌:"你怎么知道他是骗人的?"

无忌道:"柳三更若是真的中了毒,他根本就不必说出来了。"

连一莲道:"他至少应该等到柳三更倒下去之后再说。"

无忌笑着说道:"你总算变得聪明了些。"

连一莲闭上了嘴。

她刚才又发觉自己玩的那些花样,跟这些人比起来简直好像孩子玩的把戏。

现在她才知道错了。

那并非"好像"孩子玩的把戏,那根本就"是"孩子玩的把戏。

——这其中的分别是很大的。

半面罗刹又在斟酒,每个人都斟了一杯。

连一莲又忍不住问她:"公孙刚正家的后院里真有口甜水井?"

半面罗刹道:"真的。"

连一莲道:"你真的在那口井里下了毒?"

半面罗刹道:"真的。"

连一莲说道:"可是你没有在酒里下毒?"

半面罗刹看着她,眼睛在乌纱后闪闪发光,忽然笑道:"你是个好孩子,我也喜欢你,所以我要告诉你,有两件事你一定要记住。"

连一莲道:"我听。"

半面罗刹道:"如果你想骗人,就一定要记住,你骗人的时候绝不能完全说谎,你一定要先说十句真话,让每个人都相信你说真话之后,再说一句谎话,别人才会相信!"

连一莲道:"有道理。"

半面罗刹道:"如果你不想被人骗,就一定要记住,井里有没有毒,和酒里有没有毒,那完全是两回事。"

连一莲叹道:"那的确是两回事。"

半面罗刹道:"这道理明明很简单,却偏偏很少有人明白。"

连一莲道:"如果每个人都明白这道理,还有谁会上当?"

半面罗刹微笑道:"就因为很少有人明白这道理,所以这世上天天都有人在骗人。"

连一莲道:"一点都不错。"

穿红裙的姑娘也叹了口气:"完全正确。"

小雷举杯,无忌也举杯。

小雷看着他,忽然道:"你好像不太容易会上当?"

无忌笑了笑,道:"如果常常上别人的当,就不好玩了。"

小雷道:"你好像已变得不太喜欢说话。"

无忌道:"不该说的话,还是不要说的好,因为……"

小雷道:"因为话说得太多,也不好玩了。"

无忌微笑道:"完全正确。"

小雷道:"你是个聪明人,我们不是对头,如果你跟我走,我一定让你做我的副教主。"

无忌不回答,反问道:"你要走?"

小雷也不回答,也反问道:"一个什么都看不见的瞎子,怎么会知道我在这里? 怎么会找得到我?"

无忌道:"因为有人告诉他的。"

小雷道:"所以除了他之外,一定还有别人知道我在这里。"

无忌道:"一定有。"

小雷道:"我却不想再让别人来找到我。"

无忌道:"你不想?"

小雷道:"我是不是应该赶快走?"

无忌道:"越快越好。"

小雷道:"你跟不跟我走?"

无忌道:"如果你是我,你会不会跟我走?"

小雷道:"不会。"

无忌道:"为什么?"

小雷道:"因为我要做就做教主,做副教主就不好玩了。"

无忌道:"不好玩的事,只有哪种人才会去做?"

小雷道:"只有笨蛋才会去做。"

无忌道:"我是不是笨蛋?"

小雷道:"你不是。"

他慢慢的接着道:"我找别人做我的副教主,如果他不肯,他当然也不能算是个笨蛋,最多也只不过能够算是个死人而已。"

无忌道:"为什么?"

小雷道:"因为就算他那时候不是死人,也很快就会变成个死人的。"

无忌道:"幸好我不是别人。"

小雷又盯着他看了半天,叹了口气,道:"幸好你不是。"

有种人是说来就来,说走就走的。

如果他要来,谁也不知道他来的时候,他如果已经来了,谁也挡不住他。

如果他要走,也没有人能留得住他。

小雷就是这种人。

所以他走了,带着那个就算没有被点住穴道,也被气得半死的柳三更走了。

他问过无忌:"你要不要我把他留给你?"

无忌不笨,所以他不要。

这个人就像是个烫手的热山芋,而且是天下最烫手的一个。

无忌道:"如果你一定要把他留下来,我说不定会杀了他的。"

小雷道:"你不想杀他?"

无忌道:"我不能杀他。"

小雷道:"为什么?"

无忌道:"因为我知道他也绝不会杀我的。"

小雷道:"就因为你知道他绝不会杀你,所以你那天才会找他去算那笔账?"

那天就是去年的三月二十八,那笔账就是那天他准备要还给柳三更的那笔债。

小雷知道这件事:"那天本来是个黄道吉日,也是你大喜的日子,你居然把他找去,只因为你明知像他这种人绝不会在那种日子里把你杀了来还债的。"

无忌道:"我好像有点知道。"

小雷道:"看来,你好像真的一点都不笨。"

穿红裙的姑娘忽然又叹了口气道:"如果他有一点笨,他就活不到现在了。"

小雷终于走了。没有人问起过妙手人厨,这些人彼此之间根本漠不关心。

小雷真的有法子控制住他们? 还是他们对小雷有什么企图?

不管怎么样,小雷都一定可以照顾自己的。

所以无忌并没有提醒他,只希望他不要太"如意",一个人如果每件事都要很如意,以后就难免会变得不如意。

连一莲好像很怕无忌盘问她,不等无忌开口,她就抢着说:"我知道你们师兄妹一定有很多话要说,我可不能陪你们,现在就等天塌下来,我也得先去睡一觉再说。"

所以现在屋子里已经只剩下他们师兄妹两个人。

穿红裙的姑娘勉强笑了笑,道:"你一定想不到忽然有个师妹来找你,你好像根本就没有师妹。"

无忌道:"我没有。"

穿红裙的姑娘道:"你当然更不会想到这个师妹是我。"

无忌道:"我的确想不到。"

他看着她,微笑道:"你实在比真的女人还像女人。"

这个穿红裙的姑娘难道不是女人?

她垂下头,道:"我这么做,实在是不得已。"

无忌道："你是不是有了麻烦？"

穿红裙的姑娘叹了口气，道："我的麻烦简直大得要命。"

无忌道："什么麻烦？"

穿红裙的姑娘道："有几个极厉害的对头找上了我，我已经被他们逼得无路可走，所以只有来找你。"

无忌道："他们是些什么人？"

穿红裙的姑娘道："我并不想要你帮我去对付他们。"

无忌道："为什么？"

穿红裙的姑娘道："因为他们都是很不容易对付的人，我绝不能要你为我去冒险。我也知道，你自己一定还有别的事要做。"

无忌并不否认。

穿红裙的姑娘道："所以我只不过希望你能够让我暂时在这里躲一躲，我相信他们绝不会找到这里来。"

她叹了口气，又道："我本来不想让你添麻烦的，如果你有困难，我随时都可以走。"

无忌道："我们是不是朋友？"

穿红裙的姑娘道："我希望是的。"

无忌道："一个人有困难的时候，不来找朋友找谁？"

穿红裙的姑娘看着他，目光中充满感激。

可是无忌一转过身，她的眼色就变了，变得阴沉而恶毒。

她到这里来，当然不是真的为了要避仇，她是来杀人的。

她要杀的人，就是赵无忌。

现在她没有出手，只不过因为她没有把握能对付赵无忌。

她在等机会。

因为"她"就是无忌新交的"朋友"李玉堂，也就是唐玉！

无忌一定连做梦都不会想到这位朋友就是唐玉。

他转过身，看看厅外的梧桐，沉思了很久，忽然道："你不能留在这里。"

唐玉一惊，脱口问道："为什么？"

无忌道："因为我明天一早要出门去，把你一个人留在这里，我不放心。"

唐玉道:"那么我……"

无忌道:"你可以跟我一起走,就当做我的家属,我叫人去替你准备一辆大车,我相信,谁也不会到我的车子里去找人的。"

唐玉道:"你准备到哪里去?"

无忌道:"到川中去。"

他微笑,又道:"那些人在两河找你,你却已到了川中,那岂非妙得很?"

唐玉也笑了:"那真是妙极了。"

他真是觉得妙极了。

在路上他的机会当然更多,一到了川中,更是羊入虎口。

连他自己都想不到会有这么好的运气,得来竟完全不费工夫。

他忍不住问道:"我们准备什么时候动身?"

无忌道:"明天一早就走。"

唐玉道:"那位连公子是不是也一起走?"

无忌道:"她不会去的。"

唐玉道:"为什么?"

无忌道:"因为,她害怕我打破她的头。"

无忌也显得很愉快。

他本来就喜欢帮朋友的忙,何况此去川中,千里迢迢,能够有这么样一个朋友结伴同行,更是件令人愉快的事。

他一直把这朋友送回客房才走。

看着他走出去,唐玉几乎忍不住要大笑出来——这次赵无忌真是死定了。

夜更深,人更静。

如果在从前,只要无忌一回来,就一定会把每个人都吵醒,陪他聊天,陪他喝酒。

他一向喜欢热闹。可是现在他已变了,连他自己都觉得自己变了。

　　他虽然不是个愁眉苦脸,悲愤欲绝,让别人看见都会伤心得难受的孝子,但是,他也不再是以前那个风流洒脱,有什么就说什么的赵无忌了。

　　现在他已学会把话藏在心里,他心里在想什么,只有他自己知道。

　　因为他既不想上当,也不想死。

　　庭园寂寂。

　　黑暗的庭园中,居然还有个窗户里仿佛有灯光在闪动。

　　微弱的灯光,有时明,有时灭。

　　那里正是赵简赵二爷的书房,自从赵二爷去世后,那地方一直都是空着的,很少有人去,三更半夜时,更不会有人。

　　如果没有人,怎么会有灯火闪动?

　　无忌却好像不觉得奇怪,能够让他惊奇的事,好像已不多。

　　书房里果然有人,这个人居然是连一莲。

　　她好像在找东西,房里每个书柜,每个抽屉,都被她翻得乱七八糟。

　　无忌悄悄的进来,在她身后看着她,忽然道:“你在做什么? 找到了没有?”

　　连一莲吃惊的回过头,吓呆了。

　　无忌道:“如果你没有找到,我可以帮你找,这地方我比你熟。”

　　连一莲慢慢的站起来,拍了拍衣襟,居然笑了笑,道:“你猜我在找什么?”

　　无忌道:“我猜不出。”

　　连一莲道:“我当然是在找珍珠财宝,难道你还看不出我是个独行大盗?”

　　无忌道:“如果你是个独行大盗,那么你非饿死不可。”

　　连一莲道:“哦?”

　　无忌道:“如果你万一没有饿死,也一定会被人抓住,剥光衣服吊起来,活活被打死。”

　　他冷笑又道:“因为你不但招子不亮,而且笨手笨脚,你在这里偷东西,一里外的人都可以听得到。”

　　连一莲道:“你现在是不是想把我……把我吊起来?”

"剥光衣服"这四个字,她非但说不出,连想都不敢想。

无忌道:"我只不过想问你几句话而已,可是我问一句,你就得说一句,如果你不说,我就要……"

连一莲道:"你就要怎么样?"

无忌道:"你最怕我怎么样,我就会那样。"

连一莲的脸已经红了,一颗心"扑通扑通"的跳得好快。

无忌道:"我知道你不姓连,也不叫连一莲。"

他沉下脸,冷笑着又道:"你最好赶快说出来,你究竟姓什么? 叫什么? 到这里来想干什么? 为什么总是阴魂不散,要来缠住我?"

连一莲垂下头,眼珠子偷偷的打转,忽然叹了口气,道:"你难道真的一点都看不出?"

无忌道:"我看不出。"

连一莲道:"如果一个女孩子不喜欢你,会不会来找你?"

无忌道:"不会。"

连一莲头垂得更低,作出一副羞人答答的样子,轻轻的说道:"那么你现在总该明白我为什么要来找你了?"

无忌道:"我还是不明白。"

连一莲几乎要跳了起来,大声道:"难道你是个猪?"

无忌说道:"就算我是猪! 也不是死猪。"

连一莲忽然笑了。

就在她开始笑的时候,她的人已跃起,手已挥出,发出了她的暗器。

经常在江湖中走动的人,身上差不多都带着暗器,只可惜她的暗器既不毒辣,手法也不太巧妙,比起唐家的独门暗器来,实在差得远了。

如果她笑得很甜,很迷人,让别人想不到她会突然出手,这一着也很厉害。

只可惜她笑得偏偏又不太自然。

她自己也知道用这法子来对付赵无忌,成功的希望并不大。

只可惜她偏偏又没有别的法子。

想不到这个法子居然很有效,赵无忌居然没有追出来。

凉风扑面,夜色阴寒,一幢幢高大的屋脊都已被她抛在身后。

她心里忽然有了种奇怪的感觉,竟仿佛希望无忌能够追上来。

因为她知道,只要一离开这里,以后就永远不会再回来了,也永远不会再看到那个脸上带着条笑靥般刀疤的年轻人了。

也许她根本就不该到这里来,他们根本就不该相见。但是她已经来了,她的心上已留下了个永远无法忘怀的影子。

她忍不住在心里问自己。

——如果他追上来,把我抓了回去,我会不会把我的秘密告诉他?

——如果他知道了我的秘密,会怎么样对我?

她没有想下去,她连想都不敢想。

现在,她就要到一个陌生的地方去了,到了那里之后,他们就更不会有再见面的机会。

——不见也好,见了反而烦恼。

她轻轻叹了口气,打起精神,迎着扑面的凉风,掠出了和风山庄。

她决心不再回头去看一眼,决心将这些烦恼全都抛开。

可是她偏偏又觉得心里忽然有了种说不出的悲伤和寂寞。

因她永远不能向人倾诉。

与虎同行

暗器已被击落在地上,是几枚打造得很精巧的梭子镖,在黑暗中闪闪的发着银光。这种暗器不但轻巧,而且好看,有时候甚至可以插在头上当首饰。

有很多女孩子都喜欢找人去打造一点这样子的暗器带在身上,她们也并不是真的想用它伤人,只不过觉得很好玩而已。

这种又好看,又好玩的暗器,当然挡不住赵无忌这种人的。

他没有去追她,只因为他根本就不想去追。

——就算追上了又如何,难道真的能把她剥光衣服吊起来,严刑拷问。

不管她究竟是什么来历,不管她有什么秘密,她对无忌绝没有恶意。

这一点无忌当然看得出。

所以他非但不想去追,连她的秘密也不想知道了。

——像她那么样一个女孩子,反正也不会有什么了不起的秘密。

后来,他才知道自己错了,错得很可怕。

书房里乱得简直就像是个刚有一群黄鼠狼经过的鸡窝一样。

无忌没有点灯。

他不想在这么乱的地方找火种,只希望能在这里静静的坐一下,把这些日子里发生的事静静的想一想,因为以后恐怕就不会再有这种机会了。

他想到了他的父亲,想到了那个悲惨可怕的"黄道吉日",想到了凤娘,想到了司空晓风,也想到了唐玉和上官刃。

他总觉得在这些事里还有一个结没有解开。

如果他一日解不开,这个结迟早总会把他的脖子套住,把他活活的吊死。

不幸的是,虽然他知道这样一个结,却一直都找不出这个结在哪里?

他忍不住轻轻叹息,院子里也有人在轻轻叹息。

叹息声虽然很静,可是在夜深人静的时候忽然听到,还是会让人吃惊。

无忌却连动都没有动。

他好像早就知道今天晚上还会有人来找他的。

黑暗中果然出现了一个人,走到门口忽然道:"你是不是在等人?"

无忌道:"你怎么会知道我在等人?"

这人道:"因为等人的时候用不着点灯,来的是什么人,你不必看也知道。"

她笑了笑,又道:"你当然想不到这时候会有人到这里来,更不会想到来的是我。"

无忌承认:"我的确想不到。"

来的这个人居然是连一莲,她居然又回来了。

连一莲道:"你心里一定在想我这个人实在是阴魂不散,好不容易才走掉,又回来干什么?"

无忌道:"我正想问你,你回来干什么?"

连一莲叹了口气,道:"这次倒不是我自己愿意回来的。"

无忌道:"难道有人逼你回来?"

连一莲道:"如果不是人,就一定是我又活见了鬼。"

无忌道:"你好像经常会活见鬼。"

连一莲叹道:"那只不过因为你这地方的鬼太多,男鬼女鬼,老鬼小鬼,什么样的鬼都有。"

无忌道:"这一次你见到的又是什么鬼?"

连一莲道:"是个老鬼。"她苦笑:"这个老鬼的本事好像比那个小鬼还大得多,不管我往哪边走,忽然间他就挡住了我的路,我简直连一点法子都没有。"

她的胆子虽然小了一点,出手虽然软了一点,可是她的轻功却很不错。

这次她遇见的,无论是人是鬼,轻功都是一定远比她高得多。

轻功比她高的人并不多。

无忌说道:"他一定要逼你回来找我?"

连一莲道:"他以为我骗了你,要我回来把话老实告诉你!"

无忌道:"你肯不肯说?"

连一莲道:"我说的,本来就是老实话。"

无忌道:"你是个独行大盗,到这里来,只不过是想来捞一票?"

连一莲道:"你不信?"

无忌叹了口气,道:"你真的要我相信?"

连一莲冷笑,道:"你为什么不能相信,难道只有男人才能做独行大盗,女人也一样是人,为什么不能做强盗?"

她越说越觉得理直气壮,连自己都不禁有点佩服自己,好像觉得自己总算替女人出了口气,因为她已经替女人争取到强盗的权力。

无忌居然也不反对:"女人当然可以做强盗,除了采花盗之外,什么样的强盗都可以做!"

他又叹了口气:"我只不过觉得你看起来不像是个强盗而已。"

连一莲道:"强盗看起来应该是什么样子? 是不是应该在头上挂个招牌?"

无忌道:"你真的是个强盗? 独行大盗?"

连一莲道:"当然是真的,如果你还不信,我也没法子。"

无忌道:"我相信。"

连一莲舒了口气,道:"你相信就最好了。"

无忌道:"不好。"

连一莲道:"有什么不好?"

无忌道:"你知不知道我们抓住一个强盗的时候,是用什么法子对付他的?"

连一莲摇头。

无忌道:"有时候我们会把他剥光衣服吊起来,有时候我们甚至会挖出他的眼睛,割下他的耳朵,打断他的腿。"

连一莲脸色变了,勉强笑道:"对女人你们当然不会这样做的。"

无忌道:"女人也一样是人,她既然能做强盗,我们为什么不能这样对她?"

连一莲说不出话来了。

无忌道:"可是,我当然不会这么做的,我们总算是朋友。"

连一莲笑道:"我早就看出你不是这么凶狠的人。"

无忌也笑了,忽然问道:"你有没有听见过司空晓风这名字?"

连一莲道:"没有听过这名字的人,一定是聋子。"

司空晓风确实是江湖中的名人,非常有名。

无忌说道:"你知道他是个什么样的人?"

连一莲道:"听说他年轻的时候是个美男子,可是谁也不知道他为了什么,一直都没有成婚,而且从来没有跟任何女人有过来往。"

女人最关心,最注意的总是这些事。

对一个男人来说,这些事却绝不是最重要的一部分。

无忌道:"你还知道什么?"

连一莲道:"听说他的内家绵掌和十字慧剑,都可以算是江湖中第一流的功夫,连武当的掌门人都说过,他的剑法绝对可以排名在当今天下十大剑客之中,甚至比他们武当派的名宿龙先生还高一招。"

无忌道:"还有呢?"

连一莲想了想,道:"听说他也是当今十个最有权力的人之一。"

她又解释:"因为他本来就是大风堂的四大巨头之一,自从大风堂的总堂主云飞扬云老爷子闭关练剑之后,大风堂的事,就全都由他作主了,他一声号令,最少有两三万个人会出来为他拼命。"

无忌道:"还有呢?"

连一莲道:"这还不够?"

无忌道:"还不够,因为你说的这几点,并不是他最可怕的地方。"

连一莲道:"哦?"

无忌道:"他的剑法虽然高,却还比不上他的轻功。"

连一莲道:"哦?"

无忌道:"你的轻功也不弱,可是你如果碰到他,不管要从哪里逃,他都可以挡在你的前面,你连一点法子都没有。"

连一莲终于明白了:"刚才把我逼回来的那个人就是司空晓风?"

无忌道:"我也不知道是不是他,我只知道他已经来了。"

连一莲道:"你怎么知道的?"

无忌道:"因为我知道柳三更是个瞎子,的的确确是个瞎子。"

连一莲道:"柳三更是不是瞎子,跟司空晓风有什么关系?"

无忌道:"一个瞎子怎么会知道如意大帝就是他要找的小雷?怎么会知道小雷在这里?就算他的耳朵比别人灵,这些事也不是用耳朵可以听得出来的。"

连一莲道:"所以你认为一定是别人告诉他的?"

无忌道:"一定。"

连一莲道:"这个'别人'一定就是司空晓风?"

无忌道:"一定。"

连一莲道:"为什么?"

无忌道:"因为,我再也想不出第二个人。"

这个理由并不能算很好,可是对连一莲来说,却已经够好了。

连一莲并不是很讲理的人!

无忌道:"我虽然不会把你吊起来,也不会割你的耳朵,别人却说不定会这样做的。"

连一莲道:"你说的这个'别人',也是司空晓风?"

无忌既不承认,也不否认,只淡淡的说:"大风堂门下的子弟,并不是很听话的,如果有个人一声号令,就能够让他们为他去拼命……"

他笑了笑:道:"这个人是个什么样的人,我不说你也应该知道。"

他笑得很温和,可是脸上那条刀疤却使得他的笑容看来仿佛有些阴沉残酷。

他接着又道:"从我十三岁的时候开始,我父亲就叫我每年到他那里去住半个月,一直到我二十岁的时候才停止。"

连一莲道:"那么你一定也学会他的十字慧剑。"

无忌道:"我父亲叫我去学的,并不是他的剑法,而是他做人的态度,做事的法子。"

连一莲道:"所以,你比别人更了解他?"

无忌道:"所以我知道他要你回来,并不是真的要你跟我说老实话的!"

连一莲道:"为什么?"

无忌道:"因为,他也知道你绝不会说。"

连一莲道:"那么,他为什么一定要逼着我回来找你?"

无忌道:"他知道你是我的朋友,他不愿自己出手来对付你,所以才把你留给我。"

连一莲想笑,却没有笑出来:"他是不是想看看你会用什么法子对付我?"

无忌道:"他也很了解我,我虽然不会剥光你的衣服,把你吊起来,也不会割下你的耳朵,打断你的腿,他知道我绝不会做这种事。"

连一莲又舒了口气,道:"我也知道你不会。"

无忌凝视着她,一个字一个字的说:"可是我会杀了你!"

他的态度还是很温和,但这种温和沉着的态度,却远比凶暴蛮横更令人恐惧。

连一莲的脸色已发白。

无忌道:"他要你回来,就是要我杀你,因为你的确有很多值得怀疑的地方,我就算杀错了你,也比把你放走得好。"

连一莲吃惊的看着他,就好像第一次看清这个人。

无忌道:"现在我们虽然看不见他,他却一定看得见我们,如果我不杀你,他一定会觉得很惊奇,很意外,却一定不会再拦住你了。"

他忽然又笑了笑,慢慢的接着道:"所以我就要让他惊奇一次。"

连一莲又怔住。

无忌道:"所以你最好赶快走吧,最好永远不要让我再看到你。"

连一莲更吃惊。

她刚才本以为自己已经看清了这个人,现在才知道自己还是看错了。

她忽然道:"我只有一句话问你。"

无忌道:"你问。"

连一莲道:"你为什么要放我走?"

无忌道:"因为我高兴。"

这理由当然也不能算很好,可是对连一莲来说,却已够好了。

夜更深,更黑暗。

司空晓风在黑暗中走来的时候,无忌还是静静的坐在那里。

他早就知道司空晓风会来的。

司空晓风也坐了下来,坐在他对面,看着他,过了很久,才长长叹息,道:"你说的不错,柳三更的确是我带来的,我的确希望你杀了那个女人。"

无忌道:"我知道。"

司空晓风道:"小雷是个很危险的孩子,只有让柳三更把他带回去最好。"

无忌道:"我明白。"

司空晓风道:"但是我却不明白,刚才你为什么不杀了她?"

无忌没有回答。

他根本就拒绝回答这句话。

他相信司空晓风一定也知道,如果他拒绝回答,谁也没法子勉强他。

司空晓风等了很久,忽然笑了笑道:"我有很多话要问你,你高兴说的,就说出来,不高兴说的,就假装没有听到。"

无忌笑了笑道:"这样子最好。"

司空晓风道:"你是不是已经知道上官刃的下落?"

无忌道:"是的。"

司空晓风道:"你是不是一定要去找他?"

无忌道:"是的。"

司空晓风说道:"你准备在什么时候走?"

无忌道:"明天早上。"

司空晓风道:"你是不是准备一个人走?"

无忌道:"不是。"

司空晓风道:"还有谁?"

无忌道:"李玉堂。"

司空晓风道:"你知道他的来历?"

无忌道:"不知道。"

司空晓风道:"你能不能够把他留下来?"

无忌道:"不能。"

司空晓风道:"你为什么一定要带他走?"

无忌道:"这句话我没有听见。"

司空晓风笑了:"现在我只有最后一句话要问你,你最好能听见。"

无忌道:"我在听。"

司空晓风道:"有没有法子能留住你,让你改变主意?"

无忌道:"没有。"

司空晓风慢慢的站起来,慢慢的走了出去。

他果然没有再问什么,只不过盯着无忌看了很久,仿佛还有件事要告诉无忌。

可是他并没有说出来。

世上绝没有任何人比他更会隐藏自己的心事,也绝没有任何人能比他更会保守秘密。

——他心里究竟隐藏着什么秘密? 他明明很想说出来,为什么又偏偏不说?

——是他不肯说? 还是根本不能说?

他走得很慢,瘦长的身子看来已有些佝偻,好像有一副看不见的重担压在他身上。

看着他微驼的背影,无忌忽然觉得他老了,昔日纵横江湖的美剑客,如今已变得只不过是个心情沉重,满怀心事的老人。这还是无忌第一次有这种感觉。

一个人心里如果有太多不能说出来的心事和秘密,总是会老得特别快的。

因为他一定会觉得十分孤独,十分寂寞。对这个饱经忧患的老人,无忌虽然也很同情,却又忍不住在心里问自己。

——他究竟有什么事要瞒着我?

——我一直找不出的那个结,是不是应该在他身上去找?

已经走出了门,司空晓风忽然又回头,缓缓道:"不管上官刃现在已变成了个什么样的人,以前我们总是同生死,共患难的朋友。"他的声音里充满感伤:"现在我们都已老了,以后恐怕也不会再有见面的机会,有样东西,我希望你能替我还给他。"

无忌道:"你欠他的?"

司空晓风道:"多年的朋友,彼此间总难免有些来往,可惜我们现在已不是朋友,我一定要在我们还没有死的时候,了清这些账。"

他凝视着无忌:"所以你一定要答应我,一定要把这件东西在他临死之前交给他。"

无忌沉思着,道:"如果死的不是他,而是我,我也一定会在我临死之前交给他。"

司空晓风轻轻地叹了口气,说道:"我相信你,你既然答应了,就一定会做到的。"

他好像并不十分关心无忌的死活,也没有故意作出关心的样子。

无忌道:"你要我带走的是什么?"

司空晓风道:"是一只老虎。"

他真的从身上拿出一只老虎:"你一定要答应我,无论发生了什么事,你都不能把这只老虎交给别人,无论在什么情况下,你都不能让它落入别人的手里。"

无忌笑了,苦笑。他忽然发觉司空晓风把这只老虎看得远比他的性命还重要。

他说:"我答应你!"

这是只用白玉雕成的老虎。

这是只白玉老虎。

四月初七,晴。

无忌终于出发了,带着一个人和一只白玉老虎,从和风山庄出发了。

他的目的地是唐家堡,名震天下的唐门独门毒药暗器的发源地。

唐门的子弟,高手云集,藏龙卧虎,对他来说,那地方正是无异是个龙潭,是个虎穴。他要闯龙潭捣虎穴,取虎子。

他还要把这只白玉老虎送到虎穴去。

陪他同行的,正是只虎视眈眈,随时都在伺机而动,准备把他连皮带骨都吞下去的吃人老虎。

第七回　虎　山　行

送入虎口

四月十一,晴。

中原的四月,正如三月的江南,莺飞草长,正是春光最艳,春色最浓的时候,只可惜这时候春又偏偏已将去了。

夕阳最美时,也总是将近黄昏。

世上有很多事都是这样子的,尤其是一些特别辉煌美好的事。

所以你不必伤感,也不用惋惜,纵然到江湖去赶上了春,也不必留住它。

因为这就是人生,有些事你留也留不住。

你一定要先学会忍受它的无情,才会懂得享受它的温柔。

车窗是开着的,春风从垂帘间吹进来,把远山的芬芳也带进车厢里来了。

唐玉斜倚在车厢里,春风刚好吹上他的脸。

他心情愉快,容光焕发,看起来实在比大多数女人都像女人。

风吹垂帘,刚好能看见骑在马上,跟在车旁的赵无忌。

他们已经在路上走了,如果他高兴,赵无忌现在已是个死人。

这四五天里他至少已经有过十次机会可以下手,就连现在都是个很好的机会。

从车窗里看过去,赵无忌简直就是个活靶子,从后脑,到后腰,从颈子后面的大血管,到脊骨下的关节,每个地方都在他的暗器威力范围之内,只要他出手,要打哪里,就可以打哪里。

他没有出手,只因为他还没有十分把握。

赵无忌不但武功高,反应快,而且并不笨,要对付这种人,绝不能有一点疏忽,更不能犯一点错。

因为,这种人绝不会给你第二次机会的。

所以你一定要等到绝对有十分把握,可以一击命中的时候再出手。

唐玉一点都不急。

他相信这种机会随时都会出现的,他也相信自己绝不会错过。

他并没有低估赵无忌。

经过了狮子林,花月轩那一次事之后,他当然也看得出赵无忌是个什么样的角色。

他当然也不会低估自己。

这次他的计划能进行得这么顺利,看起来好像是因为他的运气不错,所以才会有此机缘巧合,赵无忌才会自投罗网。

可是他并不认为他是靠运气成事的。

他认为"运气好"的意思,只不过是"能够把握机会"而已。

一个能够把握机会的人,就一定是个运气很好的人。

他的确没有错过一次机会。

花月轩的那次行动已经功败垂成,而且败得很惨。

可是他立刻把握住机会,出卖了胡跛子,所以他才有机会和赵无忌交朋友,才能让赵无忌信任他,愿意跟他交朋友。

对他来说,出卖一个人,简直比吃块豆腐还简单,是不是能把握住那次机会,才是最重要的。

只要能把握住那次机会,他甚至不惜出卖他的老子。

因为那的确是成败的关键。

他相信那天绝不会有人怀疑他跟胡跛子是一路,更不会有人想到他就是唐玉。

如果有人一定要认为这是运气,这运气也是他自己造成的。

他对自己很满意。

无忌骑的马,当然是匹千中选一的好马。

千中选一的意思,就是说你从一千匹马中,最多只能选出这么样一匹马。

大风堂的马厩也和大多数城市里的妓院一样,分成"上、中、下"三等。

上等妓院的女人,绝不是普通人能够"骑"得上去的。

上等马厩里的马也一样。

大风堂门下的子弟,如果不是有极重要、极危险的任务,也休想能骑上"上厩"中的马。

无忌不是普通人。

无忌是赵简赵二爷的独生子,赵二爷是大风堂的创始人,也是大风堂的支柱。

如果没有赵二爷,大风堂说不定早就垮了,如果没有赵二爷,也许根本就没有大风堂。

无忌也许还不懂怎么去选择朋友,可是他对马一向很有研究,也很有眼光。

他选择一匹马,甚至比一个精明的嫖客选妓女更挑剔。

这匹马他是从三十二匹千中选一的马里选出来的。

唐玉也看得出这是匹好马,可是他的兴趣并不在这匹马身上。

他好像对这匹马的皮鞍很感兴趣。

那是用上好的小牛皮做成的,手工也很考究精致,针脚缝得很密,如果不仔细去看,很难看得出上面有针眼。

可是不管什么样的马鞍都一定要用皮线缝边,再把蜡打在针脚上,磨平打光,让人看不出上面的线脚和针眼来。

唐玉看着骑在马鞍上的赵无忌,忽然想到了一件很有趣的事。

——如果制造这副马鞍的皮匠在缝边的时候,曾经不小心弄断过一根针。

——如果他一时大意,没有把弄断了的针尖从针脚里拿出去,就开始打蜡上光,把这半截针尖也打进针眼,看不见了。

——如果这半截针尖有一天忽然又从针脚里冒了出来。

——如果这时候正好有个人坐在这副马鞍上。

——如果这时候正好是暮春,衣裤都不会穿得太厚。

——那么这半截针尖冒出来的时候,就会刺穿他的裤子,刺到他的肉。

——被针尖刺了一下，并不是什么严重的事，他也许连痛都不会觉得痛，就算觉得有点痛，也绝不会在意。

——可是这半截针尖上如果碰巧有毒，而且碰巧刚好是唐家的独门毒药，那么这个骑在马鞍上的人，走了一段路之后，就会觉得被针刺过的地方开始有点痒，就会忍不住要去抓一抓。

——如果他去抓了一下，那么再走两三百步之后，这个倒霉的人就会莫名其妙的从马上摔下来，不明不白的死在路上。

——如果，这个倒霉人，就是赵无忌……

唐玉笑了。

这些"如果"并不是不可能发生的，就算那个皮匠的针没有断，唐玉也可以替他弄断一根，那绝不是太困难的事。

唐玉实在忍不住要笑，因为他觉得这个想法实在很有趣。

无忌忽然回过头，看着他，道："你在笑什么？"

唐玉道："我想起了一个笑话。"

无忌道："什么笑话？"

唐玉道："一个呆子的笑话。"

无忌道："你能不能说给我听听？"

唐玉道："不能！"

无忌道："为什么？"

唐玉道："因为这个笑话太好笑了，上次我说给一个人听的时候，那个人笑得把肚子都笑破了一个大洞，好大好大的一个洞。"

无忌也笑了："真的有人会笑破了肚子？"

唐玉道："只有他这种人才会。"

无忌道："他是哪种人？"

唐玉道："他也是个呆子。"

他又道："只有呆子才爱听呆子的笑话，也只有呆子才喜欢说呆子的笑话。"

唐玉还在笑，无忌却笑不出了。

一个呆子，听另外一个呆子说"一个呆子的笑话"。

这件事本来就是个笑话。

可是,你若仔细想一想,就会觉得这个笑话并不太好笑了。因为这个笑话里不但充满了讽刺,而且还充满了悲哀。

一种人类共同的悲哀。

一种无可奈何的悲哀。

如果你仔细想一想,非但笑不出,也许连哭都哭不出来。

无忌道:"这不是笑话。"

唐玉道:"本来就不是。"

无忌道:"我还是想听一听你那个笑话。"

唐玉道:"好,我说。"

他想了想,才说出来。

"从前有个呆子,带着个打扮得标标致致的大姑娘,走到大街上,大姑娘忽然跌了一跤,跌了个四脚朝天。"

无忌道:"下面呢?"

唐玉道:"下面没有了。"

无忌道:"这就是你的笑话?"

唐玉道:"是的。"

无忌道:"这个笑话不好笑。"

唐玉道:"如果你真见一个打扮得标标致致的大姑娘,扭扭捏捏的跟一个呆子走在大街上,呆子没有跌跤,大姑娘却跌了一跤,你会不会觉得好笑?"

无忌道:"如果我真的看见了,我也会觉得好笑。"

唐玉道:"我的笑话都是这样子的,听起来虽然没什么好笑,可是如果真的有人把这个笑话做出来,那就很好笑了。"

他已经开始笑,笑得很愉快:"那时候你的肚子说不定也会被笑出一个洞来的,也许只不过是很小的一个洞。"

无忌道:"不管是大洞,还是小洞,总是个洞。"

唐玉道:"完全正确。"

夜。

今天下午在路上，和赵无忌那段有关"一个笑话"的谈话，直到现在还是令唐玉觉得很愉快。

猫捉住老鼠后，定不会马上吞下去的。

唐玉有很多地方都很像一只猫，赵无忌现在已经像是只老鼠一样落入他的掌握，他也不妨把这只老鼠先捉弄个够，然后才吞下去。

这才是他最大的乐趣。

这是家很不错的客栈，每间客房的门窗都严密合缝，窗纸上也绝没有破洞。

隔壁那间房里的赵无忌，已经很久没有声音了，仿佛已睡着。

唐玉坐下来，从头上拔下根金钗，再从贴身的小衣袋里拿出个绣花荷包。

现在他还是穿着红裙，扮做女装，这两样东西正是每个大姑娘身上都会经常带着的，谁也看不出一点值得怀疑的地方。

但是每天晚上，到了夜深人静时，他都要把这两样东西拿出来仔细检查一遍，甚至比守财奴算账时还要谨慎小心。

每次他都要先关好门窗，用温水洗手，再用一块干净的白布把手擦干。

然后他才会坐在灯下，拔起这根金钗，用两根长而灵巧的手指，捏住钗头，轻轻一转。原来金钗是空心的，里面装满了金粉一样的细砂，正是唐家名震天下的断魂砂，细小如粉末，分量却特别重。

暗器的体积越小，越不易躲避，分量越重，越打得远。

他用的无疑是唐门暗器中的极品。

钗头也是空的，里面装的是一种无色透明的油蜡，见风就干。

他只要把钗头捏碎，这种油蜡就会流到他手上，保护他的手。

他从来不喜欢像他的兄弟们那样，把暗器装在那种像活招牌一样的革囊里，耀武扬威的挂在身上，就好像生怕别人不知道他们是唐家的子弟。

他也不喜欢用那种又厚又笨的鹿皮手套，他认为戴着手套发暗器，就好像戴着手套摸女人一样，非但有欠灵敏，而且无趣已极。这种事他是绝不肯做的。

荷包里装着一团线一包针,两个"吉祥如意"金锞子和一块透明发亮的石头。

线是用暹罗乌金炼成的,极细,极韧,不但随时都可以扼断一个人的脖子,而且可以吊得起一个人,如果他万一被困在危崖上,就可以用这团线吊下去,这根线绝不会断。透明的石头,是一种叫做"金刚石"的名贵宝石,据说比最纯的汉玉都珍贵,连最不贪心的人都可以买动。

有钱能使鬼推磨,到了必要时,也许只有这块石头才能救他的命。

可惜议价的人并不多,这种东西的名贵,并不是人人都能看得出的。

所以他定还要带上两个金锞子应急。

每一件事,每一种情况,每一点细节,他都想得很周到。

荷包是缎子做的,正反两面都用发亮的金线和珠片绣了朵牡丹花。

花心居然是活动的,随时都可以摘下来。

唐玉脸上忽然露出种神秘而得意的微笑,这两朵牡丹的花心,才是他最秘密,最得意的暗器。

这种暗器的威力,江湖中非但还没有人亲眼见过,甚至连做梦都想不到。

赵无忌纵然能揭穿他的身份,就凭这两枚暗器,他也可以让赵无忌粉身碎骨,死无葬身之地。

只不过,不到绝对必要时,他是绝不会动用这两枚暗器的。

因为直到现在为止,他们还没有完全掌握到制造这种暗器的秘诀。

他们在这种暗器上投下的资本,数目已非常惊人,甚至还牺牲了七八位专家的性命,连唐家专门负责制造暗器的第一位好手,都几乎因此惨死。

可是直到他离开唐家堡时,这种暗器一共才制造出三十八件,经过检验,保证能够使用的,还不到二十件。

根据他们自己的计算,每一件的价值都绝对在千金以上。

幸好他们对这种暗器的性能,已渐渐有把握可以控制,制造的技术也在渐渐改进。

等到他们能够大量制造这种暗器的时候,大风堂就要被彻底摧毁。

他对这一点绝对有信心。

现在唐玉已经把每样东西都检查过一遍,每样东西都仍然保持完整良好。

他认为完全满意之后,他就把烛台上的溶蜡,涂在他右手的拇指,食指,和中指的指尖上,用这三根手指,从那包绣花针中抽出一根针来。

这根针看起来和普通的绣花针也没什么不同,可是连他自己都不敢去碰它。

他一定要先用蜡封住皮肤上的毛孔,否则就算皮肤不破,毒气也会从毛孔中渗入,这三根手指就非要剁下来不可了。

既然做马鞍的那个皮匠并没把一根针留在线脚里,唐玉就决心帮他这个忙。

这计划虽然并不十分巧妙,也未必有绝对可以成功的把握,可是这计划有一点好处——这次就算不成功,赵无忌也绝不会怀疑到他。

因为每个人都可以在半夜溜到那马厩里去,把一根毒针插入马鞍上的针眼里,再用蜡把针眼封住。

这些事赵无忌的每一个对头都能做得到。他的对头实在不少,他怎么会怀疑到他的朋友?何况,这个"朋友"还帮过他的忙,替他抓住了一个眼看就要逃走了的对头。

唐玉甚至已作了最坏的打算。

就算赵无忌怀疑到他,他也有很好的理由反驳!

"我们天天在一起,如果我要害你,随时随地都可以找到机会,我为什么要用这法子,这法子又不能算很好。"

这理由无论对谁来说,都够好了,唐玉实在想得很周到。

每一件事,每一种情况,每一点细节,他都仔细想过,只有一件事,他没有想到。

他没有想到居然另外还有一只羊,一定要来送入他的虎口。

有了周密的计划之后,做起来就不难了。

你走遍天下,所有客栈里的马厩,都绝不会是个防卫森严的地方。

赵无忌的马鞍,也像别人的马鞍一样,随随便便的摆在一个角落里。

对唐玉这种人来说,做这种事简直比吃白菜还容易。

夜已深。

"未晚先投宿,鸡鸣早看天",行路的旅客们,当然早已睡了。

唐玉从马厩回来的时候,居然还有闲情来欣赏这四月暮春的夜色。

月已将圆,繁星满天,夜色实在很美,他心里居然仿佛有了点诗意。

一种和他这个杀人的计划完全格格不入的诗意。

可是等他走回他那间客房外的院子里时,这点诗意又变成了杀机!

房里有灯。

他出来的时候,明明已将灯烛吹灭,这种事他是绝不会疏忽的。

是谁点燃了他房里的灯?

三更半夜,谁会到他房里去?

如果这个人是他的仇敌,为什么要把灯点起来,让他警惕?

难道这个人是他的朋友?

这里他只有一个"朋友",也只有这个朋友知道他在哪里。

三更半夜,赵无忌为什么要到他房里去? 是不是已经对他有点怀疑?

他的脚步没有停,而且还故意让房里的人能听到他的脚步声。

所以他也立刻听到房里有人说:"三更半夜,你跑到哪里去了?"

这不是赵无忌的声音。

唐玉立刻就听出了这是谁的声音,可是他实在想不到这个人会来的。

谁也想不到连一莲会到这里来,更想不到她不找赵无忌,却来找唐玉。

可是她偏偏来了,偏偏就在唐玉的房里。

看见这个穿红裙的姑娘走进来,她就开始摇头,叹气,道:"三更半夜,一个大姑娘还要到外面去乱跑,难道不怕别人强奸你?"

说出"强奸"这两个字,她的脸居然没有红,她自己实在很得意。

她的脸皮,实在厚了不少,也老了不少。

只可惜她别的地方还是很嫩,非但还是认为别人看不出她女扮男装,也看不出别人是男是女？

她还是相信这个穿红裙的大姑娘是个大姑娘。

唐玉笑了。

他笑起来的样子就好像一只老虎看到了一只羊自动送入他的虎口。

奇　迹

唐玉的笑容温柔而妩媚，还带着三分羞涩，无论他心里在想什么，笑起来都是这样子的。

这种笑容也不知害死过多少人。

连一莲又叹了口气，道："幸好你总算太太平平的回来了，否则真要把人活活的急死。"

唐玉道："谁会急死？"

连一莲指着自己的鼻子道："当然是我。"

唐玉嫣然道："你急什么？"

连一莲道："我怎么会不急？难道你真的看不出我对你有多么关心？"

唐玉的脸居然好像有点红了，其实却已经快要笑破肚子。

——这丫头居然想用美男计，来勾引我这个良家妇女。

唐玉忍住笑，低着头问道："你有没有看见我师哥？"

连一莲立刻摇头，道："我根本没有找他，我是特意来看你的。"

唐玉头垂得更低，道："看我？我有什么好看？"

连一莲道："我也不知道你什么好看，我就是忍不住想要来看看你，简直想得要命。"

唐玉越害羞，她的话就说得越露骨，胆子也越来越大。

她居然拉住了唐玉的手。

——既然大家都是女人，拉拉手又有什么关系？

她当然不在乎。

唐玉当然更不在乎。

虽然他还不知道这丫头心里究竟在打什么主意，可是不管她想干什么，他都不在乎。

反正吃亏的绝不是他。

就算她只不过是想来逗逗这个穿红裙的姑娘,这回也要倒霉了。

看见唐玉"害羞"的样子,连一莲几乎也快要笑破肚子。

——这位大姑娘一定已经对我很有意思,否则怎么肯让我拉住"她"的手?

连一莲忍住笑,道:"我们出去走走好不好?"

唐玉道:"三更半夜的,为什么还要出去?"

连一莲道:"你师哥就住在隔壁,我不想让他知道我来了!"

唐玉道:"为什么?"

连一莲道:"我怕他吃醋。"

唐玉已经开始明白了。

——原来这丫头看上了赵无忌,生怕我跟赵无忌勾三搭四,所以来个釜底抽薪,勾引我,如果我真的看上了她,当然就会把赵无忌甩开了,她正好去捡便宜。

唐玉心里虽然好笑,脸上却作出了很生气的样子,说道:"我只不过是他的师妹而已,他根本就管不着我,他凭什么吃醋?"

连一莲笑得很愉快,道:"其实我也知道你不会看上他的。"

唐玉道:"你怎么知道?"

连一莲笑道:"我哪点不比他强? 你怎么会看上他?"

唐玉的脸更红了。

连一莲道:"你跟不跟我出去?"

唐玉红着脸摇头,道:"我怕。"

连一莲道:"你怕什么?"

唐玉道:"怕别人强奸我。"

连一莲道:"有我在你旁边,你还怕什么?"

唐玉道:"我就是怕你。"

连一莲又笑了。

她忽然"发现"这个看起来羞人答答的大姑娘,实在是个狐狸精。

她是个女人。

可是现在连她都好像有点心动了,连女人看见都会心动,何况男人?

如果有个男人天天都跟"她"在一起，不被她迷死才怪。

赵无忌是个男人。

赵无忌天天都跟"她"在一起。

连一莲下定决心，绝不让任何一个狐狸精把赵无忌迷住。

如果有人说她看上了赵无忌，她是死也不会承认的。

她这么做，只不过因为赵无忌对她总算还不错，而且放过她一马。

她既不愿欠他这个情，恰巧又正好没有别的事做，所以就顺便来替赵无忌调查调查，这个大姑娘是不是狐狸精。

这位不动声色就能杀人的大姑娘，不但可怕，而且实在有点可疑。

这是她自己的说法。

所以就算有人对她说的"恰巧"，"正好"，"顺便"觉得很怀疑，她也不在乎。

因为这本来就是说给她自己听的，只要她自己觉得满意就够了。

软绵绵的四月，软绵绵的风，唐玉软绵绵的倚在她身上，好像连一点力气都没有了。

连一莲索性把这个大姑娘搂住，搂得紧紧的，甚至已经可以感觉到这个大姑娘的心跳。

她自己的心好像也在跳。

大姑娘好像在推她，却没有真的用力推。

"你要带我到哪里去？"

"到一个好地方去。"

"我知道那一定不是个好地方。"

"为什么？"

"因为你不是好人。"

连一莲自己也不能不承认，自己实在不能算是个好人。

她的行为简直就像是个恶棍。

但是这个地方却实在是个好地方——那种只有恶棍才会带女孩子去

的地方。

地上绿草如茵,就像是一张床,四面浓密的木叶和鲜花,刚好能挡住外面的视线,空气中充满了醉人的花香。

一个女孩子,如果肯跟男人到这种地方来,通常就表示她已准备放弃抵抗。

连一莲自己也很得意:"你凭良心讲,这地方怎么样?"

唐玉红着脸道:"只有你这种坏人,才会找到这种地方。"

连一莲笑道:"就连我这种人,也找了很久才找到的。"

唐玉道:"你是不是早就计划好,要把我带到这里来?"

连一莲并不否认。

这次她的确早已有了计划,连下一步应该怎么做,她都已计划好了。

她忽然把唐玉拉了过来,在这个冒牌的大姑娘嘴角亲了一下。

唐玉整个人都软了。

她整个人都倒在这个冒牌的恶棍怀里,于是两个人就一起倒了下去,倒在床一样的草地上。

如果说连一莲一点都不紧张,那也是假的。

她非但没有抱过男人,连女人都没有抱过。

她的呼吸也已有点急促,脸也开始发烫,这个冒牌的大姑娘吃吃的笑着,倒在她怀里,顶在她胸口,顶得她心都要跳了出来。

这个冒牌的大姑娘才是个真的恶棍,有了这种好机会,当然不肯错过的。

这个冒牌的恶棍,却是个真的大姑娘,真的全身都软了。

一个恶棍要让一个大姑娘全身发软,绝不是件很困难的事。

他当然知道一个大姑娘身上有些什么地方是"要害"。

连一莲也知道现在已经非采取行动不可了。

这个"大姑娘"的手在乱动,动得很不规矩。

她虽然不怕"她"碰到她的要害,却不愿让"她"发现她是个冒牌男人。

她忽然出手,使出她最后一点力气,扣住了唐玉臂关节的穴道。

她用的手法虽然不如"分筋错骨手"那么厉害,性质却很相像。

这次唐玉真的不能动了,吃惊的看着她,道:"你这是干什么?"

连一莲的心还在跳,还在喘气。

唐玉道:"难道你真的想强奸我?"

连一莲总算镇定下来,摇着头笑道:"你不强奸我,我已经很高兴了,我怎么强奸你?"

唐玉道:"那么你何必用这种手法对付我,我……又没有推你!"

连一莲叹了口气,道:"我也知道你不会推我的,我只不过想要让你老实一点,因为我不想像那个妙手人厨一样,糊里糊涂的死在你手里。"

唐玉道:"我怎么会那样子对你? 难道你还看不出我对你……对你的意思?"

他好像真的受了委屈的样子,好像随时都要哭出来了。

连一莲的心又软了,柔声道:"你放心,我也不会对你怎么样的。"

唐玉道:"你究竟想怎么样?"

连一莲道:"赵无忌的武功是家传的,我从来没有听说他有个师妹,怎么会忽然变出了个像你这么样的师妹来?"

唐玉忽然叹了口气,道:"你看起来明明不笨,怎么会连这种事都不懂!"

连一莲道:"这种事是什么事?"

唐玉道:"师妹也有很多种,并不一定要同师练武的,才算师妹。"

连一莲道:"你是他哪一种师妹?"

唐玉道:"你为什么不问他去?"

他好像有点生气了:"只要他自己承认我是他哪种师妹来,不管我是他哪种师妹,别人都管不着。"

他说的实在很有理,连一莲实在没法子反驳。

唐玉又叹了口气,道:"其实你可以放心,我跟他之间,绝对没什么,他连我的手都没有碰过。"

连一莲道:"你以为我是在吃醋?"

唐玉道:"难道你不是?"

连一莲也有点生气了。

一个人的心事被人揭穿了的时候,总会有点生气的。

她板着脸道:"不管怎么样,我总觉得你的来历有点可疑,所以我要……"

唐玉道:"你要怎么样?"

连一莲道:"我要搜搜你。"

唐玉道:"好,你搜吧,我全身上下都让你搜。"

他红着脸,咬着嘴唇,一副受了天大的委屈的样子。

如果连一莲真的是个男人,如果她的胆子大些,真的把他"全身上下"都搜一搜,就会发现这个大姑娘是冒牌的了。

只可惜连一莲的胆子既不够大,也没有存心揩油的意思。

唐玉身上的"要害",她连碰都不敢去碰。

所以她只搜出了那个绣花荷包,她当然看不出这个荷包有什么不对。

这荷包就是唐玉的精心得意杰作,就算是一个比连一莲经验更丰富十倍的老江湖,也绝对看不出其中的巧妙。

唐玉咬着嘴唇,狠狠的盯着她,道:"你搜完了没有?"

连一莲道:"嗯。"

唐玉道:"嗯是什么意思?"

其实他也知道,"嗯"的意思,就是觉得有点抱歉的意思。

因为,她的确搜不出一样可疑的东西来。

唐玉冷笑道:"我知道你根本不是真的想搜我,你只不过……只不过想乘机欺负我,找个藉口来占我的便宜。"

说着说着,他的眼泪好像已经要流了出来。

连一莲忽然笑了。

唐玉道:"占了别人的便宜就笑,亏你还好意思笑得出。"

连一莲道:"你真的以为我占了你的便宜?"

唐玉道:"难道你没有?"

连一莲道:"好,我告诉你。"

她好像下了很大的决心,才决定把这个秘密说出来:"我也是个女人,我怎能占你的便宜?"

唐玉吃惊的看着她,好像这个"秘密"真的让他吃了一惊。

连一莲笑道:"我常常喜欢扮成男人,也难怪你看不出。"

唐玉忽然用力摇头,道:"我不信,你打死我,我也不信。"

连一莲笑得更愉快,更得意。

直到现在她才"发现"自己易容改扮的技术实在很高明。

她带着笑问:"你要怎么才相信?"

唐玉道:"我要摸摸看。"

连一莲虽然有点不好意思,可是让一个女人抚摸,也没有太大的关系。

所以考虑了一下之后就答应了:"你只能轻轻摸一下。"

她甚至还抓着唐玉的手去摸,因为她怕唐玉的手乱动。

唐玉笑了。

连一莲红着脸,放开他的手,道:"现在你还生不生气?"

唐玉笑道:"不生气了。"

他的手又伸了过来,连一莲失声道:"你还想干什么?"

唐玉道:"我还想摸。"

连一莲道:"难道,你还不信我是女人?"

唐玉笑道:"就因为我相信你是个女人,所以我还要摸。"

连一莲终于发觉有点不对了。

这个"大姑娘"的眼神忽然变得好奇怪,只可惜她发觉得迟了一点。

唐玉已闪电般出手,捏住了她手臂关节处的穴道,笑嘻嘻的说道:"因为你虽然是个冒牌的男人,我正好也是个冒牌的女人!"

连一莲叫了起来:"难道你是个男的?"

唐玉笑道:"如果你不信,你也可以摸摸看。"

连一莲几乎晕了过去。

这个大姑娘居然是个男人!

刚才她居然还抓住这个男人的手,来摸她自己,居然还抱住他,亲他的嘴。

想到这些事,连一莲简直恨不得一头撞死。

唐玉还在笑,笑得就像是刚偷吃了三百只小母鸡的黄鼠狼。

连一莲却连哭都哭不出。

唐玉道:"你不能怪我,是你要勾引我,要把我带到这里来的。"

他笑得愉快极了:"这里实在是个好地方,绝不会有人找到这里来。"

连一莲道:"你……你想干什么?"

唐玉道："我也不想干什么,只不过想把你刚才做的事,也照样做一遍。"

连一莲又羞,又急,又气,又怕。

最该死的是,她心里偏偏又觉得有种说不出的奇怪滋味。

她真想死了算了。

只可惜她偏偏又死不了。

唐玉的手已经伸进了她的衣服。

她搜过他,他当然也要搜搜她,只不过他搜她的时候,当然不会像她那么客气了。

连一莲大声道："你杀了我吧!"

其实她自己也知道这句话说得很无聊,唐玉当然绝不会这么便宜她的。

唐玉就算要杀她,一定也要先做很多别的事之后才动手。

那些"别的事",才真的要命。

连一莲哭出来了。

她本来不想哭的,可惜她的眼泪已完全不听她指挥。

唐玉的手在移动,动得很软,很慢。

动得真要命。

他微笑道："我知道你在怕什么,因为你一定还是个处女。"

听见"处女"这两个字,连一莲哭得更伤心了。

唐玉道："可是你也应该看得出,像我这样的男人,对女人并没有太大兴趣,所以只要你听话,我说不定会放了你。"

这些话,好像并不是故意说出来哄她的。

他这个男人实在太像女人,说不定是真的对女人没什么兴趣。

连一莲总算又有了一线希望,忍不住问："你要我怎么听话?"

唐玉道："我也有话要问你,我问一句,你就要答一句,只要我听出你说了一句谎话,我就要……"

他笑了笑："那时我就要干什么,我不说你也知道。"

连一莲当然知道。

就因为她知道,所以才害怕。

唐玉道:"我问你,你究竟是什么人,跟赵无忌是什么关系,你怎么知道他有没有师妹,怎么会对他的事知道得这么多,为什么还要来调查我的来历?"

连一莲道:"如果我把这些事都说出来,你就会放了我?"

唐玉道:"我一定会放了你。"

连一莲道:"那么你先放了我,我就说出来,一定说出来。"

唐玉笑了。

就在他开始笑的时候,他已经掀开了她的衣服,微笑道:"我一向不喜欢跟别人讨价还价的,如果你再不说,我就先脱光你的衣服。"

连一莲反而不哭了。

唐玉道:"你说不说?"

连一莲忽然大声道:"不说。"

唐玉反而感到有点意外,说道:"你不怕?"

连一莲道:"我怕,怕得要命,可是我绝不会说出来。"

唐玉更奇怪:"为什么?"

连一莲用力咬着嘴唇,说道:"因为我现在已经知道你是个男人,知道你要害赵无忌,不管我说不说,你都不会放过我的。"

这一点她居然已想通了。

唐玉忽然发觉这个女孩子虽然胆子奇小,但却聪明绝顶。

连一莲道:"不管我说不说,你反正都会……都会强奸我的。"

她居然自己说出了这两个字。

因为她的心已横了,人已豁了出去,大声说道:"你动手吧,我不怕,我就当作被疯狗咬了一口,可是我死也不会放过你!"

唐玉实在想不到她怎会忽然变成这样子,如果别的男人看见她这样子,也许就会放过她了。

可惜唐玉不是别的男人。

他简直不能算是个人。

连一莲终于晕了过去。

就在唐玉伸手去拉她腰带时,她已晕了过去。

连一莲醒来的时候,已经是两天之后的事了。

她居然还没有死,居然还能再张开眼睛,已经是怪事。

——有些事比死更可怕,更要命,也许她不如还是死了的好。

可是那些事并没有发生。

——她还是个处女,那种事是不是发生过,当然,她知道得很清楚。

那个不是人的人为什么会放过她?

她真的想不通了。

她醒来的时候,是在一辆马车里,全身仍然软绵绵的,全无力气,连坐都坐不起来。

是谁把她送上这辆马车的? 现在准备要送她到什么地方去?

她正想找个人问,车窗外已经有个人伸进头来,微笑道:"大小姐你好。"

这个人不是那冒牌的大姑娘,也不是赵无忌,她虽然不认得这个人,这个人却认得她。

连一莲道:"你是谁?"

这人道:"是个朋友。"

连一莲道:"是谁的朋友?"

这人道:"是大小姐的朋友,也是老太爷的朋友。"

连 ·莲道:"哪个老太爷?"

这人说道:"当然是大小姐的老太爷呀!"

连一莲的脸色变了。

这个人不但认得她,好像连她的底细都知道。

她的身世并不悲惨,却是个秘密,她不愿让任何人知道这秘密,更不愿让赵无忌知道。

她立刻又问道:"你也是赵无忌的朋友?"

这人微笑,摇头。

连一莲道:"我怎会到这里来的?"

这人道:"是个朋友送来的,他叫我把大小姐送回家去。"

连一莲道:"这个朋友是谁?"

这人道:"他姓唐,叫唐玉。"

听见"唐玉"这名字,连一莲又晕了过去。

第二条羊

四月十二,晴。

唐玉起来的时候太阳早已照上窗户。

平常到了这种时候,他们早已起程动身了,今天却直到现在还没有人来催他,难道无忌也像他一样,今天起床也迟了些?

其实他睡得并不多,他回来得很迟,上床时已经快天亮了。

他最多只睡了一个多时辰,可是看起来精神却显得特别好。

一个人心情愉快的时候,总是会显得容光焕发,精神抖擞。

他的心情当然很愉快,因为昨天晚上他又做了件很得意的事。

想到连一莲发现他是男人时,脸上那种表情,直到现在他还是觉得很好笑。

他相信连一莲醒来时一定会觉得很奇怪,一定想不通他为什么会放过她。

本来他也不想放过她的。

可是就在他拉下她腰带时,忽然有样东西从连一莲身上掉了出来。

看到这样东西,他立刻就猜出了连一莲的真实身份。

他不但知道这个女孩子的来历,而且还知道她和赵无忌之间的关系。

但是他不能杀她,也不想杀她。

因为这个女孩子活着远比死了对他有用。但是他也不能把她放走,因为他绝不能让她和赵无忌见面。

这本来是个难题,幸好他正好在这里,所以这难题也很快就解决了。

这里虽然还是大风堂的地盘,却已近边界——大风堂当年和霹雳堂划定的地区边境。

霹雳堂和唐家结盟之后,第一件要做的事,就是彻底毁灭大风堂。

现在他们的行动虽然还没有开始,可是在各地都已有埋伏布置。

尤其是在这里。

这里是大风堂最后的一个据点,却是他们发动进击时的第一站。

他们暂时虽然还不能像大风堂一样,在这里正式开舵,暗地早已有了布置,甚至连大风堂分舵里都已有人被他们收买。

——大风堂绝对想不到这个"奸细"是谁的。

——因为这个人不但一向老实可靠,而且还是大风堂在这里最高负责人之一。

他们收买了这个人,就好像已经在大风堂心脏里种下了一株毒草。

唐玉微笑着,穿上了她的红裙。

现在连一莲当然已经被唐家埋伏在这暗卡中的人送走了。

他们做事一向迅速可靠。

昨天晚上,他把她送去的时候,心里也并不是完全没有一点惋惜。

她还是个处女。

她年轻,美丽,健康,结实。

她的胸脯饱满坚挺,皮肤光滑如丝缎,一双修长雪白的腿,在夜色中看来更迷人。

如果说他不心动,那是骗人的。

他虽然不能杀她,可是先把她用一用,对他也许反而有好处。

一个处女,对她第一个男人,总是会有种特别奇妙的感情。

到了生米已经成熟饭时,女人通常都认命的。

只可惜他已经不能算是个真正的男人了。

自从练了阴劲后,他身上某一部分男人的特征,就开始退化。

他的欲望渐渐已只能用别的法子来发泄,一些邪恶而残酷的法子。

唐玉走到外面的大院里来时,大车已套好,马也上了鞍。

看到马上的鞍,想到鞍里的针,他的心情当然更愉快,几乎忍不住要笑出来。

赵无忌知道他就是唐玉时,脸上的表情一定更有趣。

奇怪的是,一向起得很早的赵无忌,今天居然还没有露面。他正想问赶车的马夫,赵无忌已经来了,却不是从房里走出来的,而是从外面走进来的。

原来他今天起得比平常还早,只不过一起来就出去了。

——一清早他就到哪里去了?去干什么?

唐玉没有问。

他从来不过问赵无忌的私事,他不能让赵无忌对他有一点怀疑。

他始终遵守一个原则。

——尽量多听多看,尽量少说少问。

反正马已上好了鞍,赵无忌也已经快上马了,这次行动,很快就将结束。

想不到赵无忌走进来之后,第一件事就是吩咐那个马夫:"把马鞍卸下来。"

唐玉在呼吸,轻轻的,慢慢的,深深的呼吸,他紧张时就会这样子。

他不能不紧张。

因为赵无忌看起来像也很紧张,脸色,神情,态度,都跟平时不一样。

——难道他已发现了秘密?

唐玉微笑着走过去。

他的呼吸已恢复正常,他的笑容还是那么可亲,但是他心里已经作了最坏的准备。

只要赵无忌的神色有一点不对,他立刻就要先发制人。

他随时都可以发出那最后的一击。

那一击绝对致命。

无忌的脸色的确很沉重,显然有点心事。

但是他对他这个朋友,并没有一点防范的意思,只不过长长叹了口气,道:"这是匹好马。"

唐玉道:"确实是匹好马。"

无忌道:"到了连朋友都不能救你的时候,一匹好马却说不定能救你的命。"

唐玉道:"我相信。"

无忌道:"好马都有人性,你对它好,它也会对你好的,所以只要能够让它舒服一点,我就会让它舒服一点。"

他忽又笑了笑:"如果我是一匹马,要我在没事的时候也背个马鞍,我也一定会觉得很不舒服很不高兴。"

唐玉也笑了。

无忌又解释:"今天我们既然不走,就正好让它舒服一天。"

其实他不必解释,唐玉也听出来了。

他并没有怀疑他的朋友,只不过怜惜这匹好马而已。

可是今天他为什么不走呢?

无忌道:"我们一定要在这里多留一天,因为有个人今天晚上要到这里来。"

他的表情又变得有点紧张:"我一定非要见到这个人不可。"

这个人当然是很重要的人,他们这次见面,当然有很重要的事要商议。

——这个人是谁?

——这件事是什么事?

唐玉也没有问。

无忌却忽然问他:"你不想知道我要见的这个人是谁?"

唐玉道:"我想知道。"

无忌道:"你为什么不问?"

唐玉道:"因为这是你的私事,跟我完全没有关系。"

他笑了笑又道:"何况,如果你想告诉我,我不问你也一样会告诉我的。"

无忌也笑了。对这个朋友的明理和懂事,他不但欣赏,而且觉得很满意。

他忽然又问:"你早上喝不喝酒?"

唐玉道:"平常我是不喝的,可是如果有朋友喝,我一天十二时辰都可以奉陪。"

无忌看着他,长长叹息,道:"能够交到你这样的朋友,真是我的运气。"

唐玉又笑了。因为他实在忍不住要笑,几乎真的要笑破肚子。

幸好他常常在笑,而且总是笑得那么温柔亲切,所以谁也没法子看出他心里在想什么。

有酒,有人,却没有人喝酒,他们甚至连一点喝酒的意思都没有。

无忌道:"我并不是真的想找你来喝酒。"

唐玉微笑道:"我看得出。"他的笑容中充满了了解和友谊。"我也看得出你一定有什么事要跟我说。"

无忌手里拿着酒杯,虽然连一滴酒都没有喝,却一直忘记放下。

唐玉道:"无论你心里有什么烦恼,都可以告诉我。"

无忌又沉默了很久,才缓缓道:"我想你一定知道我跟大风堂的关系。"

唐玉并不否认,道:"令尊大人的侠名,我小时候就听说过。"

无忌道:"你当然也听人说过,大风堂是个什么样的组织。"

唐玉道:"我知道大风堂的总堂主是云飞扬云老爷子,另外还有三位堂主,令尊大人也是其中之一。"

这些都是江湖中人都知道的事,他尽力不让赵无忌发现他对大风堂知道的远比别人多。

说不定他还可以从赵无忌嘴里听到一些他本来不知道的事。

无忌道:"其实大风堂的组织远比别人想像中更庞大,更复杂,只凭他们四个人,是绝对没法子照顾得了的。"

他果然没有让唐玉失望,接着道:"譬如说,大风堂虽然也有收入,可是开支更大,云老爷、司空晓风、上官刃、先父都不是善于理财的人,如果不是另外还有个人在暗中主理财务,帮补亏空,大风堂根本就没法子支持下去。"

这正是唐玉最感兴趣的事。

无论做什么事都需要钱,大风堂既然不愿像别的帮派那样,沾上娼与赌这两样最容易赚钱的事,当然就得另找财源。

赚钱并不容易,理财更不容易。

视钱如粪土的江湖豪杰们,当然不会是这一行的专家。

他们也早已猜到,暗中一定另外有个人在主持大风堂的财务。

无忌道:"江湖中绝对没有任何人知道他的身份姓名,连大风堂里知道的人都不多,因为他答应做这些事的时候,就已经和云老爷子约法三章——"

任何人都不能干涉他的事务和账目。

任何人都不能透支亏空。

他的身份绝对保密。

无忌道:"云老爷子答应了他这三件事后,他才肯接下这个烫手的热山芋。"

唐玉静静的听着,表面上绝对没有露出一点很感兴趣的样子。

无忌道:"因为他本来并不是武林中人,如果别人知道他和大风堂的关系,就一定会有麻烦找上他的。"

唐玉叹了口气,道:"也许还不仅麻烦而已,如果我是大风堂的对头,我一定会不惜一切,先把这个人置之于死地!"

这句话真是说得恰到好处。

能够说出这种话来的人,就表示他心中坦荡,绝不会做出这种事。

无忌叹道:"如果他有什么意外,对大风堂实在是很大的损失,所以……"

他的表情更紧张,声音压得更低:"所以我今天不能不特别小心。"

唐玉道:"今天要到这里来的人,就是他?"

无忌道:"今天晚上子时之前,他一定会到。"

唐玉虽然一向都很沉得住气,可是现在却连他自己都已感到他的心跳加快了。

——如果能除掉这个人,简直就等于砍掉大风堂的一条腿。

——这个人今天晚上就要来。

对唐玉来说,这实在是很大的诱惑。

可是他一直在警告自己,表面上绝不能露出一点声色来。

无忌道:"他虽然不是武林中人,却是个名人,关中一带的票号钱庄,最少有一半都跟他有来往,所以别人都叫他财神。"

财神。

这两个字一入唐玉的耳朵,就好像已经用刀子刻在他心里了。

只要有了这条线索,找到这个人已不难。

唐玉立刻作出很严肃的样子,道:"这是你们大风堂的秘密,你不应该告诉我的。"

无忌道:"我一定要告诉你。"

唐玉道:"为什么?"

无忌道:"因为你是我的朋友,我信任你,而且……"

他凝视着唐玉,慢慢的接着道:"有件事我非要你帮忙不可。"

唐玉立刻道:"只要我能做到的,我一定替你做。"

无忌道:"这件事你一定能做得到,也只有你能做得到。"

唐玉没有说什么。他已隐隐感觉到,又有一只羊要自动送入他的虎口。

酒杯还在手里,还没有放下去。

无忌终于喝了一口,又香又辣的大曲,沿着他舌头,慢慢流入他的咽喉。

他总算觉得比较振奋了些,总算说出了他的烦恼——

大风堂在这里也有个分舵。

因为这里是大风堂最后一站,也是对敌的前哨,所以这里的分舵不但组织较大,属员也较多。

一山不容二虎。

可是这两位舵主却相处得很好,因为他们都只知道为大风堂做事,并没有争权夺利的私心。

在大风堂最机密的档案里,对他们的记录是——

姓名:樊云山。

绰号:玉面金刀客,半山道人。

年龄:五十六。

武器:紫金刀,三十六枚紫金镖。

师承:五虎断门刀。

妻:彭淑贞。(殁)

子:无

嗜好:少年颇近声色,中年学道。

司空晓风对他的评语是:

聪明仔细,守法负责,才堪大用。

另一位是——

姓名:丁北。

绰号:独臂神鹰。

年龄:二十九。

武器:剑。(断剑)

师承:无

妻:无。

子:无。

嗜好:好赌,好酒。

司空晓风有知人之明,也有知人之名,大风堂档案里每一个人的纪录后面,都有他的评语。

只有丁北是例外。谁也不知道是司空晓风不愿评论这个人,还是这个人根本无法评论。

唐玉道:"我知道这个人。"

无忌道:"你也知道?"

唐玉道:"近几年来,独臂神鹰在江湖中的名气很大,而且做了几件令人侧目的事。"

他笑了笑:"想不到他也投入了大风堂。"

唐玉的笑容一向温柔可亲,可是这次却仿佛带着点讥诮之意。

因为丁北的名气虽然不小,可惜他的名气并不是那种值得别人羡慕尊敬的。

他的家世本来很好。

他的父亲是武当门下的俗家弟子,丁家是江南的世家,有名望、有财产。

但是他十五岁的时候,就被他父亲赶出了家门。

武当四大剑客中,最负盛名的金鸡道人,是他父亲的同胞师兄,看在他父亲的面上,收他为弟子。

想不到他在武林中人人视为圣地武当玄真观里,居然还是一样我行我素,酗酒滋事。

有一次他居然喝得大醉,竟逼着他的师父的一个好朋友下山去决斗。

他的右臂就是在这次决斗中被砍断的,他也被逐出了武当,连他的剑都被折断。

从此之后,他就失去了下落。

想不到七八年后他又出现了,带着他那柄断剑出现了。

他独臂,断剑,练成了一种辛辣而诡秘的剑法,单身上武当,击败了他以前的师父金鸡道人。

所以他自称神鹰。

他仍然我行我素,独来独往,这几年来,的确做了几件令人侧目的事。

可惜他做的这些事,就像他的为人一样,也不能让别人佩服尊敬。

幸好他自己一点都不在乎。

无忌明白唐玉的意思,也看出他笑容中的讥诮之意。

但是无忌自己的看法却不一样:"不管他以前是什么样的人,自从入了大风堂之后,他的确是全心全力在为大风堂做事。"

唐玉微笑,道:"也许他已经变了,已经放下屠刀,立地成佛。"

无忌道:"他是的。"

唐玉道:"玉面金刀客为什么又叫做半山道人?这两个名字应该是两个完全不同的人。"

无忌道:"樊云山中年丧妻之后,就开始学道,所以玉面金刀就变成了半山道人。"

唐玉笑道:"想不到大风堂的舵主中,居然有个学道的人。"

无忌也不禁微笑。

可是他的笑容很快就又消失:"大风堂的纪律虽严,却从不过问别人的私事,丁北的喝酒,樊云山的学道,对他们的职务并没有影响,他们一直是大风堂的舵主中,最忠心能干的两个人。"

他的声音更低沉,慢慢的接着道:"但是现在我却发现这两个人中,竟有一个是奸细。"

唐玉好像吓了一跳："是什么?"

无忌道："是奸细。"他显得悲惨而愤怒："这两个人之中,已经有一个被大风堂的对头收买了。"

唐玉好像还不能相信,所以忍不住要问："你怎么知道的?"

无忌点头道："因为我们派到对方那边去打听消息的人,全都被出卖了。"

他又解释："他们本来都有很好的掩护,有的甚至已在那边潜伏了很久,一直都没有被发现,可是最近……"

他的声音忽然哽咽,过了很久,才能接下去说："最近他们忽然全都被捕杀,竟没有一个人能活着逃回来。"

唐玉也在叹息。

其实这些事他不但全部知道,而且知道得比谁都清楚。

那几次捕杀,他不但全都参加了,而且杀的人绝不比任何人少。

无忌接着又道："有关他们的事,一直都是由樊云山和丁北负责联络的,他们行动秘密,也只有这两个人知道,所以……"

唐玉接着道："所以也只有这两个人才能出卖他们?"

无忌道："不错。"

唐玉道："这两个人中,谁是奸细? 是樊云山? 还是丁北?"

这句话居然是从唐玉嘴里问出来的,连唐玉自己都觉得很好笑。

收买这个奸细的人就是他,负责和这个奸细联络的人也是他。

如果赵无忌知道这件事,脸上会有什么样的表情? 心里会有什么样的感觉?

唐玉居然能够忍住没有笑出来,本领实在不小。

无忌一直在看着他,忽然道："这两个人中,究竟谁是奸细,只有你才能告诉我。"

如果是别人听见这句话,一定会吓得跳起来。

唐玉却连一点反应都没有,他知道这句话一定还有下文。

无忌果然已接着道："因为只有你才能替我把这个奸细找出来。"

唐玉道："为什么?"

无忌道："这两个人你都不认得?"

唐玉道："当然不认得。"

无忌道："如果我说你是唐家的人,他们会不会相信?"

唐玉还是不动声色,道："他们好像没有理由不信。"

无忌道："唐家既然可以买通大风堂的舵主,大风堂是不是也一样可以买通唐家的人?"

唐玉道："好像是的。"

他回答得很小心,每句话都加上"好像"两个字,因为他还不十分明了赵无忌的意思。

无忌道："所以现在樊云山和丁北都认为我已买通了唐家一个人,我到这里来,就是为了要跟这个人见面,我们约好了今天见面。"

唐玉道："如果你这么样说,他们好像也没有理由不信。"

无忌道："我还再三强调,这个人是个非常重要的人,有样非常重要的东西要交给我,所以我们一定要全力保护他,绝不能让他落在别人手里。"

唐玉道："他们知不知道,这个人是谁?"

无忌道："不知道。"

唐玉道："既然不知道,怎么去保护他?"

无忌道："因为我也没有见过这个人,所以我们早已约好了辨认的方法。"

唐玉道："什么方法?"

无忌道："他一来就会到大街上一家叫同仁堂的药铺里去,买四钱'陈皮',四钱'当归',然后再到对面一家卤菜店去,买四两烧鸡,四两牛肉,他坚持要掌柜的把分量称准,一分不能多,一分也不能少。"

唐玉道："这样的人的确不多,很容易就能认得出来的。"

无忌道："然后他就用左手提着陈皮和烧鸡,右手提着当归和牛肉,从大街的东边往左转,走到一个桑树林子里,把左手的陈皮和烧鸡吊在树上,右手的当归和牛肉丢到地下,那时候我们就可以去跟他见面了。"

唐玉笑道："用这种法子来见面,倒真的很有趣。"

无忌道："不但有趣,而且安全。"

他又解释："除了跟我约好的这个人之外,谁也不会做这种事的。"

唐玉笑道:"如果还有别人做这种事,那个人一定有毛病,而且,毛病还很重。"

无忌道:"所以我相信樊云山和丁北绝不会弄错。"

唐玉道:"既然是你跟他约好的,你就应该到那里去等,为什么叫他们去?"

无忌道:"因为我只知道他今天日落之前会来,却不知是什么时候。"

唐玉道:"你的行踪很秘密,当然不能够整天守在街上等,所以,只有叫他们去。"

无忌道:"不错。"

唐玉道:"他带来给你的是些什么东西?"

无忌道:"是一个人的名字。"

唐玉道:"就是那个奸细的名字?"

无忌道:"不错。"

唐玉道:"直到现在为止,你还不知道这名字是樊云山? 还是丁北?"

无忌道:"可是那奸细自己心里一定有数。"

唐玉道:"他当然不能让那个人把这名字交给你。"

无忌道:"绝不能。"

唐玉道:"所以他只要一看见那个人,就一定会想法子把他杀了灭口。"

无忌道:"他不惜一切,都一定要把这个人杀了灭口。"

唐玉道:"其实唐家并没有这么样一个人要来。"

无忌道:"不错。"

唐玉道:"所以这个人就是我。"

无忌道:"我只有找你帮我这个忙,因为他们都不认得你,而且只知道我的同伴是个穿红裙的姑娘。"

唐玉道:"所以我只有换件衣服,改成男装,偷偷的溜出去,到大街上去买点陈皮当归,烧鸡牛肉,就可以替你把那个奸细钓出来了。"

他叹了口气,苦笑道:"这法子实在不错,简直妙极了,惟一不妙的是,如果那条鱼把我这个鱼饵吞下去了怎么办?"

无忌道:"我也知道这样做多少有点冒险,可是我想不出别的法子,我一定要在财神到这里之前把那个奸细查出来。"

唐玉道："所以你只有找我?"

无忌道："我只有找你。"

唐玉又叹了口气,道："你实在找对人了。"

他表面在叹气,其实却已经快笑破肚子,他实在没想到赵无忌这条肥羊也会自动来送入他的虎口,而且还另外带了一只羊来。

赵无忌这个计划本来的确很巧妙,除了用这个法子之外,的确很难把那奸细找出来,只可惜他实在找对人了。

唐玉当然不会把真正的奸细找出来的,这个奸细当然也绝不会想要把唐玉杀了灭口。

他们正好趁这个机会,把不是奸细的那个人杀了灭口。

他们正好把罪名全都推到这个人身上,真正的奸细就可以高枕无忧,继续出卖他的朋友了,因为以后绝不会有人怀疑他。他们还可以趁这个机会把赵无忌和那个财神也一网打尽。

这真是一举数得,妙不可言,连唐玉自己都没有想到自己会有这么好的运气。

所以不是奸细的那个人,也变成了一条羊,被赵无忌送入了唐玉的虎口。

第三条羊

四月十二日,晨。

平常这时候,樊云山已做完了他的"功课",从丹室出来吃早饭了。

今天他比平常迟一点,因为今天一早就有个他预想不到的客人来,跟他谈了很久,说了些让他觉得心烦的话。

——这个分舵里居然有奸细,居然连赵简的儿子都知道了。

他主持这分舵已多年,现在居然要一个年轻小伙子来告诉他这件事,而且还教他应该怎么做,这使得他很不满意。

他对年轻人一向没有好感,他一向认为年轻人办事不牢,没有一个可靠。

这也许只不过因为他自己已经不再年轻,虽然这一点他是绝不肯承认的。

他对赵无忌当然还是很客气,直送到大门外,才入丹室。

丹室就是他炼丹的地方,也是完全属于他自己的小天地,没有得到他的允许,任何人都不能进去。

炼丹不是炼金。

虽然有些人认为炼丹也和炼金一样荒谬,也并不在乎。

炼丹就是"烧汞",也叫做"服石",是件高雅而神奇的事,非常非常高雅,非常非常神奇,那些俗人们当然不会懂。

只有像刘安那样的贵族,韩愈那样的高士,才懂得其中的奥妙和学问。

他通常都在他的"半山轩"里吃早饭,通常都是红薇和紫兰去伺候他。

红薇和紫兰虽然年轻,却很规矩。

可是今天他远远就听见了她们的笑声,其中居然还有男人的声音。

是谁有这么大的胆子,敢到樊大爷的私室去,跟他的丫头调笑?

他用不着看,就知道一定是丁北。

因为谁都知道丁北是他的好朋友,只有丁北才可以在他家里穿堂入户,自由出入,甚至还可以吃他的早饭。

他进去的时候,丁北已经把厨房特地为他准备的燕窝鸡汤吃了一大半,正在跟他两个年轻又漂亮的丫头说笑话。

如果别人敢这么样做,樊云山说不定会打断他的腿。

丁北却是例外。

他们不但是好朋友,也是好伙伴。

看见他进来,丁北就大笑,道:"想不到你居然也是吃人间烟火的,而且居然吃得这么好。"

樊云山也笑了:"学道的人也是人,也一样要吃饭的。"

丁北笑道:"我以前还认为你只要吃点石头就行了。"

樊云山没有再接下去,虽然是好朋友,也不能拿他"炼丹"这件事来开玩笑。

这件事绝对神圣不可侵犯的。

幸好丁北已改变话题,忽然问道:"赵公子是不是也到这里来过?"

樊云山道:"他来过。"

丁北道:"你也已知道那件事?"

樊云山点头。

他当然应该知道,至少他也是这里的舵主之一。

丁北笑道:"我到这里来,倒不是为了要来喝你的鸡汤的。"

樊云山道:"你现在就要去等待那个人?"

丁北道:"你不去?"

樊云山道:"我还得等等,莫忘记我也要吃饭的。"

丁北笑了:"好,你吃饭我先去。"

樊云山也觉得很好笑,现在同仁堂和卤菜店根本还没有开门,那个人就算来了,也没地方去买陈皮当归,牛肉烧鸡。

年轻人做事总是难免沉不住气,年轻人的眼睛也太不老实。

他忽然发现又应该替红薇和紫兰做几件新衣裳穿了。

去年做的衣裳,现在她们已穿得太紧,连一些不该露出来的地方,都被绷得露了出来。

这当然不是因为衣服缩小了,而是因为她们最近忽然变得成熟了起来,男人看见她们的时候,都忍不住要多看两眼。

丁北是个男人。

他的眼睛实在不能算很老实。

他已走出门,忽然又回头,道:"我发现学道的人非但可以吃饭,而且还有个好处。"

樊云山道:"什么好处?"

丁北道:"学道的人随便干什么,都不会有人说闲话,如果我也像你一样,几个年轻的小姑娘来伺候我,别人就要说我是个色狼了。"

他大笑着走出去。

樊云山本来也在笑,可是一看到丁北走出去,他的笑容就不见了。

他实在受不了这个年轻人的狂妄和无礼。

虽然他们的地位一样,他的资格总比较老些,丁北至少总应该对他尊敬一点。

不幸的是，丁北这个人竟似乎从来都不懂"礼貌"这两个字是什么意思。

现在他终于开始吃他的早饭了。

红薇和紫兰，一直站在他旁边，看着他，红着脸偷偷的笑。

他当然懂得她们的意思。

一个发育良好，身体健康的女孩子，刚刚尝到"那种事"的滋味后，总是特别有兴趣的。

何况他自从"服石"之后，不但需要特别强烈，而且变得特别勇猛，甚至比他新婚时更勇猛，绝对可以满足任何女人的需要。

每天吃过早饭之后，他通常都会带两个年轻的女孩子，到他的丹室去，传授给她们一点神仙的快乐。

现在她们好像已经有点等不及了。

樊云山慢慢的放下筷子，站起来，走向他的丹室——

这次从丹室出来的时候，他虽然显得有点疲倦，心情却好了很多，甚至连丁北的无礼，也变得没有那么讨厌了。

享受过一番"神仙的乐趣"之后，无论谁都会变得比较轻松愉快，宽怀大度。

现在他只需要一壶好茶，最好当然是一壶福建武夷山的铁观音。

他立刻想到了"武夷春"。

"武夷春"是家茶馆。

这家茶馆是福建人开的，福建人都讲究喝茶，都喜欢喝铁观音。

这家茶馆的铁观音，据说真是产在武夷绝顶，派人用快马运来的。

这家茶馆在采芝斋隔壁。

采芝斋是家很有名的糕饼茶食铺，就在同仁堂老药铺隔壁，王胖子开的那家卤菜店对面。

所以樊云山今天如果不到武夷春来喝茶，那才真的是怪事。

世界上的怪事绝不会太多,所以他来了!

茶馆里的人认得樊大爷的人当然不少,知道他是大风堂舵主的人却没有几个。

如果他常常仗着大风堂的威名在外面招摇,现在他已经是个死人。

丁北一定也来了,一定就在附近,他没有看见丁北,却看见了小狗子。

小狗子不是狗,是人。

虽然大家都把他当作狗一样呼来叱去,他毕竟还是个人。

他是高升客栈十一个店小二里面,做事做得最多,钱拿得最少的一个。

现在也不知是哪位客人,又叫他到王胖子的卤菜店买卤菜了。

樊云山知道这个赵公子就住在高升客栈,还带着个穿着大红裙子的大姑娘。

这位赵公子原来也是个风流人物。

小狗子提着几色卤菜回去了。

一个卖橘子的小贩,挑着担子走到王胖子的卤菜店门口。

王胖子出来买了几斤橘子给他的女儿吃。

他的女儿并不胖,因为她只喜欢吃橘子,不喜欢吃肉。

王胖子是这个卖橘子小贩的老主顾。

卖橘子的小贩走得累了,又累又渴,就走到茶馆里来,找茶馆里的伙计,讨碗茶喝。

茶当然不能白喝。

他用两个橘子换了一壶茶喝。

茶馆里的伙计把橘子收到后面,分了一个给掌柜的小儿子,就提了个大水壶出来替客人冲水。

樊大爷是老客人,也是好客人,他当然要特别巴结。

他第一个就来替樊大爷冲水,还特地带了个热手巾把子来。

樊云山觉得很满意。

他喜欢别人的恭维奉承,所以他的小账总是给的特别多些。

伙计千恩万谢的走了,他打开这把热手巾,里面就有样东西掉下来,落入他的手心里,好像是个卷起来的纸条。

茶喝得太多,当然难免要去方便方便。所以又喝了几口茶之后,他就站了起来,到后面去方便了。

这些都是很正常的。

这些事无论被谁看见,都绝不会觉得有一点可疑的。

就算被一个疑心病最大的老太婆看见,也绝不会想到,就在这件事进行之中,已经有一件很重要的消息,从住在高升客栈里一个穿着红裙的大姑娘那里,传到了樊云山手里。

唐玉现在穿的已经不是红裙子了。

现在他穿的是一套赵无忌的衣裳,青鞋、白袜,蓝衫。质料剪裁虽然都很好,却绝不会让人觉得刺眼。

赵家并不是暴发户,无忌一向很懂得穿衣服,这一点连唐玉都不能不承认。

唐玉从来不会喜欢一个快要死在他手里的人,可是他居然有点喜欢赵无忌。

他觉得赵无忌这个人很奇怪,有时候看起来虽然很笨,其实却很聪明,有时候看起来虽然很聪明,却偏偏又很笨。

唐玉决定替他买口上好的棺材,叫樊云山把他的尸身送回和风山庄去。

他们毕竟是"朋友"。

"我要买四两烧饼,四两牛肉。"

唐玉用极道地的官话告诉王胖子:"一分也不能多,一分也不能少。"

到同仁堂去买陈皮和当归的时候,他已看到坐在武夷春喝茶的樊云山。

这个一向循规蹈矩,做事一丝不苟,从来都没有出过一点差错的人,居然会是个"奸细",实在是谁都想不到的事。

他们的对象本来是丁北,但是唐缺却坚决认为樊云山绝对比丁北容易打动。

唐缺的理由是：

——像樊云山这种人，对丁北那种不拘小节的年轻人一定很不满。

——这地方本来是樊云山一个人的地盘，现在大风堂又派了个丁北这样的年轻人来，而地位居然跟他完全平等，无论他要做什么事，都不能不跟这毛头小伙子去商量，这对一个已经习惯做老大的人来说，也是件不可忍受的事。

唐缺对炼丹居然也有研究！

他知道炼丹是件极奢侈的事，也知道服过丹之后，不但性情会因身体的燥热而改变，连性欲都会变得极亢奋。

这也正是"有道之士"，为什么会冒险去炼丹的原因。

所以唐缺认为：

——如果我们能提供给樊云山一点炼丹的灵药和秘诀，把几个随时可以让他"散热"的女孩子送给他，而且保证一定会替他教训教训丁北，他一定什么事都会做的。

后来的事实，果然证明他的看法完全正确。

唐缺看人的眼光确实有独到之处，这一点连唐玉都不能不佩服。

唐玉也看见了丁北。

丁北实在可以算是个很好看的年轻人，只可惜太"随便"了一点，看起来简直有点像是个市井的混混儿。

在四月天，他身上居然就穿起夏布袍子，把右面一只空荡荡的衣袖束在一根用青布做的腰带里，乱蓬蓬的头发显然也有好几天没梳过。

他甚至还把他那柄断剑插在腰带上，连剑鞘都没有配一个。

一向非常讲究穿衣服的樊云山，对他这副样子当然看不顺眼。

只要一看见他，樊云山就会觉得全身都很不舒服。

四两牛肉，四两烧鸡都已经切好了，用油纸打成了小包。

唐玉用左手提着陈皮和烧鸡，用右手提着当归和牛肉，走过了长街，开始往左转。

他相信樊云山一定已接到了他要小狗子送出来的消息。

　　为了避嫌疑,他一直都陪着赵无忌待在房里,只不过关照小狗子去打扫他那间客房,监督着小狗子把痰盂倒了出去。

　　赵无忌一定绝不会想到,小狗子也早就被他们买通了。

　　——只要一个人对自己的生活觉得不满意,你就有机会收买他的。

　　这是唐缺的理论。

　　唐玉发觉唐缺的理论总是很有道理。

　　桑树林已经在望。

　　唐玉相信樊云山当然绝不会想"杀他灭口",但是他们也绝不会先出手对付丁北。

　　赵无忌当然会在暗中监视他们。

　　所以他们现在惟一的问题是,要怎么样才能让丁北出来对付他!

　　只要丁北一出手,他就是奸细了,随便他怎么否认都没有用的。

　　就算他们不杀他,赵无忌也绝不会饶他。

　　唐玉微笑。

　　他已经有把握要丁北出手。

　　为了保护他这个"非常重要的人",丁北和樊云山都跟着他走了过来。

　　——丁北不是奸细。

　　——丁北当然已开始在怀疑樊云山。

　　——如果这个"重要的人"和樊云山之间有勾结,他交给赵无忌那个名字,当然就不会是真的奸细的名字。

　　——如果他交出来的名字是丁北,丁北也没法辩白。

　　——丁北当然也想到了这一点,所以他只要发觉这个"重要的人"和樊云山之间的情况有一点不对,一定就会出手。

　　这其中的关键看来虽很复杂,其实却像"一加一等于二"同样简单。

　　所以唐玉忽然转过头去,看着樊云山笑了笑,好像是要他放心!

　　"我交给赵无忌的名字,绝对不会是你。"

　　天气晴和,阳光明朗。

　　丁北也许有很多不太好的毛病,眼睛却连一点毛病都没有,在这么好的天气里,连一里外的麻雀是公的,还是母的,他都能看得出。

这也许是他自己吹牛,可是唐玉这样笑,他总不会看不见。

他转过头,就看见樊云山也在笑,他忍不住问:"你认得这个人?"

樊云山摇了摇头。

丁北说道:"看起来,他却好像认得你?"

樊云山还在笑,虽然没有承认,但是也不再否认。

他并不怕被丁北看出他们之间的秘密,他本来就想要诱丁北出手。

想不到的是,丁北的出手远比他意料中快得多。

他的笑容还没有消失,丁北的掌缘已猛切在他左颈后的大血管上。

唐玉刚想把左手提着的陈皮和烧鸡挂上树枝,樊云山已倒了下去。

他知道丁北会出手的,可是他也想不到樊云山竟会被丁北一击而倒。

这一击不但迅速准确,最可怕的是,出手之前,完全没有一点警兆。

既然已决定攻击,他就绝不再犹豫,绝不让对方有一点预防准备。

唐玉忽然发觉自己以前一直低估了他,这个人实在比别人想像中更危险。

丁北居然还没有扑过来,还站得远远的,用一双鹰一般的眼睛盯着他。

唐玉慢慢的把陈皮和烧鸡挂上树枝,才回过头:"你就是独臂神鹰?"

丁北道:"我就是。"

唐玉道:"你知道我是什么人?"

丁北道:"我知道。"

唐玉道:"你也知道我有样东西要交给赵无忌?"

丁北道:"我知道。"

唐玉道:"你不想让我交给他?"

丁北道:"我不想。"

唐玉道:"你想把我杀了灭口?"

丁北并不否认。

唐玉叹了口气,重重的把右手提着的当归和牛肉,丢在地上,说道:"那你就动手吧。"

丁北道:"你为什么不动手?"他冷笑,"既然你是唐家的人,为什么还不把你们独门暗器拿出来?"

唐玉明白了。

丁北不敢逼近来,只不过因为怕他的暗器——这个"重要的人"既然是从唐家来的,身上当然带着有唐家的独门暗器。

唐玉本来就是唐家的人,本来就带着唐家的独门暗器。

如果他把他的暗器使出来,就算有十个丁北,也一样要粉身碎骨,死无葬身之地。可惜他不能拿出来。

因为他已经看见了赵无忌。

赵无忌是从一棵粗大的桑树后出现的,现在已逼近丁北。

他的动作并不快,却极谨慎,绝没有发出一点让丁北警觉的声音。

丁北的注意力,已完全集中在唐玉身上。

面对着一个身上很可能带着唐家独门暗器的人,天下间绝没有任何人敢疏忽大意。

唐玉忽然叹了口气,道:"可惜。"

丁北道:"为什么可惜?"

唐玉道:"现在你看起来简直就像是个活靶子,如果唐家真的有人在这里,就算是个三岁小孩子也可以把你打出七八个透明窟窿来。"

他又叹了口气,说道:"只可惜我身上连一样暗器都没有,我根本就不是唐家的人。"

丁北的脸色变了,就像是一条忽然发现自己落入虎口的羊,不但惊慌,而且恐惧。

他想拔剑。

他的手刚握住剑柄,无忌的铁掌已猛切在他左颈后的大血管上,用的手法跟他刚才击倒樊云山时,同样的迅速准确。

惟一不同的是,无忌有两只手,另一只手上还有把刀,短刀。

三寸六分长的刀锋,已完全刺入了丁北的腰。

虎　口

刀柄还在丁北腰上,正是绝对致命的部位,刀锋已完全看不见了。

唐玉抬起头,吃惊的看着赵无忌,他实在想不到赵无忌的出手会这么狠。

他看起来实在不像这么狠的人。

——左颈后的那一击已经够了,为什么还要加上这一刀?

赵无忌忽然说道:"我本来并不想杀他的。"

他显然已看出唐玉心里在想什么:"我也知道应该留下他的活口来。"

唐玉道:"为什么杀了他?"

无忌道:"因为这个人太危险。"

这一点唐玉也同意。

无忌道:"要对付这种人,就绝不能给他反击的机会。"

唐玉道:"因为他也绝不会给你反击的机会。"

无忌道:"如果他有两只手,他一定也会再给樊云山一刀。"

幸好丁北只有一只手。

樊云山的胸膛仿佛还有起伏,仿佛还有呼吸,却不知他的心是不是也在跳?

无忌弯下腰,把他的身子扳过来,把耳朵贴上他的胸膛,希望能听到他的心在跳。

唐玉在看着无忌。

无忌的背对着他,距离他还不到三尺。

这才真是个最好的靶子,连三岁的小孩子都不会打不中的靶子。

唐玉的手缩入了衣袖。

现在他是男装,当然不能再把那根金钗插在头发上。

他把那根金钗插在衣袖里。

他的手缩进去,就捏住了金钗,只要他指尖一用力,钗头里的油蜡就会流出来,保护他的手,他就可以把钗头扭断。

他手里立刻就有一满把毒砂,唐家威镇天下的五毒断魂砂。

只要他将这把毒砂洒出去,就算他是闭着眼睛洒出去的,无忌都死定了。

幸好他这把毒砂没有洒出去,因为他还没有忘记财神。

现在他心目中最大的一条羊已经不是赵无忌,而是财神。

只有赵无忌才能把这条羊送入他的虎口。

财神还没有来,他怎么能死?

唐玉的手又慢慢的从衣袖伸了出来,反正财神已经快来了,赵无忌已经在他掌握之中。

他一点都不急,只不过觉得有种奇异的渴望和冲动,就好像一个贪欢的寡妇,在渴望着男人的拥抱。

樊云山的心还在跳,本来跳得很慢,很微弱,现在已渐渐恢复正常。

他甚至已经可以站起来。

看见了丁北,他还是显得很悲伤,黯然道:"他是个聪明人,只可惜太聪明了些,如果他笨一点,也许就不会落得这种下场。"

这是句很有哲理的话,无忌却不想跟他讨论人生的哲学。

无忌道:"他是个奸细。"

樊云山道:"我知道。"

无忌道:"他想杀你,如果他活着,非杀了你不可。"

樊云山道:"我知道。"

无忌道:"可是他已经死了。"

樊云山道:"既然他已经死了,不管他生前做错过什么事,都可以一笔勾销,我一定会好好料理他的后事。"

无忌微笑,拍着他肩,道:"你记不记得我们今天晚上还有个约会?"

樊云山道:"我不会忘。"

无忌道:"也记得我们约的是谁?"

樊云山道:"财神!"

无忌道:"他的行踪一向不愿让太多人知道,这次很可能也是一个人来。"

樊云山道:"我懂。"

无忌道:"所以他的安全,我们一定要负责。"

樊云山道:"我一定会尽量调动本门弟兄中的好手保护他,但是……"

无忌道:"但是你还不知道我们约好在什么地方见面?"

樊云山道:"是的。"

无忌道:"其实,你应该可以想得到的。"

他笑了笑，又道："财神通常都在什么地方？"

樊云山立刻明白了："财神通常都在财神庙。"

唐玉一直在注意着无忌。

他发现无忌跟樊云山说话时，已经带着命令的味道，樊云山居然也看作理所应当的事。

有些人好像天生就是做首脑的材料，赵无忌好像就是这种人。

幸好他已经快死了，而且死定了。

唐玉看着他的时候，已经好像是在看着个死人。

无忌道："走，我们现在就到财神庙去。"

唐玉道："我们？"

他尽量压制着心里的兴奋，道："我也去？"

无忌微笑道："难道你不想去见见财神？"

唐玉也笑了："有没有人不想去见财神的？"

无忌道："没有。"

唐玉笑得更愉快，道："我可以保证连一个都没有，不但以前没有，以后也不会有。"

每个人都想见到财神，所以每个地方都有财神庙。

据说天上地下所有的钱财，都归财神掌握，无论谁只要能见到财神，都会发大财的。

奇怪的是，财神却偏偏好像是个很穷的神，甚至比那位终年为衣食奔波，在"陈蔡之间"几乎连饭都没得吃的孔老夫子都穷！

孔庙通常都是金碧辉煌，庄严雄伟的大庙。

财神庙却通常都是个很穷的庙，又穷又破又小。

这实在是个讽刺，很好的讽刺。

因为它至少使人明白了一点——钱财虽然可爱，却并不值得受人尊敬。

这个地方的财神庙也一样，又穷又破又小，那位长着张黑脸，跨着匹黑虎的财神像,金漆都已剥落,衣服上都好像打着补丁。

"有件事我始终不懂,"唐玉四面打量着,接着道:"为什么财神看起来总是这么穷?"

这问题他只不过是随便说出来的,并没有希望得到答案。

无忌笑了笑道:"如果你看见真正有钱的人,你就会懂了。"

唐玉又问道:"为什么?"

无忌道:"那些人的钱虽然多得连数都数不清,自己却还是视钱如命,穿的衣服上打满补丁,吃的是咸菜干和泡饭,身上挂满了钥匙。"

唐玉道:"他的身上为什么要挂满了钥匙?"

无忌道:"因为他们生怕别人揩油,连柴米油盐都要锁在柜子里,有些人的内衣裤穿得发臭了还不肯洗。"

唐玉又忍不住问道:"为什么?"

无忌微笑道:"因为衣服洗多了会破的。"

唐玉也笑了:"难道财神也会像他们这样,把一个钱看得比门板还大?"

无忌道:"不是视钱如命的人,怎么能做财神!"

现在已是黄昏。

他们刚吃过一顿很舒服的饭,在春天温暖的夕阳下,慢慢的逛到这里来。

他们的心情都很愉快。

无忌道:"如果我是财神,就绝不会花几两银子去吃顿饭。"

唐玉笑道:"因为财神不是能乱花钱的。"

无忌道:"绝对不能。"

唐玉叹了口气,道:"幸好我们都不是财神。"

无忌道:"可是你很快就要见到一个财神了,一个活财神。"

唐玉道:"今天他一定会来?"

无忌道:"一定。"

唐玉实在很想告诉赵无忌——这个财神,就是你的瘟神,只要他一来,你就要送命。

他实在很想看看赵无忌发现真相时的表情。

樊云山已经来了。

他的脸色，并不太好，丁北在他脖子后面的那一击，直到现在，还是让他觉得很不好受，但却绝对没有影响到他做事的效率。

"我已经把本门弟兄中的高手，全部调到这里来，现在这条路上都已有我们的人防守。"

无忌对他的办事能力很满意，唐玉更满意。

樊云山调来的人手，当然都是他们自己的人，那其中还有几个好手。

现在赵无忌已经在他们包围中，他根本用不着再等机会，就凭他和樊云山两个人，已足够要他的命！

何况他身上还有那个荷包——荷包上的牡丹，牡丹的花心。

只要一想到那种暗器的威力，他就会变得像是个孩子般兴奋激动，几乎忍不住要伸手进去摸一摸。

但是他一定要忍住。

无忌又在问道："在外面防守的兄弟们，是不是都已经知道了我们要等的人是谁？"

樊云山道："我只告诉他们，除了一个穿黑披风，提红灯笼的人之外，无论谁走到这条路上来都要把他挡回去。"

他再三保证："除了他之外，绝没有任何人能混进来。"

这不仅是在对无忌保证，也是在对唐玉保证。

既然没有任何人能混进来，当然也没有人能来救赵无忌。

现在他已完全孤立。

唐玉在心里叹了口气，这计划实在是无懈可击，连他自己都觉得十分满意。

天色渐渐暗了下来，樊云山刚点起盏油灯，就听见外面传来一阵仿佛蝉鸣般的吸竹声。

"财神来了！"

这位财神看起来既不穷，也不寒酸。

他身材高大,头发灰白,脸色红润,看起来仪表堂堂气派极大,穿着也极考究,正是那种无论谁看见都会很信任的人。

如果你有钱,你一定也会把钱存进他的钱庄里去。

但是无忌替他引见樊云山和唐玉时,他的脸色却很难看。

无忌道:"他们都是我的好朋友。"

财神板着脸,冷冷道:"我是不是说过,除了你之外,我不见别人?"

无忌道:"是的。"

财神道:"他们是不是人? 如果他们是人,就请他们走。"

无忌怔住。他想不到这位财神连一点面子都不给他,幸好樊云山和唐玉都很知趣,都已经在"告辞"了。

无忌更抱歉,很想说几句让他们听了觉得比较舒服一点的话。

唐玉已过来握住他的手,微笑道:"你什么都不必说,因为我们是好朋友。"

他真是个好朋友。

他把无忌的手抓得好紧。

无忌好像也觉得有点不对了,正想甩掉他的手,已有另一只手猛切在他左颈后的大血管上。

那当然是樊云山的手。

他倒下去的时候,正好看见财神怒喝着向唐玉扑了过去。

但是他知道那是没有用的。

财神绝不是唐玉的敌手,连唐玉一招都挡不住。

无忌再张开眼时,财神果然已经被人用绳子绑了起来。

他自己也当然被绳子绑住,而且还被点住了穴道,——唐玉一放开他的手去对付财神时,樊云山已点了他的穴道。

看见他的眼睛张开,财神就在冷笑,道:"你这两个好朋友,真是好朋友。"

无忌叹了口气,道:"只不过你刚才根本不必请他们出去的。"

财神道:"为什么?"

无忌道:"因为他们根本不是人。"

唐玉笑了,大笑。

他笑得实在愉快极了："我是个人，只可惜你永远想不到我是什么人。"

无忌道："哦？"

唐玉指着自己的鼻子，道："我就是唐玉，就是你恨不得把他活活扼死的那个唐玉。"

无忌不说话了。

到了这种地步，他还有什么话好说？

现在唐玉总算看到了他的表情，他连一点表情都没有。

到了这种地步，他还有什么表情？

唐玉道："我本来并不一定要杀你的，我也知道活人一定比死人有用。"

无忌道："现在，你为什么要改变主意？"

唐玉道："因为有一个人告诉我，一定非把你杀了不可。"

无忌道："谁告诉你的？"

唐玉道："就是你自己。"

他笑得更愉快："你自己已教给我，如果要对付一个很危险的人，就绝不能给他反击的机会，你这个人刚好是个很危险的人，我这个人刚好很听话。"

无忌道："你为什么还不动手？"

唐玉道："因为我不想你做个糊涂鬼，我们总算是朋友。"

这只老鼠既然已经被抓住了，他为什么要一下子就吞到肚子里去？

猫捉老鼠，本来就不一定是为了饥饿，而是为了这种乐趣。

他正在享受这种乐趣："本来说不定还会有人来救你的，可惜你自己偏偏又要再三关照，除了这位财神之外，绝不许任何人来。"

樊云山道："他不是关照我，而是命令我，就算是我的老子来了，也不能放进去。"

他故意叹了口气，又道："恰巧我也是个很听话的人。"

唐玉也叹了口气，道："大风堂有了你这样的人，真是他们的运气。"

他看着无忌："可是不管怎么样，你总算对我不错，你的后事，我一定也会叫樊云山好好去办的，你临死之前还想什么，只要告诉我，我说不定也会答应。"

无忌沉默着,忽然道:"我只有一件事想问你。"

唐玉道:"什么事?"

无忌缓缓道:"上官刃是不是在唐家堡?"

唐玉道:"是的。"

他毫不考虑就说了出来,因为无忌已经等于是个死人。

在一个死人面前,什么事都不必隐瞒着的。

唐玉道:"上官刃不但在唐家,而且很快就要变成唐家的人了。"

无忌道:"为什么?"

唐玉道:"因为他很快就要入赘到我们唐家,做唐家的女婿。"

无忌道:"你们为什么要招他做女婿?"

唐玉道:"他是个很有用的人,只有他才能替我们带路。"

无忌道:"带路?"

唐玉笑道:"这里是大风堂的地盘,如果我们要到这里来,是不是要找个带路的人?"

无忌道:"是的。"

唐玉道:"你还能不能找到一个比上官刃更好的带路人?"

无忌道:"不能。"

现在这件事好像已经应该结束了,财神已经进了庙,羊已入了虎口。

奇怪的是,无忌居然又笑起来了。

他笑得实在不像一条已经在虎口里的羊。

他笑得简直有点像是只老虎。

他笑得简直让人分不清究竟是谁在虎口?

第八回　虎　穴

最后一着杀手

唐玉在笑。

无忌居然也在笑。

唐玉笑得很开心，因为他本来就是真正很开心。

无忌笑得居然也像是真的很开心。

唐玉不笑了。

他忽然问樊云山："你看不看得出你们赵公子在干什么？"

樊云山道："他好像是在笑。"

唐玉道："现在他怎么还能够笑得出来？"

樊云山道："我不知道。"

唐玉叹了口气，道："我一向觉得自己是个很聪明的人，别人也认为我很聪明，可是我也想不通他怎么能笑得出来？"

无忌道："我本来也不想笑的，可是我实在忍不住要笑。"

唐玉道："有什么事，让你觉得这么好笑？"

无忌道："有很多很多事。"

唐玉道："你能不能说一两件给我听听？"

无忌道："能。"

唐玉道："你说，我听。"

无忌道："我觉得很好笑的事，你未必会觉得好笑的。"

唐玉道："没关系。"

无忌道："你还是想听？"

唐玉道："嗯。"

无忌道："如果我说，有个明明已被人点住穴道，而且还被绳子绑住了的人,随时都可以站起来,你是不是会觉得很好笑?"

唐玉道:"哈哈。"

无忌道:"如果我说有个明明已被杀死了的人,随时都会从外面走进来,你是不是也会觉得很好笑?"

唐玉道:"哈哈哈。"

他发出的是笑声,可是他脸上那种温柔动人的笑容却不见了。

无忌道:"我记得你说过,有些事情听起来虽然不好笑,可是你若亲眼看见,就会笑破肚子。"

唐玉当然也记得那个笑话。

无忌道:"有些事却刚好相反,听起来虽然很好笑,等你真的亲眼看见时,就笑不出来了。"

他忽然站起来。

他明明已被点住穴道,而且还被绳子绑住,可是他居然真的站了起来。

唐玉亲眼看见他站了起来。

唐玉笑不出来了。

然后他就看见一个明明已被杀死的人走了进来。

他看见了丁北。

从外面走进来的这个人居然是丁北。

那把刀的刀柄还在他腰上,刀柄下的那块血渍还是和刚才同样的明显。

可是他却活生生的走了进来。

无忌道:"你还没有死?"

丁北道:"我看起来,像不像个死人?"

他不像。

他的脸色红润,容光焕发,看起来不但愉快,而且健康。

无忌道:"那一刀没有把你杀死?"

丁北道:"那一刀,根本就是杀不死人的。"

他忽然从腰上拔出了那把刀,刀锋立即弹出,他再用手指一按,刀锋就缩了进去。

无忌道:"原来这只不过是骗小孩子的把戏。"

丁北道:"可是这种把戏非但骗不倒小孩,连呆子都骗不倒。"

无忌道:"这种把戏,只能骗倒些什么人?"

丁北道:"只能骗聪明人,有时候越聪明的人反而越容易上当。"

无忌在微笑,道:"原来聪明人也一样可以骗得倒的。"

丁北道:"而且要用笨把戏才骗得倒,有时候越笨反而越好。"

其实这绝不是笨把戏。

这是个完全的计划,复杂、周密、精巧。

就算唐玉这样绝顶聪明的人,也是想过很久之后才能想通其中的巧妙。

但是他居然还能保持镇静。

这不仅是因为他天生沉得住气,也因为他还有最后一着杀手没有使出来。

他对缀在他荷包上的那两枚暗器绝对有信心。

他相信无论在什么情况下,只要把那种暗器使出来,立即就可以扭转局势,反败为胜,无论什么人遇到他那种暗器,都会变得粉身碎骨,死无葬身之地!

他绝对有把握。

任何人在这种情况下都会有反应的——惊慌、愤怒、恐惧、轻蔑、辩白、争论、乞怜、讪笑、冲动。

这些反应他完全都没有。

就因为他没有反应,所以别人永远猜不透他心里在想什么? 下一步要做什么?

这实在是个可怕的对手,但是无忌却决心要把他彻底摧毁。

无忌看着他,微笑道:"也许你已经想到,我们这把戏中,只有一点关键是最重要的。"

唐玉居然又笑了笑,道:"你说出来,我还是听。"

无忌道:"其实,我早已知道你就是唐玉!"

唐玉道:"哦?"

无忌道:"你击倒胡跛子的时候,我就已经开始怀疑了,只不过那时候我还没有把握能确定!"

——胡跛子的武功并不弱,你一出手就能把他击倒,只因为他认出了你是唐玉,他连做梦也想不到唐玉会出卖他。

——你出卖了胡跛子,带走了那小孩,只因为你要让我相信你绝对不是唐家的人。

——你要交我这个朋友,只因为你要找机会杀我。

——你说你到和风山庄去,为的是避仇,只不过是在掩饰你真正的目的。

无忌道:"这计划本来的确很巧妙,只可惜其中还是有一点最大的漏洞。"

唐玉道:"哦?"

无忌道:"你能想到把那小孩带走,的确是很妙的一着,避仇也是种很好的借口,只可惜,你忘了谎话是一定会被揭穿的。"

他叹了口气,接着道:"一个人要做大事,就不该在这些小事上面说谎,其实你根本用不着把那小孩带走,我还是会交你这个朋友,你来找我,也根本不必说是为了避仇,可惜你偏偏要自作聪明,反而弄巧成拙了。"

唐玉沉默着,过了很久,居然也叹了口气,道:"一个人要做大事,就不该在小事上面说谎,这句话我一定会记住。"

他忽然发现自己实在低估了赵无忌。

那时候他总认为这些事非但无足轻重,而且和赵无忌完全无关。

他实在想不到赵无忌居然连这种事都会去调查追究。

那里还是大风堂的地,大风堂门下什么人都有,要调查这种事当然不难。

无忌道:"如果你要知道一个人是不是在骗你,就一定要从这些不关紧要的小地方去调查,才能查得出真相。"

因为重要的关键处别人一定会计划得很周密,算准你绝对查不出什么来,他才会开始行动。

——星星之火,可以燎原,百里长堤,往往会因一点缺口而崩溃。

无论多么小的疏忽,都可能造成致命的错误。

无忌道:"我揭穿了你的谎话后,原来也不能断定你就是唐玉,可惜……"

可惜唐玉又扮成了女装，扮得甚至比女人还像女人。

只有练过"阴劲"的人，才会扮得这么逼真，因为他男性的特征已渐渐消失。

唐玉忍不住问道："你怎么知道我练的是阴劲？"

无忌道："因为，你曾经用阴劲杀了乔稳。"

他淡淡的接着道："这么多因素加起来，我若还不知道你就是唐玉，我就真的是个呆子。"

破旧的财神庙，阴暗而潮湿，甚而还有种令人作呕的腐臭气。

可是他们五个人谁也没有注意到这些事。

唐玉看来还是很镇定，又问道："你既然已知道我就是唐玉，为什么不先下手为强，找个机会杀了我？"

无忌道："因为你还有用。"

唐玉道："你要利用我查出这里的奸细是谁？"

无忌道："我还要利用你，把唐家潜伏在这里的人全都找出来。"

现在他已经从唐玉的身上，找出了小狗子，王胖子，卖橘子的小贩，武夷春的堂倌。

从这些人身上，他一定还可以找出更多别的人来。

无忌道："我们早已怀疑樊云山，但是我们不能确定。"

所以他就和丁北安排好圈套。

无忌道："真正的奸细，反而不会想要杀你灭口的，因为只有真正的奸细才知道你的身份和秘密。"

他也算准了他们一定会趁这个机会杀了另外一个不是奸细的人，才好把奸细的罪名推到他的身上，让真正的奸细逍遥法外。

所以他就安排了丁北的"死"，而且一定要让唐玉相信丁北真的死了。

无忌道："所以我除了在他左颈后那一击外，我还要再给他一刀。"

不但这把"刀"是早已安排好的，丁北的腰上当然也早已做了手脚。

无忌道："可是你若仔细去看，一定还是会看出破绽来。"

唐玉道："所以，当时你要赶快把我拉走。"

无忌道："我知道你对"财神"一定更有兴趣，一定会跟我走的。"

他把丁北交给了樊云山，因为丁北绝对可以制得住樊云山。

无忌道："我还有另外一件事交给丁北去做，这件事也是个很重要的关键。"

唐玉道："什么事？"

无忌道："一个明明已经被点住穴道，而且被绳子绑住了的人，怎么会忽然就站了起来？"

唐玉道："因为绳子绑得不紧，穴道也没有真的被点死。"

无忌道："绳子是谁绑的？"

唐玉道："是樊云山。"

无忌道："穴道是谁点的？"

唐玉道："也是樊云山。"

无忌道："他为什么不把绳子绑紧？为什么不把穴道点死？"

因为樊云山还不想死。

他还要学道，还要炼丹，还希望能够长生不老，还要继续享受那种"神仙的乐趣"。

无忌道："其实这一点你也就早应该想到的，他既然可以出卖大风堂，为什么不能出卖你？"

他问丁北："你是怎么打动他的？"

丁北道："我只不过问他，是想继续学道炼丹？还是想死？"

无忌道："你一共就只是给他两条路？"

丁北点头，说道："他只有两条路可走！"

无忌道："我想他一定考虑了很久，才能决定走哪条路？"

丁北微笑，道："我的话还没有说完，他就已决定了。"

樊云山选的是哪条路？就是最笨的人，也该想得出来。

无忌道："我看见樊云山来了，就知道他走的是哪条路了。"

因为他还活着，还可以炼丹学道。

无忌道："所以，我刚才故意让你拉住我的手，因为我一定要让他来点我的穴道。"

那时候财神已经往唐玉扑过去，唐玉一定要放开无忌，去对付财神，只有樊云山"刚好有空"出手,出手去点无忌的穴道。

这计划中每一个细节都算得很准。

无忌道:"樊云山既然已是我们的人,他调到这里来的当然也是我们的人,别人是绝对没有法子混进来的。"

——既然没有人能混进来,当然也没有人能来救唐玉。

——现在唐玉才真的是已经完全孤立了。

无忌微笑道:"这件事做得连我自己都觉得很满意,你还有什么话说?"

唐玉没有话说了。

幸好他还有最后一着杀手!

散花天女

——蜀中唐门,以独门毒药暗器威震天下!

——唐门子弟出来闯江湖,每个人身上,都带有他们威震天下的独门毒药暗器。

——唐门子弟大多数都是收发暗器的高手。

——"满天花雨"的手法,更是武林中绝传已久的独门绝技!

——唐玉绝对是唐门子弟中的顶尖高手。

这都是事实,江湖中每个人都知道,无忌也不应该不知道。

所以他应该想得到唐玉一定还有最后一着致命的杀手!

可是他好像一点都不在乎。

他应该注意唐玉的手。

因为这双手上随时都可能发出致命的暗器来。

可是他却在看着那位财神。

他忽然问:"你是不是财神?"

财神居然说:"我不是。"

无忌又问:"你是什么人?"

财神居然说:"我是个小偷。"

做小偷绝不是件光荣的事,这位财神为什么要说自己是小偷?

无忌道:"小偷通常都不会承认自己是小偷的。"

这小偷道:"可是我一定要承认。"

无忌道:"为什么?"

这小偷道:"因为我这个小偷和别的小偷不同。"

无忌道:"有什么不同?"

这小偷道:"我偷的东西和别人不同,我只偷别人不想偷,不敢偷,也偷不到的东西。"

他忽然反问无忌:"别的小偷会不会去偷你家里的老鼠?"

无忌道:"不会。"

这小偷道:"可是我偷。"

他又问无忌:"别的小偷敢不敢去偷御花园养的老虎?"

无忌道:"不敢。"

这小偷道:"可是我敢去偷。"

他再问无忌:"别的小偷能不能偷得到皇后娘娘的裹脚布?"

无忌摇头。

这小偷道:"可是我偷得到。"

无忌道:"原来你不但是个小偷,还是位神偷。"

这小偷道:"我本来就是。"

无忌道:"可是,这些东西好像都不值钱。"

这小偷道:"我本来就只偷这些不值钱的东西。"

无忌道:"为什么?"

这小偷道:"因为那都是别人请我去偷的。"

无忌道:"你去偷东西还要别人来请你?"

这小偷道:"不但要来请我,而且还要付给我五万两。"

无忌道:"五万两什么东西?"

这小偷道:"五万两银子,先付。"

无忌道:"为什么要先付?"

这小偷道:"因为我的信用一向很好,只要收了钱,不管别人要我偷什么,而且保证一定能偷得到。"

无忌道:"我记得以前好像也有个人是这样子的。"

这小偷道:"谁?"

无忌道:"司空摘星。"

这小偷笑了。

无忌道:"你也知道他这个人?"

这小偷道:"我不但知道他,而且还认得他。"

他笑得连嘴都合不拢:"我碰巧正好是他的徒弟。"

江山代有才人出,武林中也同样是这样子的,每一代都有那一代的名侠,各领风骚,占尽风流。

西门吹雪。

天下无双的剑客,天下无敌的剑法,孤高绝傲,白衣如雪。

——叶孤城。

天外飞仙——白云城主,约战西门吹雪于紫禁之巅,不战已名动天下。

——老实和尚。

这个和尚,从不说谎,吃冷馒头,穿破衣裳。

——花满楼。

一双眼睛虽然瞎了,一颗心却皎洁如明月。

——木道人。

着棋第一,剑法第三,亦狂亦道,武当名宿。

他们虽然都已是上一代的名侠,但是他们的剑名却绝对可以流传到千载以后。

除了他们之外,当然还有陆小凤。

长着四条眉毛的陆小凤。

贫无立锥,富可敌国的陆小凤。

江湖惟一能够用两根手指夹在叶孤城那一剑"天外飞仙"的人就是陆小凤。

西门吹雪惟一的一个朋友,就是陆小凤。

木道人最佩服的是陆小凤。

花满楼最尊敬的是陆小凤。

老实和尚一见陆小凤就要跑。

可是陆小凤一看见司空摘星就头痛。

陆小凤替司空摘星起的名字是：
——偷王之王，偷遍天下无敌手。
司空摘星什么都偷，什么都偷得到。
司空摘星身材高大，挺胸凸肚，却偏偏有一身天下无双的小巧功夫。
陆小凤曾经跟他比翻斤斗，谁输了谁就要去挖蚯蚓。结果挖蚯蚓的人是陆小凤，挖了十天十夜，挖得一身都是泥。
现在这个小偷居然说他是司空摘星的徒弟。
无忌道："失敬！失敬！"
这小偷道："不客气，不客气。"
无忌道："贵姓。"
这小偷道："姓郭。"
无忌道："大名。"
这小偷道："雀儿。"
无忌道："你就是这一代的偷王之王，偷遍天下无敌手的郭雀儿？"
这小偷道："我就是。"
无忌道："失敬失敬。"
郭雀儿道："不客气，不客气。"
无忌道："你到这里来有何贵干？"
郭雀儿道："也没有什么别的贵干，只不过来偷点东西而已。"
无忌道："这次，也是别人请你来偷的？"
郭雀儿道："可是这次我免费。"
无忌道："例不可破，这次你为什么免费？"
郭雀儿道："因为你们大风堂的司空晓风碰巧正好是我师父的堂弟，站在你旁边的那个丁北，又碰巧正是我的朋友。"
无忌道："是丁北请你来的？"
郭雀儿叹了口气，道："本来他也找不到我的，可是我流年不利，正好在走霉运，昨天晚上正好在他那狗窝里喝酒。"
无忌道："他请你来偷什么？"
郭雀儿道："偷的只不过是些鸡零狗碎，一文不值的玩意儿。"

无忌道:"你偷到了没有?"

郭雀儿有点生气了:"天下还有我郭雀儿偷不到的东西?"

无忌道:"既然你偷到了,东西在哪里?"

郭雀儿道:"就在这里。"

他的手本来是空的,可是现在他伸出手时,手里已多了两件东西。

一根金钗,一个荷包。

用缎子做成的荷包,上面用金线绣着两朵牡丹,正面一朵,反面一朵。

唐玉终于被击倒,他的身子虽然还没有倒,可是他的意志和信心已完全崩溃。

这种内心的崩溃,远比肉体被击倒更可怕。

无忌笑了。

他一直在注意唐玉看到这两样东西的反应,现在无论谁都看得出这个人已彻底被摧毁。剩下的,已只不过是个空壳子而已。

无忌道:"就只有这两样? 没有别的了?"

郭雀儿道:"我本来也以为还有别的,想不到这位唐公子身上居然只有这两样宝贝,这根金钗居然是空心的。"

他叹了口气:"做小偷的人碰到这种空心大少,实在是霉气冲天。"

无忌道:"你怎么知道金钗里面是空的?"

郭雀儿道:"我一拿到手上就知道了,因为分量根本不对。"

无忌的眼睛里发出了光,微笑道:"金钗虽然是空的,但是我可以保证里面装的东西绝对比金子更贵重得多。"

他又补充着道:"据说唐家的断魂砂也可以买得到的。"

郭雀儿道:"我也听人说过,只要你走对门路,而且出得起价钱,就可以买得到。"

丁北道:"这样还不行。"

郭雀儿道:"还要怎么样?"

丁北道:"他们还要把你的祖宗三代都调查清楚,才肯卖给你。"

郭雀儿道:"什么价钱?"

丁北道："据说是五百两黄金买一两断魂砂。"

无忌道："毒针呢？"

丁北道："大概也要几百两一根。"

无忌忽然拿出了个纸包，里面有半根打断了的绣花针。

他微笑道："如果是五百两金子一根，这半根银针至少也应该值三百两。"

丁北道："三百两金子，倒也可以算是发了笔小财。"

郭雀儿道："你是从哪里找来的？"

无忌道："从马鞍里。"

他又叹了口气："我想不到这位唐公子为什么三更半夜到马房去，所以就跟着去看看，他进去转了一圈就出来了，我却足足找了一个多时辰。"

就因为他在马厩里耽误了很久，所以不知道连一莲来了。

现在看起来好像也只不过是件小事，根本无足轻重。

但是有许多本来无足轻重的小事，后来却改变了一个人一生的命运！

郭雀儿道："一两断魂砂，五百两黄金，好贵的价钱。"

唐玉忽然冷笑，道："有这种价钱我就买，有多少我买多少。"

郭雀儿道："难道连这个价钱还买不到？"

唐玉道："还差得远。"

郭雀儿道："应该是什么价钱？"

唐玉道："一千两金子一钱还不是精品。"

无忌道："其实，这个价钱也不算太贵。"

丁北道："还不算贵？"

无忌道："一钱断魂砂，说不定可以要好几个人的命。"

唐玉道："如果用法正确，可以要三个人的命。"

无忌道："而且你用唐家的断魂砂杀了人之后，别人一定会把这笔账算到唐家身上去，你只要花一千两金子，杀了人之后连后患都没有。"

他笑了笑，道："如果你想通这道理，就不会觉得这价钱贵了。"

丁北终于承认："这价钱好像的确不算太贵。"

这本来就是唐家几宗最大的财源之一，要维持那么大一个家族并不容易。制造这种暗器也是一件花费很大的事。

郭雀儿道:"这么样说来,这根金钗岂非要值好几千两金子?"

唐玉道:"这是无价的,根本就买不到。"

郭雀儿道:"为什么?"

唐玉道:"因为这里面的断魂砂是精品,荷包里面的针也是精品。"

郭雀儿笑道:"这样看来我实在应该小心点,莫要被别人拾去了。"

唐玉道:"你放心,我不会做这种蠢事的。"

他忽然长长叹息,黯然道:"现在我已经认输了。"

郭雀儿道:"肯认输的人,才是聪明的人。"

唐玉道:"金钗里的断魂砂,荷包里的毒针,你们都可以拿去。"

郭雀儿道:"谢了。"

唐玉道:"我这个脑袋你们也随时可以拿去。"

郭雀儿道:"我虽然不想要你的脑袋,可是我知道有人要的。"

唐玉道:"这荷包呢,难道也会有人要?"

郭雀儿看看丁北,丁北看看无忌,无忌道:"你是不是要我们把这个荷包还给你?"

唐玉道:"我不想。"

他慢慢的接道:"因为我知道你绝不会还给我的,你一定会认为我又想玩什么花样。"

无忌并不否认。

唐玉道:"我只不过希望你们能替我把这荷包毁掉。"

这要求虽然很奇怪,却不能算过分。

唐玉道:"我只希望能在临死之前,能亲眼看到你们把这荷包毁掉。"

无忌道:"为什么?"

唐玉道:"因为……"

他脸上的表情变得很悲伤:"因为我不愿看着它落入别人手里。"

他虽然没有说出原因,可是每个人都已想到,这个荷包里一定有一段伤心的往事,关系着一个逝去的情人。

一个人临死之前,总是会变得特别多愁善感的。唐玉毕竟也是个人。

郭雀儿显然已经被打动了。

丁北的脾气虽然硬,心肠却不硬,就连无忌都看不出这其中会有什么诡计。

谁也想不到这两朵牡丹的花心里还有秘密。

不管你用什么法子毁掉这荷包,只要这两朵牡丹的花心一碎,不但你这个人完了,附近一丈方圆里的人,也必死无疑。

不管是谁动手毁这个荷包,别的人一定也都会站在附近。

唐玉当然是例外。

他一定已经远远的躲开,因为只有他知道其中的秘密!

他们经过了无数年计划,集中了无数人的智慧,花费了无数的金钱人力,才造成了这个秘密!

他们把这秘密称为——

"散花天女!"

制造这暗器的计划,是由唐缺起草,再经过唐家内部所有核心人物的同意,才拟定成的。

计划的第一步,是结交霹雳堂,因为他们一定要取得霹雳堂秘制火药的配方。

这件事说来容易,其实却极困难。

霹雳堂主雷震天绝不是个容易对付的人。

他们花了整整三年工夫,甚至连唐家最美的一个女儿也被当作礼物送给了雷震天,才总算打动了他。

计划的第二步,是要把霹雳堂的火药和唐家的暗器配合,制造出一种新的暗器来。

这种暗器要像毒蒺藜一样,能够打得很远,又要像毒砂一样,能够飞散。

毒蒺藜是用十三片叶子配合成的,每片叶子上都有剧毒,每片叶子上的毒性都不同。

如果他们能够把霹雳堂的火药加进去,只要暗器发出,无论碰到什么,火药都会被引爆,这十三片叶子就会飞射而出,那岂非令人防不胜防?

如果他们真的能制造出这种暗器来,那就必将纵横江湖,无敌于天下了。

他们居然真的做出来了。

这种空前未有,超越一切的暗器,就叫做——

散花天女!

在闪动的灯光下看来,这两朵牡丹花不但美,而且美得令人注目。

郭雀儿叹了口气,道:"这两朵花绣得真好。"

丁北也叹了口气,说道:"实在好极了。"

郭雀儿道:"我虽然不知道这是谁绣的,但我可以想像得到。"

丁北道:"一定是个又多情,又美丽的女孩子……"

一个多情而温柔的少女,瞒着家人,在灯光下偷偷的绣这个荷包,送给她的情郎,不幸的是,荷包绣成,她已香消玉殒了。所以她的情郎至死都带着这个荷包,至死都不愿让它落入别人手里。

这是个多么凄艳,多么动人的故事。

一个感情丰富的年轻人,看到了这么样一个荷包,很容易就会联想到这一类的事。

郭雀儿和丁北恰巧都是这种人。

他们不但很容易就会被感动,而且充满了浪漫而奇妙的幻想。

何况这个荷包又不是什么重要的东西,为什么不成全别人?

郭雀儿道:"你看怎么样?"

丁北道:"我没意见。"

没有意见,通常就是不反对的意思。

郭雀儿道:"那么你就替唐公子把这个荷包毁了吧。"

丁北道:"为什么要找我?"

郭雀儿道:"因为我狠不下这个心,下不了手。"

丁北道:"你怎么知道我就能下得了手?"

他们都没有问无忌。

他们和唐玉之间,并没有仇恨,他们根本不知道唐玉是个什么样的人。

他们甚至已开始有点觉得无忌太无情,因为唐玉看起来实在是很多情的样子。

郭雀儿忽然想到了一个好主意:"我们为什么不把这个荷包还给唐公

子?"

反正他的任务已完成,随便赵无忌要怎样对付唐玉,随便唐玉要怎样对付这个荷包,都已不关他的事。

丁北立刻同意:"好主意。"

这实在是个好主意。

如他们知道这主意有多好,用不着等别人动手他们自己也要一头撞死。

小 屋

——郭雀儿已经把这个荷包倒空了,因为他已经决定要把这个荷包还给唐玉。

——他会不会改变主意?

——无忌会不会阻止他?

唐玉的心在跳,跳得好快。

不但心跳加快,而且指尖冰冷,嘴唇发干,连咽喉都好像被堵住。

他第一次有这种感觉,已经是很多很多年以前的事了。

那天是四月,也是春天,那时他还是十四五岁的大孩子。

那天的天气比今天热,他忽然觉得心情有说不出的烦躁。

那时候夜已很深了,他想睡却睡不着,就一个人溜出去,东逛逛,西逛逛,逛到他表姊的后园里,忽然听到一阵歌声。

歌声是从他表姊闺房里面一间小屋里传出来的,除了歌声外,还有水声。

水声就是一个人在洗澡时发出来的那种声音。

小屋里有灯光。

不但从窗户里有灯光传出来,门缝里也有。

他本来不想过去的,可是他的心好烦,不是平常那种烦,是种莫各其妙的烦。

所以他过去了。

门下面有条半寸多宽的缝,只要伏在地上,一定可以看见小屋里的人。

——他身子伏了下去,伏在地上,耳朵贴住了地,眼睛凑到那条缝上去。

他看见了他的表姊。

他的表姊那时才十六岁。

他的表姊正在那小屋里洗澡。

一个十六岁的女孩子,已经很成熟了,已经有很坚挺的乳房,很结实的大腿。

……

那是他第一次看见女人成熟丰满的胴体,也是他第一次犯罪。

可是那一次他的心跳还没有现在这么快。

郭雀儿已经把荷包抛出来了。

从他听到唐玉要毁了这荷包,到他抛出这荷包,也只不过是片刻间的事。

可是对唐玉来说,这片刻简直比一甲子还长。

现在荷包已经抛过来了,用金线绣成的牡丹在空中闪闪的发着光。

在唐玉眼中看来,世界上绝没有任何事比这瞬弧光更美的。

他尽量控制着自己,不要显出太兴奋,太着急的样子来。

等到荷包落在地上,他才慢慢的弯下腰捡起来。

他捡起的不仅是一个荷包,一对暗器,他的命也被捡回来了。

不仅是他自己一条命,还有赵无忌的命,樊云山的命,丁北的命,郭雀儿的命。

就在这一刹那,他又变成了主宰,这些人的性命已被他捏在手里。

这是多么辉煌,多么伟大的一刹那!

唐玉禁不住笑了,大笑。

郭雀儿吃惊的看着他,道:“你在笑什么?”

唐玉道:“我在笑你!”

他已将那两枚超越了古今一切暗器的“散花天女”捏在手里。

他大笑道:“你自己绝不会想到刚才做的是件多么愚蠢的事,你不但害死了丁北和赵无忌,也害死了自己!”

　　郭雀儿还是在吃惊的看着他,每个人都在吃惊的看着他。并不是因为他的笑,更不是因为他说的这些话,而是因为他的脸。

　　他脸上忽然起了种奇怪的变化。

　　没有人能说出是什么地方变了,可是每个人都看得出变了。

　　就在这一瞬间,他的目光骤然变得迟钝,瞳孔骤然收缩。

　　然后,他的嘴角,眼角的肌肉仿佛变得僵硬了,脸上忽然浮起了一种诡秘的死黑色。

　　但是,他自己却好像连一点都没有感觉到。

　　他还在笑。

　　可是,他的眼睛里忽然又露出种恐惧的表情,他已发现,自己又犯了一个致命的错误。

　　他忘了他的手上既没有套手套,也没有涂上那种保护肌肤的油蜡。

　　他太兴奋,就这样空着手去扳下了两枚暗器,他太用力,暗器的针尖已刺入他的指尖。

　　没有痛楚,甚至连那种麻木的感觉都没有。

　　这种暗器上的毒,是他们最新提炼的一种,连解药都没有研究成功。

　　这种暗器根本还没有做到可以普遍使用的程度。

　　等他发觉自己全身肌肉和关节都起了种奇怪而可怕的变化的时候,已经太迟了。

　　他已经不能控制自己,连笑都已控制不住,他甚至已不能运用他自己的手。

　　他想把手里的两枚暗器发出去,可是他的手已经不听指挥。

　　就在这一瞬间,这种毒已彻底破坏了他的神经中枢。

　　看着一个显然已恐惧之极的人,还在不停的大笑,实在是件很可怕的事。

　　郭雀儿道:"这是怎么回事?"

　　无忌道:"毒!"

　　郭雀儿道:"哪里来的毒?"

　　无忌没有回答,唐玉的手忽然抽起,动作怪异笨拙,就像是个木偶的动作。

刚才由他大脑中发出的命令,现在才传到他的手。

现在他才把暗器发出去。

可是他的肌肉和关节都已经硬了,准确性也已完全消失。

两枚暗器斜斜飞出,就像是被一种笨拙的机弩弹出去的,力量很足,一直飞到这财神庙最远的一个角落撞上墙壁。

然后就是"波"的一响,声音并不太大,造成的结果却惊人。

幸好无忌他们都站得很远,反应也很快。总算没有被那飞激四射的碎片打中。

但是这瞬间发生的事,却是他们一生永远忘不了的。

因为就在这一瞬间,他们等于已到地狱的边缘去走了一趟。

漫空飞扬的烟硝尘土,飞激四射的毫光碎片,现在总算都已经落下。

冷汗还没有干。

每个人身上都有冷汗,因为每个人都已亲眼看到这种暗器的威力。

过了很久,郭雀儿才能把闷在胸口里的一口气吐出来。

"好险!"

现在他当然已知道刚才他做的是件多么愚蠢的事了。

他看着无忌,苦笑道:"刚才我差一点就害死了你!"

无忌道:"真是差一点。"

郭雀儿又盯着他看了半天,道:"刚才你差一点就死在我手里,现在,你只有这句话说?"

无忌说道:"你是不是希望我骂你一顿?"

郭雀儿道:"是的。"

无忌笑了:"我也很想骂你一顿,因为我不骂你,你反而会觉得我这个人城府太深,太阴沉,不容易交朋友的。"

郭雀儿居然也承认:"说不定我真会这么想的。"

无忌叹了口气,说道:"可惜我不能骂你。"

郭雀儿道:"为什么?"

无忌说道:"因为,我还没有被你害死。"

郭雀儿道:"我如真的害死了你,你怎能骂我?"

无忌道:"我若被你害死,当然也没有法子再骂人。"

郭雀儿道:"那你现在为什么不骂我一顿?"

无忌笑道:"既然我还没有被你害死,为什么要骂你?"

郭雀儿怔住了,怔了半天,可不能不承认:"你说的好像也有点道理。"

无忌道:"本来就有道理。"

他大笑:"就算你认为我这道理狗屁不通,也没有法子跟我抬杠的。"

郭雀儿道:"为什么?"

无忌道:"因为我说的有道理。"

郭雀儿也笑了,道:"现在我总算又明白了一件事了。"

无忌道:"什么事?"

郭雀儿道:"千万不能跟你讲道理,宁可跟你打架,也不能跟你讲道理。"他大笑:"因为谁也讲不过你。"

刚才他心里本来充满了悔恨和歉意,可是现在已完全开朗。

现在,他心里已完全承认无忌说的有理。

能够让别人心情开朗的话,就算没有理,也是有理的。

唐玉也没有死。

他居然还没有倒下,还是和刚才一样,动也不动站在那里。

可是他的脸已完全麻木了,刚才骤然收缩的瞳孔,现在已扩散,本来很明亮锐利的一双眼睛,现在已变得呆滞无神,连眼珠都已经不会转动,看起来就像是条死鱼。

丁北走过去,伸出手在他眼前晃了晃,他的眼睛居然还是直勾勾的瞪着前面,丁北伸出一根手指,轻轻一推,他就倒了下去。

但是他并没有死。

他还在呼吸,他的心还在跳,脉搏也在跳。

每个人都应该看得出,他自己心里一定情愿死了算了。

他这样子实在比死还难受,实在还不如死了的好。

可惜他偏偏死不了。

难道冥冥中真的有个公正无情的主宰,难道这就是老天对他的惩罚?

丁北心里居然也觉得有种说不出的恐惧:"他为什么还没有死?"

樊云山忽然道:"因为他是唐玉。"

樊云山今年已五十六岁,在江湖中混了大半生,这么样一个人,无论是善是恶,是好是坏,至少总有一样好处。

这种人一定很识相,很知趣。

所以他很了解自己现在所处的地位,他一直都默默的站在旁边,没有开过口。

但是他还想活下去,活得好些,如果有机会表现,他还是不肯放弃。

丁北道:"因为他是唐玉,所以才没有死?"

樊云山道:"不错。"

丁北道:"是不是因为老天故意要用这种法子来罚他这种人?"

樊云山道:"不是。"

丁北道:"是为了什么?"

樊云山道:"因为他是唐家的人,中的是唐家的毒,他对这种毒性,已有了抗力。"

丁北道:"抗力?"

樊云山道:"如果你天天服砒霜,分量日渐加重,日子久了之后,别人用砒霜就很难毒死你,因为你对这种毒药已有了抗力。"

丁北说道:"既然唐玉对这种暗器上的毒,已有了抗力,为什么还会变成这样子?"

樊云山道:"唐家淬炼暗器的毒药是独门配方,江湖中从来没有人知道他们的秘密。"

丁北道:"你也不知道?"

樊云山道:"可是我知道,如果这种暗器上的毒药,是种新的配方,唐玉虽然已对其中某些成分有了抗力,对新的成分还是无法适应。"

他想了想,又道:"而且毒药的配合不但神秘,而且奇妙,有些毒药互相克制,有些毒药配合在一起,却会变成另一种更剧急的毒,这种毒性虽然毒不死他,却可以把他的知觉完全摧毁,甚至可以使他的经脉和关节完全麻木。"

丁北道:"所以他才会变成这么样一个半死不活的人?"

樊云山道:"因为他身体里大部分器官都已失去效用,只不过比死人多了一口气而已。"

丁北看着他,道:"想不到你对毒药也这么有研究,你是不是也炼过毒?"

樊云山道:"我没有炼过毒,可是炼毒和炼丹的道理却是一样的。"

他叹了口气,又道:"炼丹的人只要有一点疏忽,也会变成这样子。"

丁北道:"这岂非是在玩火?"

樊云山苦笑道:"玩火绝没有这么危险。"

丁北道:"你为什么还要炼下去?"

樊云山沉默着,过了很久,才黯然道:"因为我已经炼了。"

因为他已经骑虎难下,无法自拔。

世上有很多事都是这样的,只要你一开始,就无法停止。

一个半死不活的人,无论是对他的朋友,还是对他的仇敌,都是个问题。

丁北道:"这个人好像已死了,又好像没有死,我实在不知道应该怎么办了。"

无忌道:"我知道。"

丁北道:"你准备怎么样?"

无忌道:"我准备送他回去。"

丁北道:"回去?回到哪里去?"

无忌道:"他是唐家的人,当然要送回到唐家去。"

丁北呆了。

他的耳朵和眼睛都很灵,可是现在他几乎不能相信自己的耳朵。

他忍不住要问:"你在说什么?"

无忌一个字一个字的说道:"我说我准备把他送回去,送回唐家去。"

丁北道:"你要亲自送他回去?"

无忌道:"是的。"

灯油已残了,月色却淡淡的照了进来,这古老的财神庙,竟变得仿佛很美。

他们还没有走。

也不知是谁提议的:"我们为什么不在这里坐坐,聊聊天,喝点酒?"

于是樊云山就抢着去沽酒。

一个五十六岁的老人,居然要去替三个年轻小伙子去沽酒,这种事以前他一定会觉得很荒谬,无法忍受。

可是现在情况不同了。

他相信无忌、丁北绝不会食言,也不会再重提旧事,找他算账,但是这并不表示他们已经完全原谅了他。

从他们说话的口气里,他听得出他们心里还是看不起他的。

可是现在他已经没法子去计较了。

他只希望他们能让他回家乡去,在那里,谁也不知道他曾经做过奸细,还是会像以前那么样尊敬他,把他当朋友。

现在他才知道,一个人实在不应该做出卖朋友的事,否则连自己都会看不起自己。

他已经在后悔。

唐玉已经被抬到那张破旧的神案上,无忌还扯下了一幅神帐替他盖起来。

郭雀儿也不知从哪里找出了几个蒲团,盘膝坐着,看着无忌,忽然道:"你知不知道最近我常听人说起你?"

无忌笑笑:"想不到我居然也成了个名人。"

一个人开始有名的时候,自己总是不会知道的,就正如他的名气衰弱时,他自己也不会知道一样。

郭雀儿道:"有人说你是个浪子,在你成婚的那天,还去宿娼。"

无忌笑笑,既不否认,也不辩白。

郭雀儿道:"有人说你是个赌徒,重孝在身,就去赌场里掷骰子。"

无忌又笑笑。

郭雀儿道:"有人说你非但无情无义,而且极自私,甚至对自己嫡亲的妹妹和未过门的妻子都漠不关心,有人甚至打赌,说你就算看见她们死在你面前,也绝不会掉一滴眼泪。"

无忌还是不辩白。

郭雀儿道:"所以大家都认为你是很危险的人,因为你冷酷无情,城府极深,而且工于心计,连焦七太爷那种老狐狸都曾经栽在你手里。"

他想了想,又道:"可是大家也都承认你有一样好处,你很守信,从不欠人的债,在你成婚的那天,还把你的债主约齐,把旧账全都算清。"

无忌微笑道:"那也许只因为我算准了他们绝不会在那种日子把我逼得太急,因为他们都不是穷凶极恶的人。"

郭雀儿道:"你的意思是说,这只不过表示你很会把握机会,也很会利用别人的弱点,所以才故意选那个日子找他们来算账?"

无忌道:"这样做虽然有点冒险,可是至少总比提心吊胆的等着他们来找的好。"

郭雀儿道:"不管怎么样,你对丁北总算不错,别人都看不起他,认为他是个不孝的孽子,叛师的恶徒,你却把他当朋友看待。"

无忌道:"那也许只不过因为我想利用他来替我做成这件事,所以,我只有信任他,只有找他帮忙,唐玉和樊云山才会上当。"

他笑了笑,道:"何况我早就知道他既不是孽子,也不是叛徒,有关他的那些传说,其实都另有隐情。"

郭雀儿当然也知道,丁北离家,只因为他发现了他后母的私情。

他杀了他后母的情人,逼他的后母立誓,永不再做这种事,为了不愿他老父伤心,他一定要瞒起这件事。

他父亲却认为他忤逆犯上,对后母无礼。

所以他只有走。

他叛师,只因为有人侮辱了金鸡道人,他不能忍受,替他的师父约战那个人,被砍断了一条手臂,他师父却将他赶出了武当,因为他已是个残废,不配再练武当剑法。

无忌道:"无论谁遇到这种事,都会变成他这种脾气的,可是像他这种人,只要别人对他有一点好,他甚至愿把自己的脑袋割下来。"

郭雀儿道:"就因为这缘故,所以你才对他好?"

无忌道:"至少这是原因之一。"

郭雀儿道:"听你这么样说,好像连你自己都认为自己不是个好人?"

无忌道:"我本来就不是。"

郭雀儿盯着他,忽然叹了口气,道:"可惜可惜。"

无忌道:"可惜什么。"

郭雀儿道:"可惜这世界上像你这样的坏人太少了。"

丁北笑了:"这个雀儿虽然又刁又狂,但一个人是好是坏,他至少还能分得出的。"

郭雀儿道:"这个雀儿也还能分得出谁是个朋友。"

无忌看着他们,道:"你们真的认为我是朋友?"

郭雀儿道:"如果你不是个朋友,我跟你说这些废话干什么?"

无忌叹了口气,说道:"想不到世界上真有你这样的呆子,居然要交上我这种朋友。"

郭雀儿道:"呆子至少总比疯子好一点。"

无忌道:"谁是疯子?"

郭雀儿道:"你。"

无忌笑了。"我本来以为我只不过是个浪子,是个赌鬼,想不到我居然是个疯子。"

郭雀儿道:"现在上官刃虽然做了唐家的东床快婿,正是春风得意的时候,可是我想他心里一定还有件不痛快的事。"

无忌道:"为什么?"

郭雀儿道:"因为你还没有死。"

斩草不除根,春风吹又生,没有把无忌也一起杀了,上官刃一定很后悔。

郭雀儿道:"如果唐家的人知道你做的这些事,一定也很希望能把你的脑袋割下来,让唐玉的父母叔伯,兄弟姐妹都去看看。"

他叹了口气:"现在你居然要把唐玉送回去,好像生怕他们找不到你,如果你不是疯子,怎么会做这种事?"

无忌虽然还在笑,笑得却很凄凉。

只有一个隐藏着很多心事,却不能说出来的人,才会这么样笑。

他笑了很久,笑得脸都酸了。

他忽然不笑了,因为他已决定要把这两个人当作朋友。

有很多事虽然不能向别人说出来,在朋友面前却不必隐瞒。

他说:"我不是个孝子,先父遇难后,我既没有殉死,也没有在先父的墓旁结庐守孝,既没有痛哭流涕,哭得两眼出血,也没有呼天号地,到处去求人复仇。"

他看起来实在不像是个孝子，好像已忘记了复仇这件事。

他认为孝子并不是做给别人看的，决心也不是做给别人看的。

他说道："这是我自己的事，我不想连累任何人，也不想让大风堂为了这件事和唐门正面冲突，因为那样流的血太多。杀人者死，上官刃非死不可，无论为了什么原因我都绝不能放过他。"

郭雀儿道："所以你一定要自己去找他？"

无忌道："既然没有别的力量去制裁他，我只有自己动手。"

他又道："可是唐门组织严密，范围庞大，唐家堡里就有几百户人家，我就算能混进去，也未必能找得到上官刃。"

郭雀儿道："据说，唐家堡也和紫禁城一样，分成内外三层，最里面一层，才是唐家直系子弟和重要人物住的地方。"

丁北道："唐家所有的机密大事，都是在那里决定的，他们自己把那个区称为'花园'，其实却比龙潭虎穴更危险。"

郭雀儿道："就算是他们的本门子弟，如果没有得到上头命令，也不能妄入一步。"

丁北道："现在上官刃不但要做唐家的姑老爷了，而且已经参与了他们的机密，为了他的安全，他们一定会把他的住处安排在那座花园里。"

郭雀儿道："你就算能混进唐家堡，也绝对进不去的，除非……"

无忌道："除非是我能找个人带我进去。"

郭雀儿道："找谁带你进去？"

无忌道："当然是要找唐家的直系子弟。"

郭雀儿道："唐家的直系子弟有谁会带你进去？除非他疯了。"

丁北道："就算疯了也不会带你进去的。"

无忌道："如果他死了呢？"

这句话听起来好像很荒谬，幸好丁北和郭雀儿都是聪明绝顶的人。

他们本来也听得怔了怔，可是很快就明白了无忌的意思。

无忌道："唐玉是唐家的直系子弟，如果我把他的尸体运回去，唐家一定会把我召入那后花园去，盘问我他是怎么死的？是谁杀了他？我为什么要把他的尸体运回来？"他笑了笑，"唐玉当然是唐家的核心人物，这些问题他们绝不会放过。"

郭雀儿道:"你跟他是什么关系?"

无忌道:"我当然是他的好朋友。"他微笑:"这一路上,一定有很多人看见我跟他在一起,今天下午,我还跟他在一起吃饭喝酒,无论谁都看得出我们是好朋友,如果唐家派人来打听,一定有很多人可以作证。"

郭雀儿道:"原来你早已计划好了,连吃顿饭都在你的计划之中。"

无忌道:"现在我们虽然已经把唐家惭伏在这里的人查出来,但是我们暂时绝不会出手对付他们,因为——"

郭雀儿道:"因为你要留下他们为你作证,证明你是唐家的朋友。"

无忌道:"因为他们都不认得我,绝没有一个人知道我就是赵无忌。"他又解释:"这一年来,我的样子已改变很多。如果我改个名字,再稍微打扮打扮,就算以前见过我的人都不会认得出我的。"

郭雀儿道:"这计划听起来好像还不错,只不过你好像忘了一件事。"

无忌道:"你说。"

郭雀儿道:"唐玉现在还没有死。"

无忌道:"没有死更好。"

郭雀儿道:"为什么?"

无忌道:"因为这样子唐家的人一定对我更信任,更不会怀疑我是赵无忌。"他微笑:"如果我是,赵无忌怎么会把他活着送回唐家去?"

郭雀儿道:"有理。"

无忌道:"这就叫'置之于死地而后生',明明是不可能的事,我却偏偏做了出来,就是因为要让别人想不到。"

郭雀儿叹了口气,道:"现在连我都好像有点佩服你了!"

无忌笑道:"有时候我自己都很佩服自己。"

郭雀儿道:"所以你只要带着唐玉一走,我就会大哭三天。"

无忌道:"为什么要哭?"

郭雀儿道:"明明知道你是去送死,我却偏偏拦不住,我怎么能不哭?"

无忌道:"你刚才也认为我这计划不错,为什么又说我是去送死!"

郭雀儿道:"因为唐玉还没有死,现在他虽然说不出话,也不能动,但是到时却可以被治好的。"

丁北道:"他中的本来就是唐家的毒,唐家当然有解药救他。"

无忌道:"这一点我并不是没有想到过。"

丁北道:"你还是要这么样做?"

无忌道:"因为你们说的这种可能并不大,他中毒太深,就算仙丹也未必能把他医好,就算能医好,也绝不是短期能见效的,那时候我可能已经杀了上官刃。"

郭雀儿道:"你只不过是'可能'杀了上官刃而已。"

无忌道:"不错。"

郭雀儿道:"唐玉是不是也'可能'很快就被治好?"

无忌道:"可能。"

郭雀儿道:"只要他能开口,只要能说出一句话,你是不是就死定了?"

无忌笑了笑,道:"这种事本来就是冒险的,就算是吃鸡蛋,都'可能'会被噎死,何况是对付上官刃这种人?"

郭雀儿苦笑道:"你说的话好像总是多少有点道理。"

无忌道:"所以你宁可跟我打架,也不能跟我讲道理。"

他微笑,又道:"你当然不会跟我打架的,因为我们是朋友。"

郭雀儿道:"既然是朋友,我们是不是也应该陪你去冒险?"

无忌沉下脸,道:"那你们就不是我的朋友了。"

他冷酷无情,甚至对千千和凤娘都那么无情,就因为他不愿连累任何人。

郭雀儿忽然大笑道:"其实你就算求我陪你去,我也不会去的,我还活得很好,为什么要陪你去送死?"

无忌道:"其实,我也不一定是去送死。"

郭雀儿道:"就算你能杀了上官刃又如何,难道你还能活着逃出唐家堡?"

无忌道:"也许我有法子。"

郭雀儿道:"你惟一的法子,就是把你自己装进一个鸡蛋里去,再把这个鸡蛋塞回老母鸡的肚子里,让这个老母鸡把你带出来。"

他一直不停的笑,笑得别人以为他已经快要噎死了的时候才停止。

他瞪着无忌,忽然道:"从现在起,我们已不是朋友。"

无忌道:"为什么?"

郭雀儿道:"我为什么要跟一个快要死了的人交朋友?为什么要跟一个快要死了的疯子交朋友?"

他又大笑,大笑着跳了起来,头也不回走了出去。

无忌居然连一点阻拦的意思都没有。

丁北叹了口气,苦笑道:"他说别人疯,其实他自己才是个疯子,不折不扣的疯子。"

无忌居然在微笑,道:"幸好这里还有一个没有疯也绝不会忽然发疯的。"

丁北道:"谁?"

无忌道:"唐玉。"

入 蜀

四月十九,阴雨。

此生合是诗人未?

细雨骑驴入剑门。

无忌不是诗人,也没有陆放翁那种闲逸超脱的诗情,但是他也在斜风细雨中,撑着把油纸伞,骑着匹青驴,入了剑门,到了蜀境。

剑门关天下奇险,双翼插天,群峰环立,真的是一夫当关,万夫莫开!

出剑门,沿途古柏夹道,绵延达数十里。替他抬着棺材的脚夫告诉他:"这就是张飞柏,是张三爷亲手种的。"

蜀人最崇拜诸葛武侯,武侯仙去,蜀人都以白巾缠头,直到现在这种习惯还没有改。因为大家都崇拜诸葛,所以张飞也沾了光。

可是无忌怎么会带口棺材来?

崭新的棺材,上好的楠木,无忌特地用重价请了四个最好的脚夫挑着。

因为这棺材里躺着的是最好的朋友——这个朋友绝不会发疯。

棺材里不但安全舒服,而且不会淋到雨,如果有事要静静思索,也绝不会有人打扰。

无忌也很想躺进棺材去。

虽然他不像司空晓风,既不怕挑粪着棋,也不怕淋雨。但是他有很多事都需要静静去想一想。

——到了唐家之后,应该编造一个什么样的故事?

这个故事不但要能打动唐家的人,而且还要让他们深信不疑。

这已经不是件容易事,动人的故事绝不是每个人都能想得出来的。

还有白玉老虎,那只司空晓风一定要他亲手交给上官刃的白玉老虎!

——司空晓风为什么要把这只白玉老虎看得这么重要?

司空晓风绝不是个不知轻重的人,绝不会做莫名其妙的事。

——这只白玉老虎中究竟有些什么秘密?

细雨斜风,扑面而来,不知不觉中,剑门关已经被远远抛在身后。

无忌忽然想起了两句凄凉的歌谣。

"一出玉门关。

两眼泪不干。"

这里虽然不是玉门,是剑门,可是一出此关,再想活着回来,也难如登天。

无忌忽然想起了千千。

他不敢想凤娘,他真的不敢。

"相思"已经令人缠绵入骨,默然销魂,"不敢相思"又是种什么滋味?

多情自古空余恨。

如果你已不能多情,也不敢多情,纵然情深入骨,也只有将那一份情埋在骨里,让这一份情烂在骨里,死在骨里。

那又是种什么样的滋味!

无忌忽然抛掉他的油纸伞,让冰冷的雨丝打在他身上。

风雨无情,可是又有几人知道无情的滋味?

他忽然想喝酒。

辣酒,好辣的酒。

用辣椒下酒,吃·口鲜辣椒,喝一口辣酒,那才真辣得过瘾。

辣椒红得发亮,额上的汗珠子也红得发亮。

无忌看看也觉得很过瘾,可是等到他自己这么吃的时候,他就发现这种吃法并没有想像中那么过瘾了。

他已经被辣得连头发都好像要一根根"站"了起来。

这地方每个人都这么样喝酒。

这地方除了辣椒之外，好像根本就没有别的东西下酒。

所以他虽然已经快要被辣得"怒发冲冠"，也只好硬着头皮挺下去。

他不愿意别人把他看成一个"不好种"。

蜀道难。

蜀境中处处都有山坡，无忌停下来喝酒的地方，也在个山坡上，用碗口粗的毛竹，搭起个凉棚，四面一片青翠，凉风阵阵送爽，在酷热的天气里，赶路赶累了，能够找到这么样一个地方歇脚，实在很不错。

现在天气虽然还不算热，可见经过这里的人，大多也会停下来，喝碗凉茶辣酒再上路。

道路太崎岖，行路太艰苦，能有机会享受片刻安逸，谁都不愿错过。

人生亦如旅途。

在崎岖艰苦的人生旅途上，又有几人能找到这样的歇脚处？

有时你就算能找到，也没有法子歇下来，因为你后面有根鞭子在赶着你。

生活的本身就是根鞭子，责任、荣誉、事业、家庭的负担、子女的衣食、未来的保障……都像鞭子般在后面抽着你。

你怎么能歇下来！

无忌一口气喝下了碗里的辣酒，正准备再叫一碗时，就看见两顶"滑竿"上了山坡。

滑竿不是轿子。

滑竿是四川境中一种特有的交通工具，用两根粗毛竹，抬着张竹椅。

人就坐在椅上。

不管你这个人有多重，不管路有多难走，抬滑竿的人都一定可以把你抬过去。

因为干这一行的人，不但都有特别的技巧，而且，每一个人都是经验丰富的老手。

无忌很久以前就已听过有关滑竿的种种传说，却一直不太相信。

现在他相信了。

因为他看见了坐在前面一顶滑竿上的人。

如果他不是亲眼看见,他绝不会相信这么样一个人也能坐滑竿,更不会相信两个骨瘦如柴的竿夫,居然能把这个人抬起来。

他很少看见过这么胖的人。

这个人不但胖,而且胖得奇蠢无比,不但蠢,而且蠢得俗不可耐。

这个人看起来简直就像是块活动的肥猪肉,穿着打扮却像是个暴发户,好像恨不得把全副家当都带出来,好像生怕别人不知道他有钱。

他的同伴却是个美男子。

他不是像唐玉那种文弱秀气,还带着点娘娘腔的美男子。

他高大英俊,健壮,宽肩,细腰,浓眉,大眼,充满了男性的魅力。

现在两顶滑竿都已经停下,两个人都已经走进这凉棚。

胖子喘息着坐下来,伸出一只白白胖胖,戴满了各式各样宝石翠玉戒指的手。

那高大英俊的美少年立刻掏出块雪白的丝巾递过去。

胖子接过丝巾,像小姑娘扑粉一样的去擦汗,忽然长长叹了口气,道:"我知道最近我一定又瘦了,而且瘦了不少。"

他的同伴立刻点了点头,带着种诚恳而同情的态度说:"你最近又忙又累,吃得又少,怎么会不瘦?"

胖子愁眉苦脸的叹着气,道:"再这么样瘦下去,怎么得了呢?"

他的同伴道:"你一定要想法子多吃一点。"

这个建议胖子立刻就接受了,立刻就要店里的伙计想法子去烧两三个蹄膀,四五只肥鸡来。

他只能吃这"一点",因为,最近他胃口一直不好。

但是他一定要勉强自己吃一点,因为最近他实在瘦得不像话了。

至于他身上的那一身肥肉,好像根本就不是他的,不但他自己早就忘了,他的同伴更好像根本没有看见。

可惜别人都看见了。

这个人究竟是胖是瘦,这身肥肉究竟是谁的? 大家都看得很清楚。

大家都忍不住在偷偷的笑。

无忌没有笑。

他并不觉得这种事好笑,他觉得这是个悲剧。

这个美少年自己当然也知道自己说的话很可笑,他还是这么样说,只因为他要生活,要这个胖子供给他生活。

一个人为了生活而不得不说一些让别人听了可笑,自己觉得难受的话,就已经是种悲剧。

这个胖子更可悲。

他要骗的并不是别人,而是自己。

一个人到了连自己都要骗的时候,当然更是种悲剧。

无忌忽然觉得连酒都已喝不下去。

除了无忌外,居然还有个人没有笑。

他没有笑,并不因为他也有无忌这么深的感触,只不过因为他已醉了。

无忌来的时候,他就已伏倒在桌上,桌上就已经有了好几个空酒壶。

他没有戴帽子,露出了一头斑斑白发,和一身已经洗得发白的蓝布衣服。

人在江湖,人已垂老,喝醉了又如何? 不喝醉又如何?

无忌忽然又想喝酒。

就在这时候,他又看见了六个人走上山坡。

六个青衣人,黄草鞋,灰布袜,六顶宽边马连坡大草帽,帽沿都压得很低。

六个人走得都很快,脚步都很轻健,低着头大步走过了这茶棚。

六个人手里都提着个青布包袱,有的包袱很长,有的很短。

短的只不过一尺六七,长的却有六七尺,提在他们的手里时,分量看来都很轻,一摆到桌上,却把桌子压得"吱吱"的响。

没有人笑了。

无论谁都看得出,这六个人绝对都是功夫很不错的江湖好汉。

他们提来的这六个包袱,纵然不是杀人的利器,也绝不是好玩的东西。

六个人同路而来,装束打扮都一样,却偏偏不坐在同一张桌上。

六个人竟占据了六张桌子,正好将茶棚里每个人的去路都堵死。

只有身经百战,经验丰富的老手,才能在一瞬间就选好这样的位置。

六个人都低头坐下,一双手还是紧紧抓住已经摆在桌上的包袱。

第一个走进来的人高大,强壮,比大多数人都要高出一个头,带来的包袱也最长。

他抓住包袱的那双手,右手的拇指、食指、中指的指节上,都长着很厚的一层老茧。

第二个走进来的人又高又瘦,弯腰驼背,仿佛已是个老人。

他带来的包袱最短,抓住包袱的一双手又干又瘦,就如鸟爪。

这两个人无忌好像都见过,却想不起在哪里见过的。

他根本看不见他们的脸。

他也不想看。

这些人到这里来,好像是存心来找人麻烦的,不管他们是来找谁的麻烦,无忌都不想管别人的闲事。

想不到那又高又瘦、弯腰驼背的却忽然问道:"外面这口棺材,是哪一位带来的?"

越不想找麻烦的人,麻烦反而越要找到他身上来。

无忌叹了口气,道:"是我。"

无忌已经想起这个人是谁了。

他虽然还没有见到这个人的脸,却已经认出他的声音。

——白糖方糕黄松糕,赤豆绿豆小甜糕。

——一个又高又瘦的老人,背上背着个绿纱柜子,一面用苏白唱歌,一面走入了这片树林中刚辟出的空地。

——然后卖卤菜的,卖酒的,卖湖北豆皮的,卖油炸面窝的,卖山东大馒头的,卖福州春饼,卖岭南鱼蛋粉,卖烧鹅叉烧饭的,卖羊头肉夹火烧的,卖鱿鱼羹的,卖豆腐脑的,卖北京豆汁的,五花八门,各式各样的小贩,挑着各式各样的担子,从四面八方走了进来。

那天晚上所发生的事,无忌永远都忘不了,这个卖糕的声音,他也记得很清楚。

他也记得萧东楼的话。

——以前他们都是我的旧部,现在却都是生意人了。

这卖糕人现在做的是什么生意?为什么会对一口棺材发生兴趣?

那高大健壮,右手三根手指上都长着老茧的人,忽然抬起头,盯着无忌。

无忌认出了他。

他的眼睛极亮,眼神极足,因为他从八九岁的时候就开始练眼力。

他手指上的老茧又硬又厚,因为他从八九岁时就开始用这三根手指扳弓。

无忌当然认得他,他们见面不止一次。

金弓银箭,子母双飞,这身长八尺的壮汉,就是黑婆婆的独生子黑铁汉。

——黑婆婆是什么人?

——是个可以用一支箭射穿十丈外苍蝇眼睛的人。

他手上抓住的那个包袱里面,当然就是他们母子名震江湖的金背铁胎弓和银羽箭。

他居然没有认出无忌来,只不过觉得这个脸上有刀痕的年轻人似曾相识而已,所以试探着问:"我们以前见过?"

无忌道:"没有。"

黑铁汉道:"你不认得我?"

无忌道:"不认得。"

黑铁汉道:"很好。"

卖糕人道:"怎么样?"

黑铁汉道:"他不认得我,我也不认得他。"

卖糕人道:"很好。"

听到他们说的这两句"很好",无忌就知道麻烦已经来了。

这六个人带来的无论是哪种麻烦,麻烦都一定不会太小。

无忌看出了这一点,别人也看得出,茶棚里的客人大多数都已在悄悄的结账,悄悄的溜了,只有那位胃口不好的胖公子还在埋头大吃。

看来就算天塌下来,他也要等吃完了这只鸡才会走。

这种人当然不会多管别人的闲事。

卖糕人忽然站起来，提着包袱，慢慢的走到无忌面前，道："你好！"

无忌叹了口气道："直到现在为止，一直都还不错，只可惜现在就好像已经有麻烦了！"

卖糕人笑了笑，道："你是个聪明人，只要不做糊涂事，就不会有麻烦的。"

无忌道："我一向很少做糊涂事。"

卖糕人道："很好。"

他放下包袱，又道："你当然也不认得我！"

无忌道："不认得。"

卖糕人道："你认不认得，这是什么？"

他用两根手指提着包袱上的结一抖，就露出对精光闪闪，用纯纲打成的奇形外门兵刃，看来有点像鸡爪镰，又不是鸡爪镰。

无忌道："这是不是淮南鹰爪门的独门兵刃铁鹰爪？"

卖糕人道："好眼力。"

无忌道："我的耳朵也很灵。"

卖糕人道："哦！"

无忌道："我听得出你说话的口音，绝不是淮南一带的人。"

卖糕人道："我在淮南门下，学的本就不是说话。"

无忌道："你学的是什么？"

卖糕人道："是杀人！"

他淡淡的接着说道："只要我能用本门的功夫杀人，不管我说话是什么口音都无妨。"

无忌道："有理。"

卖糕人忽然用他那双鸟爪般的手拿起了这对鹰爪般的兵刃。

寒光闪动，鹰爪双双飞出，"叮"的一响，无忌面前的酒碗已被钉穿了四个小洞，栏杆上一根毛竿，也被鹰爪硬生生撕裂。酒碗是瓷器，要打碎它并不难，把它钉穿四个小洞却不是件容易事。

毛竹坚韧，要撕裂它也不容易。

何况这种力量完全不同，他左右双手同时施展，竟能使出两种完全不同的力量来。

无忌叹了口气道:"好功夫。"

卖糕人道:"这是不是杀人的功夫?"

无忌道:"是。"

卖糕人道:"你想不想看我杀人!"

无忌道:"不想。"

卖糕人道:"那么你快走吧!"

无忌道:"你肯让我走?"

卖糕人道:"我要的本就不是你这个人。"

无忌道:"你要的是什么?"

卖糕人道:"我要的是你带来的那口棺材。"

疑　云

棺材是无忌自己去买的,上好的柳州楠木,加工加料,精选特制。

无忌道:"阁下的眼光真不错,这口棺材的确是口好棺材。"

卖糕人道:"我看得出。"

无忌道:"但是无论多好的棺材,也不值得劳动阁下这样的人出手。"

卖糕人道:"你说不值得,我却说值得。"

无忌道:"阁下若是真的想要这么样一口棺材,也可以再去叫那棺材店加工赶造一口。"

卖糕人道:"我要的就是这一口。"

无忌道:"难道这口棺材有什么特别的地方?"

卖糕人道:"那就得看这口棺材里有些什么。"

无忌道:"里面只有一个人。"

卖糕人道:"一个什么样的人?"

无忌道:"一个朋友。"

卖糕人道:"是个活朋友,还是个死朋友?"

无忌笑了:"我这人虽然不能算很讲义气,可是,也不会把活朋友送到棺材里去。"

他说的不是实话,也不能算谎话。

——唐玉还没有死。

——是他亲手把唐玉摆进棺材里面去的。

——唐玉并不是他的朋友。

——但是这口棺材里的确只有唐玉一个人。

——他亲手盖上棺材,雇好挑夫,亲眼看着挑夫们把棺材抬到这里,的确一点不假。

这卖糕人却好像完全不信,又问道:"你这朋友已经死了?"

无忌道:"人生百年,总难免会一死的。"

卖糕人道:"死人还会不会呼吸?"

无忌摇头。

他已经想到了一点漏洞,可是他从未想到别人会看出来。

卖糕人显然已看了出来。

他冷笑道:"死人既然已经不会呼吸,你为什么要在这个棺材上,留两个透气的洞?"

无忌叹了口气,苦笑道:"因为我实在想不到会有人这么样注意一口棺材。"

这是实话。

如果有口棺材摆在那里,每个人都免不了要去看一眼的。但却很少有人还会再看第二眼。

女人衣服上如果有个洞,人人都会看得很清楚,但看见棺材上有个洞的人就不多了。

无忌又道:"但是这口棺材的确只有一个人,这个人的确是我的朋友,不管他是死是活,都是我的朋友。"

卖糕人道:"你为什么要把他装进棺材里去?"

无忌道:"因为他有病,而且病得很重。"

卖糕人道:"他患的是不是见不得人的病?"

无忌道:"你想看看他?"

卖糕人道:"我只想看看你说的是不是真话。"

无忌道:"如果棺材里真的只有一个人呢?"

卖糕人道:"那么我就恭送你们的大驾上路,这里的酒账也由我付了!"

无忌道:"不管棺材里这个人是谁都一样?"

卖糕人道:"就算你把我老婆藏在棺材里,只要棺材里没有别的,我也一样让你们走。"

无忌道:"你说话算数?"

卖糕人道:"淮南门下,从没有食言背信的人。"

无忌道:"那就好极了。"

他一直在担心,生怕他们要找的是唐玉。

他不愿为了唐玉跟他们动手,也不能让他们把唐玉劫走。

现在他虽然已经知道他们并不是为了唐玉而来的,却还是猜不出他们为什么想要这口棺材。

棺材就摆在凉棚外的栏杆下。

四个挑夫要了壶茶,蹲在棺材旁边,用随身带来的硬饼就茶吃。

茶虽然又冷又苦,饼虽然又干又硬,他们却还是吃得很乐,喝得很乐。

对他们这种人来说,人生中的乐趣本来已经不太多了,所以他们只要能找到一点点快乐,就绝不肯放过。

所以他们还活着。

——快乐本就不是"绝对"的,只要你自己觉得快乐,就是快乐。

奇怪的是,这个卖糕人不但对棺材有兴趣,对这四个挑夫好像也很有兴趣。

他们衣不蔽体,骨瘦如柴,而且蓬头散发,又黑又脏,实在没有什么值得别人去看的地方。

这卖糕人却一直在看着他们,一双眼睛就像是钉子般盯他们身上,舍不得移开。

他虽然说要看看棺材是否只有一个人,可是他的一双脚像是被钉子钉在地上了,并没有移动一步。

无忌反而忍不住提醒他:"棺材就在那里。"

卖糕人道:"我看得见。"

无忌道:"你为什么还不过去?"

卖糕人枯瘦的脸上,忽然露种诡秘的冷笑,一个字一个字的说出了一句让无忌大出意外的话。

"因为我还不想死在雷家兄弟的霹雳弹下。"

无忌立刻问道:"雷家兄弟? 霹雳堂的雷家兄弟?"

"不错。"

"雷家兄弟来了?"

"至少有四个人来了。"

"在哪里?"

"就在那里!"

卖糕人冷冷的接着说:"蹲在棺材旁边喝茶吃饼的那四位仁兄,就是雷震天门下的四大金刚。"

无忌的脸色变了。

他当然知道霹雳堂有四大金刚,是雷震天的死党,也是大风堂的死敌。

这四个又穷又脏又臭的苦力,就是霹雳堂的四大金刚?

他们为什么要如此作贱自己? 为什么要来替他抬这口棺材?

纵然他们已经发现他就是赵无忌,也不必这么样做的。

他们至少还有一种更好的法子,可以将他置之于死地。

年纪最大的一个挑夫,忽然叹了口气,慢慢的站了起来。

他左手还是端着个破茶碗,右手还是拿着半块饼,身上穿的是那套又脏又破,几乎连屁股都盖不住的破布衣服。

但是就在这一瞬间,他的样子已完全变了。

他的眼睛里已发出了光,身上已散发出动力,无论谁都已看得出这个人绝不是个卑微低贱的苦力。

卖糕人冷笑,道:"果然是你,你几时改行做挑夫的?"

这挑夫道:"这半年来我们兄弟一直都在干这一行。"

卖糕人道:"你们一直都在替人挑棺材?"

这挑夫说道:"不但挑棺材,连粪都挑。"

卖糕人道:"你们为什么要做这种事情?"

这挑夫道:"因为我听说这种事做久了,一个人的样子就会改变的。"

卖糕人道:"你们的样子实在变了不少。"

这挑夫叹了口气，道："所以我才想不通，你怎么会认得出我们来？"

卖糕人淡淡道："这也许只因为我的眼力特别好，也许因为有人走漏了你们的消息。"

这挑夫脸色变了，厉声道："知道这件事的，只有几个人，是谁把我们出卖给你的？"

卖糕人不望他了。

黑铁汉一个箭步窜过来，沉声道："我们兄弟和雷家并没有过节，只要你们留下这口棺材，不管你们要到哪里去，不管你们要去干什么，我们兄弟绝对置身事外，不闻不问。"

他想了想，又道："若是有别人问起你们，我们兄弟也不会说出来，就只当今天我们根本没有见过面。"

在黑婆婆面前，他一向很少开口，现在说起话来，却完全是老江湖的口气，每一句都说在节骨眼上，而且，替别人留了余地。

可惜这挑夫并不领情，冷冷道："你手里拿着的是金弓银箭，百步穿杨，百发百中，你身旁站着的这个人，虽然连说话的口音都变了，我也能认得他就是这一代的淮南掌门鹰爪王。"

卖糕人并不否认。

这挑夫又道："你们两位居然肯放我一条生路，我兄弟本该感激不尽，何况陪你们来的那四位也都是一等一的高手，其中好像还有丧门剑的名家钟氏兄弟和铁拳孙雄。"

卖糕人道："好眼力。"

这挑夫道："凭你们六位，今天要把我们兄弟这四条命搁在这里并不难，只可惜……"

卖糕人道："只可惜怎么样？"

这挑夫冷笑道："只可惜，人一死了，拳头就会变软了，也就没有法子再使丧门剑了。"

卖糕人微笑道："幸好，他们还没有死。"

这挑夫道："他们还没有死？你为什么不回头去看看？"

卖糕人立刻回头去看，脸上的笑容已僵硬。

本来坐在他后面的四个人，现在已全都倒了下去，脑后的玉枕穴上，赫然插着根竹筷，一尺多长的竹筷，已没入后脑五寸。

脑壳本是人身上最坚硬的地方,能够以一根竹筷洞穿脑壳,已经是骇人听闻的事。

更可怕的是,这四个人本都是江湖中的一流高手,竟全都在这一瞬间被人无声无息的夺去性命而没有人发觉是谁下的毒手。

这人的出手好快,好准,好狠!

茶棚里的人早就溜光了,连掌柜和伙计都已不知躲到哪里去。

除了这个卖糕人和无忌、黑铁汉之外,茶棚里只剩下三个活人。

那位胃口欠佳的胖公子,虽然还活着,却已被吓得半死,整个人都几乎瘫到桌子底下去。

他的同伴情况也好不了多少。

何况,这两人一直都是坐在钟家兄弟和孙雄的前面,竹筷却无疑是从后面飞来的。

他们后面只有一个人。

这个人还没有走,只因为他早已醉了,无忌来的时候,这个人就已伏倒在桌上,桌上已摆满了喝空的酒壶。

他没有戴帽子,露出了一头斑斑白发,显然已是个老人。

他身上穿的一件蓝布衫,不但是已洗得发白,而且还打着好几个补丁。

难道这落拓的老人,竟是身怀绝技的武林高手?竟能在无声无息中取人的性命,竟能在挥手间杀人于十步之外!

卖糕人手里紧握着他的那对铁鹰爪,一步步向这老人走过去。

他知道他的手在流汗,冷汗。

他手里的这双铁鹰爪,也是杀人的利器,也曾有不少英雄好汉,死在这对铁鹰爪下。

但是现在他的手却在抖,别人也许看不见,他自己却可以感觉得到。

能够以一根竹筷,隔空打穴,贯穿脑壳的人,绝不是他能对付得了的。

一个已经在江湖中混了三十年的人,至少总有这一点自知之明。

但是他不能退缩。

淮南派现在虽已不是个显赫的门派,也曾经有过一段辉煌的历史。

不管怎么样,他总是淮南这一代的掌门人,为了生活,为了把门面支持下去,他可以改变容貌声音来做强盗,却绝不能让淮南派的声名败在他手里。

这正是江湖人的悲剧。

江湖中的辉煌历史,就正是无数个像这样的悲剧累积成的。

弓已在手,箭已在弦。

黑铁汉弯弓拉箭,一双眼睛也盯在那老人的满头白发上。

老人忽然说话了,说得含糊不清,仿佛是醉话,又仿佛是梦呓。

"为什么大家都想要这口棺材,是不是全部都活得不耐烦了,都想躺进棺材里去!"

卖糕人的瞳孔收缩,手握得更紧。

现在他已确定这个老人就是刚才以竹筷洞穿他伙伴头颅的人。

他忽然大声喊道:"前辈。"

老人还是伏在桌上,鼻息沉沉,仿佛又睡着了。

卖糕人冷笑道:"以你的年纪,我本该尊你一声前辈,我还没有忘记江湖中的规矩,你最好也莫要忘记自尊自重。"

老人忽然纵声大笑,道:"好,说得好。"

他干瘪的脸上长满了一块块钱大的白癣,眉毛脱落,醉眼蒙眬,笑起来就像是头风干了的山羊。

他已抬起头,看着卖糕人道:"想不到小小的淮南派中,居然有你这种人,居然还懂得江湖规矩,还有点掌门人的气派。"

卖糕人道:"我不是淮南掌门。"

老人道:"你不是?"

卖糕人道:"我只不过是一个卖糕的人。"

老人笑道:"原来你是来卖糕的。"

卖糕人道:"卖糕的人,有时也会杀人。"

老人道:"你要杀谁?"

卖糕人道:"杀你!"

老人又大笑,道:"你自己也该知道,你绝不是我的对手,又何苦来送死?"

卖糕人忽然也大笑道:"我杀了你,杀的是名震江湖的武林前辈,你杀了我,杀的却只不过是一个卖糕的人,我死又何妨?"

大笑声中,他的铁鹰爪已飞出。

昔年,鹰爪王自淮南出道,名动天下,只凭一双铁拳,和十三年苦练而成的大鹰爪力,创立了淮南鹰爪门,从来没有用过兵刃。

可惜他的后人们既没有那么精纯的功夫,也没有他的神力,所以才造出这么样一对奇形外门兵刃,以补功力之不足。

他临死时,看到这种兵刃,就知道,淮南这一派,迟早难免要被毁在这对铁鹰爪下。

因为他知道无论多精巧的兵刃,总不如双手灵巧,他三十六招大鹰爪手,用这种兵刃使出来,绝对没法子发挥出应有的威力。

他也知道他的后人们有了这种兵刃后,更不肯苦练掌力了。

但是这对兵刃却实在很灵巧霸道,两支鹰爪般的钢爪,不但有生裂虎豹之利,而且可以伸缩自如。

如果运用得巧妙,甚至可以用它从头发里夹出一个虱子来。

卖糕人在这对兵刃上也下过多年苦功,一着击出,双爪齐飞,左手的铁爪轻灵变幻流动,右手的铁爪刚烈霸道威猛。

这一着力量间,有巧劲,也有猛力;这一着的招式间,有虚招,也有实招,虚招诱敌,实招打的是对方致命处。

老人一双蒙眬的醉眼中,忽然精光暴射,大喝一声:"开!"

叱声出口,他的身形暴长,袍袖飞卷,铁鹰爪立刻被震得脱手飞出,远远的飞出了二十丈,落在竹棚外的山坡上。

卖糕人居然没有被震倒,居然还是动也不动的站在那里。

但是他的眼珠已渐渐凸出,鲜红的血丝,已沿着他嘴角流下来。

老人盯着他,忽然长长叹了口气,道:"你要杀我,我不能不杀你。"

卖糕人咬紧牙关,不开口。

老人道:"其实你应该知道我是谁,我也知道你是谁。"

卖糕人忽然问:"我是谁?"

他一张嘴，就有口鲜血喷了出来。

老人摇头叹气，道："鹰爪王，王汉武，你这是何苦?"

卖糕人用衣袖擦干了嘴角的鲜血，大声道："我不是鹰爪王，不是王汉武。"

刚擦干的血又流出来，他喘息着道："鹰爪王，王汉武早已死了，没有人能杀他，他……他是病死的，我……我……"

老人眼睛里已露出同情之色，柔声道："我知道，你只不过是一个卖糕的人而已。"

卖糕人慢慢的点点头，闭上眼睛，慢慢的倒了下去。

他求仁得仁，死而无憾。

因为他并不是王汉武，淮南一派不散的威名，并没有毁在他手里。

——所以没有人能击败鹰爪王，从前没有，以后更没有。

黑铁汉满眶热泪终于忍不住夺眶而出，忽然也霹雳大喝一声："开!"

弓弦一响，三尺六寸长的银羽箭已随弦飞出，喝声如霹雳惊雷，箭去如流星闪电。

黑铁汉身长八尺，两膀有千斤之力，他的金背铁胎弓是五百石的强弓，他的银羽箭虽然不能开山射月，但也足以穿云裂石。

江湖传说，如有三个人背贴着背站着，他一箭就能射个对穿。

可是银光一闪，箭忽然已到了老人手里，他只伸出两根手指，就把这根穿云裂石的银羽箭捏住了。

在这一瞬间，黑铁汉的面如死灰，雷家四兄弟喜动颜色。

想不到就在这一瞬间，情况忽然又改变。

老人脸上忽然露出种奇怪已极的表情，就好像一个胆小的少妇半夜醒来，忽然发现有个陌生的男人压在她身上，惊讶、恐惧，都已到了极点。忽然凌空翻身，掠出了竹棚，眨眼间就踪影不见。

要学"射"，一定要先练眼力。

黑铁汉从七八岁的时候就开始练眼力，要练得可以把暗室中的一只蚊子看得和别人看老鹰还清楚，才算略有成就。

无忌的眼力也绝不比他差。

但是他们都没有看出这老人为什么要突然逃走,像他那样的绝顶高手,绝不是很容易就会被骇走的人,除非他忽然看见了鬼,忽然被毒蛇咬了一口。

这里没有鬼,也没有毒蛇。

他怕的是什么?

这挑夫一只手端着破茶碗,一只手拿着块硬饼,脸上的表情由欢喜变为惊讶,由惊讶变为恐惧,由恐惧变为怀疑。

现在他脸上忽然又变得全无表情,忽然唤道:"老板。"

无忌不是老板。

他这一生中奇奇怪怪的事也做过不少,却从来没有做过老板。

可是这四个挑夫一直都叫他老板。

无忌道:"你在叫我?"

这挑夫道:"不管我们姓什么,我们总是你雇来的,你总是我们的老板。"

无忌不能不承认。

这挑夫又道:"你出五钱银子,雇我们做挑夫,要我们替你把这口棺材送到蜀中去?"

无忌道:"不错。"

这挑夫道:"我们这一路上,有没有出过什么差错?"

无忌道:"没有。"

这挑夫道:"我们有没有偷过懒,耽误过你的行程?"

无忌道:"没有。"

这挑夫道:"你花五钱银子雇我们一天,花得冤不冤枉?"

无忌道:"不冤枉。"

他不能不承认这一点,像他们这样的挑夫,实在很难找得到。

这挑夫道:"你花钱雇我们来替你挑这口棺材,我们就全心全意的替你挑这口棺材,而且一定平平安安的替你把这口棺材送到地头。"

无忌道:"很好。"

这挑夫道:"那么别的事你就不必管了,这些事跟你也完全没有关系。"

他的话已说得很明白。

他们并不知道这位老板的身份来历,也不想知道,只不过希望这位老板也不要管他们的闲事。

无忌有点不明白。

他忍不住要问:"你们知不知道这棺材里的人是谁?"

这挑夫道:"是你的朋友。"

无忌道:"你们知不知道我这朋友是谁?"

这挑夫道:"不管你这位朋友是谁,都跟我们无关。"

无忌道:"你们为什么要来替我挑这口棺材?"

这挑夫道:"因为我们愿意。"他淡淡的接着道:"只要我们自己愿意,不管我们干什么,也都跟你没有关系。"

无忌叹了口气,道:"有理。"

他不能不承认他们说的有理,但是他心里却又偏偏觉得很无理。

所有的事都无理,每个人做的每一件事都不能以常理来解释。

但是这些确实发生了,而且已经有五个人为了这些事而死。

生命是绝对真实的,死也是。

无忌又叹了口气,道:"你能不能告诉我,你们究竟还想干什么?"

这挑夫考虑着,终于回答:"我们只不过想杀一个人,一个跟我们完全无关系的人。"

黑铁汉道:"你们想杀的就是我?"

这挑夫道:"是的。"

黑铁汉并不能算是无忌的朋友,但是无忌总觉得还欠他们母子一点情。

四个挑夫已经开始行动,很快的逼近黑铁汉,将他包围住。

长弓大箭,只能攻远,距离越近,越无法发挥威力。

这四个挑夫无疑都是身经百战的老江湖,当然都很明白这点,以他们的经验和武功,要杀黑铁汉只不过是眨眼间的事。

无忌忽然大声道:"等一等。"

这挑夫沉下脸,道:"难道你还是要来管我们的事?"

无忌反问道:"难道你们一定要杀死他?"

这挑夫道:"一定。"

他的回答斩钉截铁:"如果有人想来阻拦,我们也不妨再多杀一个。"

无忌道:"是不是因为他已知道你们的来历,所以一定要杀了他灭口?"

这挑夫并不否认。

无忌道:"现在我也已知道你们的来历,你们是不是也要杀了我?"

这挑夫道:"我说过,只要你不管这件事,我们就负责把你和这口棺材平安送到地头去。"

无忌叹道:"现在我更不懂了,明明有两个人知道你们的秘密,你们为什么只杀一个?"

这挑夫冷冷一笑,道:"因为我们喜欢你。"

无忌的脸色忽然变了,吃惊的看着他,道:"你……你……"

这挑夫道:"我怎么样?"

无忌看着他,再看看他的三个同伴,眼睛充满了惊讶和恐惧。

黑铁汉看着他们的眼色居然也跟无忌一样,就好像这四个挑夫这一瞬间忽然变成了魔鬼。

这种表情绝不是装出来的。

他们究竟看见了什么? 为什么忽然变得这么吃惊? 这么害怕?

第十个死人

四个挑夫也有点慌了,无论谁被人用这种眼色看着,都会发慌的。

他们的眼神本来一直在盯着黑铁汉和无忌,现在忍不住彼此看了一眼。

这一眼看过,他们四个人脸上立刻也露出和无忌同样的表情,却显得比无忌更惊惶,更恐惧。

其中一个人忽然转身冲出去,一把抓起了个摆在棺材边的茶壶。

霹雳堂以火药暗器威震江湖,玩火药和玩暗器的人手一定要稳。

但是现在这个人却已连茶壶都拿不稳,忽然张开嘴,想嘶喊,竟已连声音都喊不出来。

只听他喉咙里一阵阵"丝丝"的响,他的人已倒了下去。

他的同伴也转身奔出,两个人奔出竹棚才倒下,一个就倒在凉棚里,一倒下去,整个人就开始萎缩,就像是一片叶子遇到了火焰,忽然间就已枯萎。

下午。

春天的下午,阳光艳丽,远山青葱,但是这山坡上却仿佛已被阴影笼罩。

死的阴影。

连无忌都觉得手脚发冷,黑铁汉额角和鼻尖上已冒出豆大的冷汗。

这四个挑夫临死前那一瞬间,脸上的样子变得实在太可怕。

无忌不是第一次看见过这种样子。

唐玉中毒之时脸上也有同样的变化——眼神骤然迟钝,瞳孔骤然收缩,嘴角眼角的肌肉骤然僵硬干裂,脸色骤然变成死黑。

最可怕的是,他们脸上发生这种变化时,他们自己竟连一点感觉都没有,这种致命的毒性竟能让人完全感觉不到。

非但你中毒时全无感觉,毒性发作时,你也完全没有感觉。

就在不知不觉中,这种毒已进入你的身体,毁坏了你的神经中枢,要了你的命!

坐在竹棚里的那位胖公子和他的同伴,蹲在竹棚里后面,替他们抬滑竿来的四个竿夫,现在也都已悄悄的溜了。

竹棚后无疑还有一条路,遇到这种事,只要有腿的人,都会溜的。

黑铁汉忽然长长叹了口气,道:"难道真是那壶茶里有毒?"

他是在问无忌。

这里一共只剩下他和无忌两个活人,这使得他们彼此间仿佛忽然接近了很多。

如果你也曾有过他们这样的经验,你也会有这种感觉的。

无忌道:"看起来一定是那壶茶里有毒。"

黑铁汉道:"不是我下的毒。"

无忌道:"我相信。"

黑铁汉道:"是谁下的毒?"

无忌道:"不知道。"

黑铁汉沉默着,脸上带着痛苦挣扎的表情,汗流得更多。

无忌道:"你是不是有什么话要跟我说?"

黑铁汉又沉默了很久,忽然大声道:"我并不想要他们的命,也不想要这口见鬼的棺材,我根本不知道他们四个人会抬一口棺材来。"

他说话的声音大得就像是在呐喊,并不是在对无忌呐喊,是对他自己呐喊。

无忌了解他的心情,所以什么话都没有问,等他自己说下去。

黑铁汉道:"有人告诉我们,这棺材里藏着一批红货,至少值五十万两。"

"红货"这两个字是江湖切口,意思就是"珠宝"。

黑铁汉道:"前一阵子我们有急用,就向这个人借了一笔银子,他一定要我们用这批红货来还他的债。"

无忌道:"你们有什么急用?"

黑铁汉道:"四月十一日,是我们一位大恩人的寿诞,每一年我们都要送一份礼给他老人家。"

无忌当然知道他说的这位大恩人,就是那神秘的萧东楼。

黑铁汉道:"我们以前就跟这个人有约,如果他知道有什么来路不明的红货经过,他自己不便出手,就通知我们,做下了之后三七分账。"

他又补充:"我们虽然是强盗,可是只做'红货',而且一定要是来路不明的红货。"

这些话他本来绝不会告诉无忌,但是在死亡、恐惧和极度悲伤的压力下,他忽然觉得一定要把这些话说出来。

如果你在他这种情况下,一定也会做出同样的事。

无忌并没有问"这个人"是谁。

那是别人的秘密,他无权过问,他一向不愿探问别人的隐私。

黑铁汉的声音越说越低,显得越来越悲伤,黯然道:"现在我虽然已明白这是怎么回事,可惜已太迟了。"

无忌忍不住问:"这是怎么回事?"

黑铁汉道:"这是个圈套。"

无忌道:"圈套?什么圈套?"

黑铁汉道:"他想杀雷家兄弟,自己却不能出手,他也想杀了我们灭口。"

无忌道:"他为什么要杀你们?"

黑铁汉道:"因为只有我们知道他坐地分赃的秘密。"

他的悲哀又变为愤怒:"所以他就设下这个借刀杀人,一石二鸟的圈套,让我们自相残杀,最好全都死得干干净净。"

无忌道:"但是你并没有证据,并不能证明这一定是个圈套。"

黑铁汉道:"你就是证据。"

无忌道:"我?"

黑铁汉道:"这口棺材是不是你的?"

无忌道:"是的。"

黑铁汉道:"你有没有把红货藏在棺材里?"

无忌道:"没有。"

黑铁汉道:"既然棺材里根本没有红货,这不是圈套是什么?"

他握紧双拳:"现在雷家兄弟已死了,我们的兄弟也死了,他的计划已成功,只可惜……"

无忌道:"只可惜你还没有死。"

黑铁汉恨恨道:"只要我还有一口气在,我就一定要揭穿他的阴谋毒计。"

无忌沉吟着,道:"我久闻金弓神箭,子母双飞的大名,也知道令堂不但箭法如神,而且足智多谋,这件事你为什么不找她去商量商量?"

黑铁汉道:"家母病得很重,这种事我不能再让她老人家操心。"

无忌道:"黑婆婆病了,你为什么不留在她身边照顾她?"

黑铁汉道:"家母的病情,是在我们那位大恩人的寿诞之日才忽然变得严重起来,那天我们恰巧遇见一位好心的姑娘,一定要把家母留在她那里,让她来照顾,因为……"

无忌道:"因为什么?"

黑铁汉道:"因为她的夫家和我们母子之间,曾经有过一点渊源。"

无忌的心在跳,跳得好快。

现在他当然已能猜得出这位好心的姑娘是谁了,却还是忍不住要问:
"这位姑娘贵姓?"

黑铁汉道:"姓卫。"

无忌说道:"她把黑婆婆带到哪里去了?"

黑铁汉道:"到一位隐迹已久的武林异人那里去了,那位异人不但剑法高绝天下,而且极精医道,所以我也很放心。"

无忌没再说什么,也不能再说什么。

他的痛苦,他的悲伤,他的思念,都绝不能在任何人面前说出来。

他甚至连想都不能去想。

他还有很多事要去做,他一定要很坚强,思念却总是会使人软弱。

不管怎么样,他总算已有了卫凤娘的消息,总算已知道她仍然无恙。

等他抬起头,才发现黑铁汉已走出了竹棚,走下了山坡。

他立刻唤道:"等一等。"

黑铁汉停下脚步,回过头。

无忌道:"你不看棺材里有什么?"

黑铁汉勉强笑了笑,道:"我信任你,我相信里面不会有什么的。"

无忌道:"雷家兄弟并不认得我,只不过我花五钱银子一天雇来的。"

黑铁汉道:"我相信。"

无忌道:"一个被人用五钱银子一天雇来抬棺材的苦力,会不会甘心替人去拼命?"

黑铁汉道:"绝不会,除非……"

无忌道:"除非他知道棺材里还有别的秘密。"

黑铁汉眼睛里发出了光。

无忌道:"我虽然没有把红货藏在棺材里,可是他们……"

黑铁汉抢着道:"他们来替你抬这口棺材,也许只不过是想用你这口棺材做掩护,把一批红货运到蜀中去……"

运送红货时,本来就是通常要走"暗镖",尤其是这批红货来路不明的时候。

江湖中走暗镖的法子,本来就五花八门,光怪陆离,利用死人和棺材做掩护,并不是第一次。

无忌道:"我也知道现在你不会再对这批红货有兴趣了,可是你既然已经做了这件事，至少总该把真相查出来，也算对你的弟兄们有了个交代。"

用不着他再往下说，黑铁汉已经大步走了回来。

他的心也开始在跳，越跳越快。

九个人，九条命，只不过为了一口棺材！这口棺材里究竟有什么秘密？

上好的楠木棺材，华丽、坚固、沉重。黑铁汉将金弓插在地上，用两只手托起了棺材的盖子。

在这一瞬间，他忽然想起了很多事，很多他久已遗忘了的事。

他自己也不知道此时此刻，他怎么会忽然想起这些事来。

棺盖很沉重，但是以黑铁汉的天生神力，当然轻轻一托就托了起来。

无忌也从竹棚里走了过去。

他本来认为黑铁汉他们很可能是为了唐玉而来的，他们知道这口棺材里的人是唐玉，知道唐玉还没有死，他们想来要唐玉的命。

他会有这种想法，并不奇怪，想要唐玉这条命的人绝不少。

但是现在他已知道这种想法错了。

那么这口棺材里除了唐玉之外，还有些什么别的东西？

是不是真的还有批价值巨万的珠宝？

他也很想知道这答案。

为了这口棺材，牺牲的人已太多，付出的代价已太大。

他希望黑铁汉能够有些收获。

现在他虽然还看不见棺材里有什么，但是，他可以从黑铁汉脸上的表情中看出来。

黑铁汉脸上却忽然露出种任何人都无法想像的表情来。

那不仅是惊讶、恐惧，还带着种说不出的激动和欲望。

如果他看见的是珠宝，他当然会激动，会显出一种人类共有的欲望。

但是他看见的如果是珠宝，就绝不会恐惧。

如果他看见的是种很可怕的东西，就不会显出这种欲望来。

他看见的是什么？

无忌正想问他,"砰"的一声响,刚掀开的棺盖忽然落下,盖起。

黑铁汉全身上下,所有的动作、表情,全都在这一刹间骤然停止。

他整个人就像是在这一刹那间完全冻结了。

然后他的喉结上慢慢的沁出了一滴血珠,转瞬间又已凝结。

无忌飞扑过去,大声问道:"怎么回事?"

黑铁汉的呼吸也已停顿,锐利的眼神已变为一片死灰。

他用尽全身气力,只说出了两个字。

"唐缺!"

说出了这两个字,他喉结上凝结的血珠就骤然迸裂,一股鲜血喷泉般喷了出来。他的身子往后退,鲜血一点点洒落在他脸上。

棺中人

唐缺。

这是一个人的名字。

无忌好像听过这个名字,这个人无疑也是唐家的子弟。

黑铁汉在临死前的一瞬间,为什么要挣扎着说出这个人的名字来?

他是不是想告诉无忌,这个圈套就是唐缺设计的?

唐缺为什么要他们和雷家兄弟同归于尽?

霹雳堂既然已与唐家结盟,唐缺为什么还要将雷家兄弟置之于死地?

黑铁汉掀开棺盖后,究竟看到了什么? 为什么会忽然暴毙?

这些问题无忌都想不通。

他根本连想都没有想,因为他已发现了一件更可怕的事!

他发现了一根针!

一根八分长的银针,随着黑铁汉喉结上喷出的那股鲜血射出来。

黑铁汉无疑就是死在这根银针下的,一根八分长的针,竟是追魂夺命的暗器!

这件暗器竟是从棺材里发出来的!

棺材里的人是唐玉!

一个已经完全麻木僵硬了的人,怎么还能发得出暗器来?

难道他中的毒已消失？已经有了生机,有了力量!

对无忌来说,他的一句话,就是件绝对致命的武器!

只要他还能说出一句话,无忌的计划就完了。

无忌的手也有了冷汗。

他绝不能让唐玉活着,绝不能让唐玉再有开口说话的机会!

他一定要彻底毁了这个人、这口棺材,不管棺材里还有什么秘密,他都已不想知道。

他想到了霹雳堂的霹雳弹。

霹雳堂的火器威震天下,只要有一两个霹雳,就可以毁了这口棺材,将棺木里的人,和所有的秘密都化为飞灰。

雷家兄弟既然是霹雳堂的四大金刚,身上当然带着他们的独门暗器。

但是他们蓬头赤足,衣不蔽体,身上好像根本没有可以藏得住暗器的地方。

无忌忽然又想到了他们手里的硬饼。

他们始终都把半块硬饼紧紧的捏在手里,是不是因为硬饼里藏着他们的暗器?

无忌决心要找出来。

他的反应一向很快,在一瞬间就已将所有的情况都想过一遍。

但是他想不到在这时候,棺材里忽然有人在说话了。

一个人叹息着道:“你是不是想用霹雳堂的火器把这口棺材毁了? 我们无冤无仇,你为什么要害我?”

声音娇媚而柔弱,充满了女性的魅力,听起来绝不是唐玉的声音。

但是有些人却可以用内力控制自己喉头的肌肉,发出些别人永远想不到的声音来。

唐玉说不定就能做到这一步。

无忌试探着问道:“我们真的无冤无仇?”

棺材里的人道:“你没有见过我,我也不认得你,怎么会有仇恨?”

无忌道:“真的?”

棺材里的人道:“你只要打开棺材来看看,就知道我说的是真是假了。”

无忌当然不会做这种事。

黑铁汉的前车可鉴,已经给了他一个很好的教训。

棺材里的人又道:"其实我也想看看你,我想你一定是个很年轻、很英俊的男人。"

无忌道:"我就站在这里,只要你出来,就可以看得见。"

棺材里的人道:"你为什么不打开这口棺材来看看?"

无忌道:"你为什么不自己出来?"

棺材里的人笑了,道:"想不到你年纪轻轻,做事就这么小心。"

无忌道:"听你的声音,你的年纪也不大,而且一定是个很美的人。"

棺材里的人笑道:"原来你这么会说话,我想一定有很多女人喜欢你。"

她忽然又叹了口气,道:"只可惜我已经老了,已经是个老太婆了,已经可以养得出你这么大的儿子来。"

她的人还在棺材里,已经占了无忌一个便宜。

无忌说道:"你怎么知道我有多大年纪?"

棺材里的人道:"你是唐玉的朋友,年纪当然跟他差不多!"

无忌道:"你怎么知道唐玉有多大年纪? 你见过他?"

棺材里的人道:"他就躺在我旁边,我怎会没有见过他?"

上好的棺木,总是特别宽大些,的确可以装得下两个人。

无忌道:"我怎么知道唐玉是不是还在这口棺材里?"

棺材里的人道:"你不信?"

棺材下透气的小洞里,忽然伸出一根手指来:"你看看这是不是他的手?"

这的确是唐玉的手。

无忌忽然笑了,道:"原来你就是唐玉,原来你……"

他的话还没有说完,另外一个洞里又伸出一根手指来。

这根手指纤细柔美,柔若无骨,指甲上还淡淡的涂着一层凤仙花汁。

这的确不是唐玉的手。

棺材里果然有两个人。

除了唐玉外,另外一个人是谁? 为什么要藏在棺材里?

无忌悄悄的走到棺材另一端,用两只手扳住棺材的盖子,用力一掀。

棺盖翻落,他终于看到了这个人。

现在他才明白,黑铁汉刚才为什么会有那种奇怪的表情。

躺在唐玉旁边的,竟是个几乎完全赤裸的绝色美人。

千千是个美人。

凤娘是个美人。

香香也很美。

无忌并不是没有接近过美丽的女人,但是他看见这个女人时,心里竟忽然升起了种说不出来的激动和欲望。

这个女人不但美,简直美得可以让天下的男人都不惜为她犯罪。

她美得比千千更艳丽,比凤娘更成熟,比香香更高贵。

她的腰纤细,双腿修长,胸膛尖挺饱满。

她的皮肤是乳白的,仿佛象牙般细致紧密,又仿佛牛乳般的甜腻柔软。

她的头发又黑又亮,一双眼睛却是浅蓝色的,闪动着海水般的光芒。

她身上的衣服绝不比一个孩子多,把她那诱人的胴体大部分都露了出来。

她看看无忌,嫣然道:"我并不是故意要勾引你,只不过这里面太热,又闷又热,我从小就怕热,从小就不喜欢穿太多衣裳。"

无忌叹了口气,苦笑道:"幸好唐玉看不见有你这么样一个人躺在旁边。"

这女人笑着道:"就算他看见也一样。"

无忌道:"一样?"

这女人道:"只要我觉得热,我就会把衣裳脱掉,不管别人怎么想,我都不在乎。"

她笑得又迷人,又洒脱:"我是为自己而活着,为什么要为了别人而委屈自己?"

无忌没法子回答也没法子反驳。

这女人拍了拍唐玉的脸,道:"幸好你这个朋友是个很干净的人,长得也不难看。"

她上上下下的打量着无忌,又笑道:"如果躺在我旁边的人是你,那就更好了,你虽然没有他那样漂亮,却比他有男子气!"

她又道:"漂亮的男人,女人不一定都喜欢的,像你这样的男人我才喜欢。"

她故意叹着气:"只可惜我已是老太婆,已经可以生得出像你这么大的儿子来。"

无忌只有听她说,根本没法子插嘴。

像她这样的女人实在不多,如果你见到一个,你也会说不出话来的。

她却偏偏还要问无忌:"你为什么不说话?"

无忌道:"所有的话都被你一个人说完了,我还有什么话说?"

这女人又叹了口气,道:"现在我才知道,你真是个聪明人。"

无忌道:"为什么?"

这女人道:"因为只有聪明的男人才懂得多用眼睛看,少开口说话。"

无忌也不能不承认,他的眼睛实在不能算很老实。

但是他的脸并没有红,反而笑道:"老天给我们两只眼睛一张嘴,就是要我们多看少说话。"

这女人嫣然道:"这句话我以后一定会常常说给别人听。"

无忌道:"但是老天却很不公平。"

这女人道:"有什么不公平?"

无忌道:"如果老天公平,为什么要给你这样一双眼睛?"他凝视着她那双海水般澄蓝的眼睛:"老天替你做这双眼睛时,用的是翡翠和宝玉,做别人的眼睛时,用的却是泥。"

这女人笑得更迷人,道:"你说得虽然好,却说错了。"

无忌道:"什么地方错了?"

这女人道:"我这双眼睛并不是老天给我的,是我父亲给我的。"

无忌道:"哦?"

这女人道:"我的父亲是胡贾。"

无忌道:"胡贾?"

这女人道:"胡贾的意思,就是从波斯到中土来做生意的人。"

自汉唐以来,波斯就已与天朝通商。

从波斯来的商人,虽然都成了腰缠巨万的豪富,但是在社会中的地位却一直很低,"胡贾"这两个字,并不是个受人尊敬的名词。

这女人道:"我父亲虽然是个有钱人,却一直娶不到妻子,因为善良人家的女儿,都不肯嫁给胡贾,他只有娶我母亲那种人。"

她淡淡的接着道:"我母亲是个妓女,听说以前还是扬州的名妓。"

妓女这两个字,当然更不是什么好听的名词,但是从她嘴里说出来,却完全没有一点自惭形秽的意思,她并不认为这是羞耻。

她居然还是笑得很愉快:"所以我小的时候,别人都叫我杂种。"

无忌道:"你一定很生气?"

这女人道:"我为什么要生气? 我就是我,随便别人怎么样叫我,都跟我没关系,我是个什么样的人,还是个什么样的人,也不会因此而改变的。"

她微笑又道:"如果你真是个杂种,别人就算叫你祖宗,你还是个杂种,你说对不对?"

无忌也笑了。

他非但没有因此而看轻她,反而对她生出说不出的好感。

他本来还认为她衣裳穿得太少,好像不是个很正经的女人。

现在他却认为,就算她不穿衣服也没关系,他也一样会尊重她,喜欢她的。

这女人又笑道:"可是我真正的名字却很好听。"

她说出了她的名字:"我叫蜜姬,甜蜜的蜜,胡姬压酒劝客尝的姬。"

蜜姬。

这实在是个很可爱的名字,就像她的人一样。

在这么样一个又可爱、又直率的女人面前,无忌几乎也忍不住要把自己的名字说出来。

想不到蜜姬已经先说了:"我也知道你的名字,你叫李玉堂。"

唐玉曾用过这个假名字,也许只不过临时随口说出来的。

无忌觉得这个名字很好听,很响亮,所以棺材铺里的人问他:"客官尊姓大名"时,他也就不知不觉地把这名字说了出来。